이 책을 향한 전문가들의 찬사!

투자자라면 반드시 읽어야 한다

정말 좋은 책이 나왔다. 주식 투자를 하는 사람들은 꼭 한번 읽어보길 강권한다. 전장에서 '지피지기면 백전불태'라 했다. 복잡한 자본시장의 여러 이해관계자들의 생각과 태도, 행태를 깔끔하게 실사례 중심으로 잘 정리되어 있다. 주식시장의 투자 환경과 문화를 이해하고 투자를 시작하는 것은 성공 투자로 가는 첩경(지름길)이다. 생각이 복잡할 때 곁에 두고 펼쳐보면 크게 도움이 될 것이다. 이러한 책을 집필한 이대호 기자에게 감사함을 표하고 싶다.

_ **주식농부 박영옥** 스마트인컴 대표

직업상 경제 전문 기자들을 자주 만나고 몇 명은 함께 일하고 있다. 이대호 기자는 그중에서도 가장 빼어난 취재력과 전달력, 그리고 기자 정신을 갖고 있는 분이다. 글재주가 이렇게 뛰어난지는 이번에 알게 되었다. 일독을 권한다.

_ **김동환** 삼프로TV 의장

바둑에서 상대의 돌 세 점 사이 비어 있는 공간을 '호구'라고 한다. 그곳에 돌을 넣는 순간 바로 잡아 먹히기 때문에 '호랑이 아가리'라는 표현을 쓴다. 노름판뿐만 아니라 금융시장에도 순진한 투자자를 호구로 만드는 악당과 상품이 곳곳에 존재하고 있다. 이 책은 국내 투자자가 반드시 인지하고 있어야 할 우리나라 금융시장의 위험요소와 그 실체를 한 권의 스릴러물처럼 재미있게 나열하고 있다. 이 책을 통해 우리를 곤경에 빠뜨릴 수 있는 위험요소를 분별할 수 있는 지혜를 얻길 바란다.

_ **박세익** 체슬리투자자문 대표

이대호 기자와 함께하는 방송은 늘 즐겁다. 철저하게 공부한 후 출연자를 맞이하는 태도와 유쾌하게 끌어가는 진행 실력 덕분이다. 게다가 그는 자본시장의 건전화를 향한 진정성을 갖고 있는데, 역시나 이 책에서도 개인투자자들이 몰라서 당하는 일이 없었으면 좋겠다는 안타까움이 절절하게 묻어 나온다. 남 탓을 멈추고 저자의 경험에 기반한 천기누설에 귀를 기울여보자.

_ **최준철** VIP자산운용 대표

많은 사람들이 돈을 쫓아가고 있다. 많은 사람들이 사람을 쫓아가고 있다. 투자는 싸게 사서 비싸게 파는 것인데, 돈과 사람을 쫓다 보니 비싸게 사서 싸게 팔게 된다. 돈도 사람도 믿어서는 안 된다. 믿을 것은 사실뿐이다. 사실을 알려주는 이는 기자다. 물론 모든 기자가 그렇지는 않지만, 이대호 기자는 진실만을 알려주는 기자이다. 이대호 기자는 믿어도 된다. 이 책도 마찬가지다. 주식시장의 숨겨진 진실을 알려주고 있다. 이 책을 통해 주식시장의 진실에 가까이 다가서 보자. 돈이 될 것이다.

_ **염승환** 이베스트투자증권 이사

최근 일어난 각종 금융사고만 봐도 우리나라 증권시장은 일반인이 이해하기 어려운 시장이다. 이 책은 19년 동안 현장에서 발로 뛴 이대호 기자의 경험을 고스란히 녹여낸 책으로, 평소 궁금했던 증권시장의 뒷얘기를 현장감 있게 풀어내어 읽는 내내 빠져들게 한다.

_ **선진짱** 전업투자자

최근 증시에 안타까운 사태들이 있었다. 이대호 대표의 기자 시절 경험이 녹아 있는 이 책이 일찍 나왔다면 피해를 줄일 수 있지 않았을까. 지금이라도 이 책이 나와 감사한 마음이다.

_ **전인구** 전인구경제연구소 소장

모르면 당하고
알면 돈 되는

여의도
선수들의
비밀

모르면 당하고
알면 돈 되는

여의도 선수들의 비밀

이대호 지음

트러스트북스

프롤로그

전설적인 투자가 앙드레 코스톨라니는 이렇게 말했습니다. "내 책이 잘 팔리면 내게 들어오는 10% 인세 수입이 늘어나는 것에 기뻐기보다는 그 인세의 10배가 되는 돈을 기꺼이 치를 준비가 된 독자들이 있다는 사실이 나를 기쁘게 하는 것이다"라고. 기꺼이 이 책을 집어 든 독자 여러분께 무한히 감사드립니다.

이 책은 언론인으로서 19년째 살아가고 있는 기자 이대호의 경험으로 만들어졌습니다. 돌이켜보니 모두가 소중한 경험이었고 자산이었습니다. 그것이 한 줄 한 줄 쌓여 이제야 작은 책 한 권이 되었습니다. 원고를 완성하는 데만 1년 가까이 걸린 듯합니다. 과거의 경험을 떠올리고 자료를 수집하는 일도 쉽지 않았지만, 주말에 몇 시간씩 짬을 내서 글을 쓰다 보니 진도가 매우 더뎠습니다. 요즘 저는 경제 유튜브 채널 〈와이스트릿〉을 제대로 된 미디어로 성장시키는 데 온 힘을 쏟고 있습니다. 세어 보니 하루 14시간, 일주일에 70시간 이상은 〈와이스트릿〉을 위해 일하는 것 같네요. 〈와이스트릿〉과 구독자분들을 위해 조금의 시간도 허투루 쓰고 싶지 않습니다. 출연자를 위해서도 마찬가지입니다. 저는 출연자가 최근 쓴 책과 최근 발간한 보고서를 충분히 봐야만 자신 있게 질문을 준비할 수 있습니다. 유튜브 영상 하나에도 진심이 담겨야 한다고 생각합니다.

첫 책이다 보니 서문을 빌려 감사드릴 분들이 참 많습니다. 건강하게 낳아주시고 인성 바르게 키워주신 부모님께 감사드립니다. 지난 2005년 아들이 아나운서가 되고 TV에 나오기 시작하면서 부모님의 아들 자랑이 급증했다고 합니다. 이제는 TV에 자주 나오지 못해서 죄송하지만, 이 책이 작은 효도 거리가 될 거라고 '직접 말씀드릴' 예정입니다.

저의 전부와도 같은 사랑하는 아내와 세 딸에게 참 많이 고맙습니다. 그리고 늘 미안합니다. 평일에는 얼굴도 잘 못 보니 주말에라도 빚을 갚는 마음으로 가족과 시간을 보내고 있습니다. 그 와중에 주말에 책을 쓰느라 또 미안했지만… "미안. 아빠가 이따 놀아줄게" 이렇게 말할 수 있는 시간도 많이 남지 않았습니다. 벌써 첫째 아이가 사춘기에 접어들었습니다. 아이들이 아빠에게 놀아달라고 보챌 시간이 조금씩 저물어간다는 사실이 마음 아픕니다. 항상 남편을 많이 이해해주고 배려해주는 아내에게 지면을 빌려 사랑한다고 한 번 더 말하고 싶습니다. 부부 사이에서 성격 차이는 마이너스가 아니라 플러스라는 것을 깨닫게 해주는 고마운 사람입니다.

직원이라기보다 식구라고 부르고 싶은 우리 〈와이스트릿〉 크루에게 감사드립니다. 부족함 많은 대표를 믿고 따라줘서 고맙습니다. 〈와이스트릿〉 구독자분들께 특히 감사드립니다. 저희가 조금이라도 더 나은 콘텐츠를 만들 수 있었던 것은 오직 구독자분들의 응원 덕분입니다. 언론사 간판 떼고 제로에서 다시 시작하고 있음에도 저를 도와주시는 많은 취재원 여러분, 그리고 귀찮은 섭외 전화 거절하지 않고 흔쾌히 출연해주시는 많은 출연자분들께 진심으로 감사드립니다. 부족한 저에게 큰 기회를 주신 KBS1 라디오 〈성공예감 이대호입니다〉, KBS2 TV 〈해 볼만한 아침〉 제작진께도 깊이 감사드립니다. 더 좋은 책을 만들기 위해 애써주신 오서현 편집장과 트러스트북스 가족 여러분께 감사의 말씀 올립니다.

목차

선수들은 알고 있는 공공연한 비밀

공시公示인가, 공시空示인가?

가치 끼워 맞추기 IPO

시장의 검은손, 주가 조작 세력을 만나다

M&A 복합 기획형 주가 조작

가치 아닌 가격을 보는 사람들

기업들의 진흙탕 싸움

언론 오보 대잔치

친절한 은행원이 더 친절해질 때

전문가와 사기꾼, 그 한 끗 차이

증권사 직원이라던데 당신은 누구?

전문가의 이야기를 들으면서도 정작 그 사람의 정체와 역할이 무엇인지 잘 모르는 사람들이 많다. 주식 투자 관련 유튜브를 보면서도 거기 출연하는 사람의 직업이 무엇인지, 어떤 일을 하기에 그 자리에 나온 것인지 헷갈리는 사람이 많다. 전문가도 전문가 나름이고, 그 위치와 역할에 따라 편향이 있을 수 있다. 우리는 그것을 이해해야 한다.

증권사 소속으로 방송에 출연하는 경우는 크게 세 가지다. 우선 애널리스트analyst가 있다. 애널리스트는 금융투자분석사 혹은 증권분석사라고 부를 수 있는데, 금융투자협회에서 시행하는 일정한 자격시험을 통과하고, 제도권 증권사에 입사해 경제, 산업, 기업 등에 관한 보고서를 발간하는 사람을 말한다. 넓은 의미에서는 증권사 소속이 아니어도 뭔가를 분석하는 사람이라는 뜻으로 '애널리스트' 명칭을 폭넓게 쓰기도 한다. 따라서 '제도권' 애널리스트인지, '비제도권' 애널리스트인지 구별해서 봐야 한다.

'제도권'이라는 의미는 금융투자협회에 가입된 금융회사(증권사, 자산운용사, 투자자문사, 선물회사 등)에 속해 있고, 한국애널리스트회에 가입된 애널리스트 정도로 이해할 수 있을 것이다. 은행, 대기업 등 민간기업이 운영하는 경제연구소 등에서도 애널리스트라는 표현을 일부 쓰기는 한다. 다만, 대중적이지는 않다. 기업 연구소의 설립 목적은 그 연구 자료를 대외적으로 발간하는 데 있지 않다. 자사 경영에 활용하기 위한 내부 연구 목적이 강하다. 따라서 대외적인 성격이 강한 애널리스트라는 표현보다는 그냥 연구원, 연구위원 등으로 부른다. 또는 경제를 분석한다는 의미의 '이코노미스트economist'라는 표현을 많이 쓰는 편이다.

애널리스트라는 이름은 우리말로 '연구원'이라 쓸 수 있다. 직위에 따라 '연구원–책임연구원–선임연구원–수석연구원' 등으로 구분하기도 하고 '연구원–연구위원' 식으로 나누기도 한다. 이는 회사마다 다르다. 증권사에서는 이들이 속한 조직을 '리서치센터'라고 하며, 총책임자를 '리서치센터장'이라 부른다. 보통 상무나 전무급이다.

애널리스트는 자신이 맡은 분야에 대해서만, 그리고 자신이 보고서로 발간한 내용에 대해서만 언급할 수 있다. 자료로 발간되지 않은 내용을 사전에 발설할 경우 컴플라이언스compliance(증권사 및 협회 규정) 위반으로 제재를 받을 수 있다. 이후 '애널리스트 편'에서 자세히 설명하겠지만, 이를 위반해 구속된 사례도 상당수 있다. 애널리스트들이 방송에 자주 출연하는 것처럼 보이지만, 이는 매우 일부일 뿐이다. 상당수 애널리스트는 방송을 비롯한 대외 노출을 꺼린다. 조사분석 업무 자체가 과중하고 바쁠뿐더러 컴플라이언스 위반 위험도 있기 때문이다. 애널리스트가 방송 출연을 통해 얻을 수 있는 실익은 약간의 출연료와 유명세 정도다. 회사에서 홍보 목적으로 나가라고 해서 마지못해 출연하는 경우도 많다. 물론 개인 성향상 대외적인 활동을 좋아하는 사람도 있지만 극히 일부다.

여기에 속하지 않는 '비제도권' 애널리스트는 한도 끝도 없다. 심지어 리딩leading방• 업자들까지도 애널리스트 직함을 쓰기도 한다.

• 불법 유사투자자문 행위가 이뤄지는 오픈채팅방, 단체대화방 등의 온라인 양방향 채널

아예 스스로 리서치센터장이라고 칭하는 사람도 있다. 호칭이야 자유겠지만, 그 안에 어떤 불순한 의도가 담겨 있는 것은 아닌지 비판적으로 볼 필요가 있다. 약 10년 전에는 '사이버 애널리스트'라는 말이 유행한 적이 있다. 증권사 소속 정식 애널리스트는 아니지만, 온라인상에서 돈을 받고 종목 분석을 해주거나 종목 추천을 하는 사람이 스스로를 그렇게 불렀다. 대부분 유사투자자문업자, 리딩방업자들이 그렇게 했다.

증권사 소속으로 방송에 출연하는 두 번째 경우는 영업직을 꼽을 수 있다. 영어로는 '브로커broker'라고 부르는데, 증권사 수수료 수익을 올리기 위해 매매거래를 일으키는 직군이다. 브로커라는 말이 약간 부정적인 어감을 주긴 하는데, 브로커 역할 자체가 나쁜 것은 아니다. 그냥 우리말로 '영업사원'이라고 보면 된다. 증권사는 태생적으로 증권 매매거래를 중개해서 수수료 수익을 올리는 데서 시작됐기에 영업직이 가장 기본이면서 가장 중요한 자리라 할 수 있다. 이들이 방송에 출연하는 것은 사람들에게 자기 증권사를 이용하도록 하고, 거래 수수료 수익을 올리기 위함이다. 물론 광고 홍보 목적도 있다. 증권사 이름을 알리는 것뿐만 아니라 개인적인 인지도를 높여서 영업활동에 도움을 받으려는 목적도 강하다. 차장, 부장급이던 사람이 특정 유튜브 채널에서 유명해지면서 지점장에 오르거나, 임원으로 승진한 경우도 심심치 않게 볼 수 있다. 만년 부장, 만년 부지점장을 지점장, 임원으로 승진시켜준 것이 바로 지난 2020년 '동학개미' 열풍이었다.

브로커는 증권사 본사에 속한 사람도 있고, 지점에서 일하는 사람도 있다. 본사로 출퇴근하며 기관투자자를 대상으로 영업하는 직원을 '홀세일 브로커', 지점에서 일하며 개인투자자를 대상으로 영업하는 직원을 '리테일 브로커'라고 한다. 'OO증권사 OO지점 홍길동 팀장'이 이런 경우다. 지점장 역시 마찬가지다. 최근에는 온라인 영업을 강화하는 추세여서 '디지털 영업부, 스마트 금융부'라는 소속도 많이 눈에 띈다. 이들은 오프라인에서 기관이나 개인을 만나는 것이 아니라 오로지 온라인(유튜브 포함)을 통한 영업에 주력하는 직원들이다. '염블리'라는 애칭으로 친숙한 염승환 이베스트투자증권 이사가 대표적인 온라인 영업직이다.

영업직군의 경우 특정 분야 애널리스트 같은 스페셜리스트specialist라기보다, 전반적인 시황과 전략을 아우르는 제너럴리스트generalist에 가깝다. 영업직원들은 상대적으로 컴플라이언스에서 자유롭기에 종목별 투자 정보를 제약 없이 이야기할 수 있다는 장점이 있다. 개인투자자들이 접하기에 영업직원이 애널리스트보다 훨씬 편하게 느껴질 것이다. 다양한 종목 이야기를 편하게 풀어주고, 상대적으로 알기 쉬운 용어로 소통하기 때문이다. 이것이 리테일 브로커들의 경쟁력이기도 하다. 성향에 따라 다르긴 한데, 어려운

용어를 써가면서 매우 전문적으로 보이려는 사람도 있는 반면, 쉬운 용어를 써서 친숙함을 얻으려는 사람도 있다. 어쩌면 리테일 브로커 각자의 성향일 수도, 전략일 수도 있다.

이 밖에도 방송 출연을 하는 증권사 직원은 다양하다. 금융상품을 설계하거나 마케팅하는 직원, 직접 투자 업무를 담당하는 직원 등이 출연하기도 한다. 이들이 등장한다는 것은 회사 상품을 홍보하고자 한다는 것이다. 예를 들면 해외주식 담당 부서에서 나와 미국주식 거래 방법을 알려준다거나, 연금상품 담당 부서에서 나와 은퇴 준비 필요성을 강조하고 IRP 등 은퇴상품을 소개하는 식이다. 직원의 업무 시간은 회사의 자산과 같다. 그 시간에 직원을 미디어에 내보낸다는 것은 분명 증권사 회사 차원에서 얻을 것이 있다는 의미다.

펀드매니저의 방송 출연, 누이 좋고 매부 좋고?

펀드매니저는 말 그대로 펀드를 운용하는 사람이다. 우리말로 '운용역'이라고 부른다. 펀드를 우리말로 풀어 쓰면 '집합투자재산' 또는 '집합투자자산'이라 하고, 이를 운용하는 회사를 '자산운용사'라고 한다. 한 예능 프로그램에서는 자산운용사라는 표현이 어려웠는지 이를 '펀드 회사'라고 표현한 경우도 있었다.

펀드매니저는 직접 펀드를 운용하며 개별 자산(주식, 채권 등)을 편입 편출하기 위한 의사결정을 하기 때문에 규정상 자신의 펀드에 담긴 종목을 대외적으로 언급할 수 없다. 그래서 방송에 출연하더라도 전반적인 시장 전망과 경제 전망, 투자 전략 등 큰 틀의 이야기만 할 수밖에 없다.

펀드매니저에게 듣는 전망은 애널리스트의 그것보다 조금 더 피부에 와닿는 경향이 있다. 아무래도 거액의 자산을 실제로 굴리고 있기 때문이다. 애널리스트가 특정 분야 전문가라면, 펀드매니저는 모든 방면을 두루 섭렵하고 있어야 한다. 그래야만 종합적이고 입체적인 자산 배분과 투자가 가능하기 때문이다. 특히 산전수전 다 겪은, 경험 많은 펀드매니저에게는 더욱 깊이 있는 인사이트를 얻을 수 있어 개인적으로도 선호하는 출연진이다.

애널리스트가 방송 출연을 꺼리는 반면, 펀드매니저의 경우 방송을 통해 얻을 수 있는 것이 좀 있는 편이다. 펀드 홍보가 되기 때문이다. 자산운용사 이름을 알리고, 펀드를 알려서 가입자가 많아지고 수탁액(가입자가 맡긴 돈)이 늘어날수록 운용보수가 커진다.

펀드를 운용하는 것은 자산운용사지만, 이를 가입하려면 은행이나 증권사 같은 판매사가 필요하다. 일반 산업으로 비유하자면 자산운용사는 '제조사', 은행이나 증권사는 '유통사'인 셈이다. 제조업자가 자신의 제품이 잘 판매되도록 유통업자에게 열심히 영업해야 하는 것은 제조업이나 금융업이나 마찬가지다. 아무리 제품이 좋아도 안 팔리면 사장되는 것 또한 마찬가지다. 판매사를 통한 펀드 판매가 B2B Business to Business(기업과 기업 간 거래)라면, 유튜브 방송 등 온라인을 통한 홍보는 B2C Business to Consumer(기업과 개인 간 거래) 시장이다. 즉, 펀드매니저들은 자신의 펀드를 홍보하고 개인 고객을 유치하기 위해서 B2C 시장의 하나로 유튜브를 이용하고자 하는 것이다.

자신의 펀드가 유명해지면 판매사 없이도 고객을 유치하기 편해진다. 실제로 은행이나 증권사 창구에 찾아가 "유튜브 보고 OOO 대표님 펀드 가입하러 왔습니다"라고 말하는 사람이 늘고 있다고 한다. 어떤 자산운용사의 경우 완전히 기울어가던 사세가 유튜브 출연 덕에 아예 뒤바뀐 적도 있었다. 잇따르는 펀드 환매 때문에 수탁액이 줄어 적자를 면치 못하고 있었는데, 특정 유튜브 채널에서 CIO Chief Investment Officer(최고투자책임자)가 스타로 부상하면서 펀드 판매가 급증했다는 후문이다.

앞서 기술한 바와 같이 펀드매니저는 방송에서 보유 종목을 언급할 수 없다. 펀드매니저의 경우 종목 대신 그 기업이 속한 '섹터' 위주로 이야기하거나, 지적 호기심을 채워줄 수 있는 유익한 강연을 펼치거나, 좋은 책 내용을 소개해주는 등 다양한 방식으로 투자자와 접점을 늘리고 있다.

증권사와 자산운용사는 두 가지 측면에서 '갑을 관계'에 있다. 증권 중개업무와 관련해서는 주식거래 주문을 주는 자산운용사가 '갑'이고, 그 주문을 받아야 하는 증권사가 '을'이다. 반면, 펀드 판매와 관련해서는 펀드를 팔아주는 증권사가 '갑'이고, 펀드 자금을 유치해야 하는 자산운용사가 '을'이다. 다만 최근에는 자산운용사가 직접 유튜브 등을 통해 온라인 마케팅을 강화하고, 자사 애플리케이션을 통해 펀드 판매를 직접 할 수 있는 길이 열리면서 갑을 관계가 조금은 희석되고 있다. 실력 있는 펀드매니저라면, 혹은 수익 좋은 자산운용사라면, 갑의 영향력을 벗어나 스스로 덩치를 키워갈 수 있는 선순환 구조가 유튜브 덕분에 만들어진 듯하다.

'대부분 현직 펀드매니저는 실력이 훌륭하다'라는 믿기 힘든 말이 있다. 성과가 나쁜 펀드매니저는 업계에서 퇴출당하고, 어찌어찌 성과를 내는 매니저는 업계에 남아 있기 때문이라고 한다. 일본 금융인 다부치 나오야가『확률적 사고의 힘』•이라는 책에서 표현한 말이다. 생존 편향을 설명하면서 든 예인데, 펀드 시장 역시 살아남

• 다부치 나오야,『확률적 사고의 힘 : 주식 투자부터 기업 경영까지 불확실성에 대처하는 승자의 철학』, 황선종 옮김, 출판에프엔미디어, 2022년

거나 이겨서 남은 정보가 기록되기 때문에 생존 편향에서 자유로울 수 없다는 지적이다. “성과가 나쁜 펀드매니저는 목이 날아가고 대신 젊은 펀드매니저가 보충된다. 그 결과 현존하는 펀드매니저 대부분은 성과가 좋은 사람과 경험이 얕은 사람이다.”

다만 패자만 시장을 떠나는 것이 아니다. 정말 실력 있는 승자도 자산운용업계를 떠난다. 펀드 즉, 남의 돈을 운용하는 것보다 자기 돈을 직접 투자해서 더 빨리 부자가 되기 위한 선택이다. 매니저 하다가 개미가 된 투자자를 ‘매미’라고 부른다. 애널리스트 하다가 개미가 된 투자자는 ‘애미’라고 한다. 실력이 검증된 매미나 애미 중에서 외부자금을 받는 경우도 자주 있다. 친분 있는 회장님의 개인 자산이나 법인 자금을 일부 맡아서 굴리는 것이다. 성과에 따라 별도 인센티브를 받기 때문에 규모의 경제를 시현할 수 있는 방법이다. 개인 돈 10억, 20억 원으로 전업투자를 시작하면 마음이 급해지고 살림도 쪼들릴 수 있지만, 회장님 자금이나 지인 법인자금 수십억을 맡게 되면 같은 수익률을 올려도 남는 금액이 커지게 된다. 아예 일반 회사에 취업해서 그 법인의 자금을 전문적으로 운용하면서 월급을 받고, 업무 시간에 개인 투자를 병행하는 경우도 있다.

랩하는 주식 전문가?

투자자문사 CEO와 CIO 등도 유튜브를 비롯한 경제방송에 자주 출연한다. 투자자문사는 말 그대로 고객에게 투자를 자문해주는 역할이다. 투자 결정을 위한 조언을 해줄 뿐, 최종 투자 결정은 고객이 한다는 의미다. 투자자문사가 할 수 있는 일은 1대 1 투자 상담이 대표적이다. 고객이 찾아오면 해당 고객의 상황에 따라 맞춤형 포트폴리오를 제안할 수 있다. '랩 어카운트'라는 상품도 유명하다. 개인별 종합자산관리계좌라고 표현할 수 있는데, 랩 어카운트는 '포장하다'라는 뜻의 '랩wrap'과 '계좌'라는 뜻의 '어카운트account'를 합친 말이다. 말 그대로 비닐 랩처럼 투자자산을 하나로 싸서 관리해준다는 의미다. 같은 랩 상품에 가입하면 가입자 모두가 랩으로 싸인 같은 포트폴리오에 투자할 수 있다. 투자자는 여러 자문사와 랩 상품 가운데 자신에게 맞는 것을 고르면 된다. 자문사마다 투자 성향별로 매우 다양한 상품이 존재한다.

투자자문사가 '일임업'까지 영위할 경우 아예 고객에게 투자 판단을 일임받아서 투자자산을 알아서 사고 팔고 할 수 있다. 이를 '일임형 랩'이라고 한다. 투자 판단을 일임받지 않고 자문만 해주는 상품은 '자문형 랩'이라고 한다. 투자자문사의 경우 고객의 자산을 관리할 때 고객 명의 계좌로 해야 한다는 점이 특징이다. 자산운용사 펀드의 경우 모든 고객의 투자 자금을 한데 모아서 집합투자재산으로 관리한다. 반면 투자자문사는 자문형이든 일임형이든 고객의 계좌를 대신 굴려주는 구조다.

투자자문사는 자산운용사와 공통점이 있다. 바로 판매사가 필요하다는 것이다. 은행이나 증권사를 통해 고객을 유치하는 것도 똑같다. 직접 영업을 할 수 있지만, 어찌 됐든 고객의 계좌를 관리해주는 것이어서 증권사 계좌가 필요하다. 결국 여기도 증권사 같은 판매사가 '갑'이라는 말이다. 은행이나 증권사가 특정 투자자문사 상품을 마음먹고 밀어주면 해당 자문사 상품이 '판매 순위 베스트'를 차지하는 건 어렵지 않은 일이다. 그래서 투자자문사들은 은행과 증권사에서 세일즈를 더 해줄 수 있도록 좋은 관계를 유지하려 애쓴다. 로비도 치열하다.

투자자문사 역시 자산운용사와 마찬가지로 판매사 울타리를 넘어 고객에게 직접 회사와 랩 상품을 홍보하려는 니즈가 있다. 유튜브 출연도 그러한 배경이 깔려 있다고 볼 수 있다. CEO, CIO 등 투자자문사 관계자가 유튜브나 경제방송을 통해 직접 회사 이름을 알리고 상품을 간접적으로 알리면 그 홍보 효과가 쏠쏠하다. 방송을 보고 찾아오는 고객들에게 상담해주고, 자사 상품에 가입하려면 어느 증권사를 찾아가서 어떻게 계좌를 열면 되는지 알려준다. 실제로 이렇게 영업하는 투자자문사가 적지 않다. 유튜브 방송을 통해 실력을 인정받고 평판이 높아진 투자자문사는 수탁액이 급증하기도 한다. 가장 대표적인 경우가 '개미들의 멘토' 박세익 전무다. 박 전무의 경우 코로나19 팬데믹 상황이던 2020년 3월부터 증권 방송에 먼저 손들고 나가 "지금은 매수할 때"라고 용감하게 외친 인물이다. 당시 대중성이 적었던 인피니티투자자문의 평판을 박 전무가 크게 높였고, 실제로 랩 상품 가입자가 물밀듯 몰려왔다. 이후 박 전무는 직접 체슬리투자자문을 설립하며 제2의 도약을 하고 있다.

합법과 불법을 넘나드는 리딩방

이름이 투자자문사와 유사하긴 한데, 실체는 유사하지 않은 업태가 바로 '유사투자자문'이다. 넓은 의미에서 금융정보 제공업으로 볼 수 있는데, 금융당국은 그 업태 이름에 '유사'를 붙여 놓았다. 투자자문사 레벨에 낄 수는 없지만, 어떻게 해서든 감독 당국의 영역으로 끌어들이려는 노력의 흔적이다.

유사투자자문업은 대부분 '주식 종목 추천'이 주업이다. 리더가 카카오톡 등 메신저를 이용해 추천주를 뿌리기 때문에 흔히 '리딩방'이라는 이름으로 불린다. 일정 금액을 받고 카카오톡 등 특정 커뮤니티에 가입시켜주며 '오늘은 A종목을 사라, 내일은 B종목을 사라' 식으로 종목 투자를 리드해준다. 펀드를 추천하거나 ETF 투자를 자문하는 일은 거의 없다고 보면 된다. 일부 유사투자자문에서 펀드와 ETF를 필두로 영업을 하는데, 사실 알고 보면 이미지 세탁을 위한 포장용일 가능성이 높다. 일부는 보험 독립판매 대리점인 GAGeneral Agency를 함께 하면서 자산관리의 일종으로 보험 상품을 추천하기도 한다. 이 경우 보험사로부터 보험 판매 금액 중 일부를 커미션으로 받는 구조다.

유사투자자문이 할 수 있는 일은 '1대 다수' 방식의 투자 정보 제공이다. 즉, 종목 추천을 하더라도 특정인에게만 연락하는 것이 아니라, 금융감독원에 신고한 사이트(홈페이지, 앱, 문자메시지, 카카오톡 등)를 통해 모든 고객에게 일괄적으로 정보를 배포해야 한다는 것이다. 투자자문사는 1대 1 자문이 가능하지만, 유사투자자문사는 1대 다수 자문만 가능하다. 1대 1 자문은 불법이다. 이를 행하려면 자본금, 운용역 등 일정 기준을 갖춰 금융당국에서 투자자문사 허가를 받아야 한다. 그러지 않고 유사투자자문사가 고객을 직접 만나 투자 상담을 해주다가는 등록 취소 처분을 받을 수 있다.

유사투자자문업은 누구나 금융감독원에 등록만 하면 영업을 할 수 있다. 허가제가 아니라 신고·등록제라는 말이다. 자격증도 필요 없다. 초등학교만 나와도 할 수 있다. 주식 투자를 아예 몰라도 전문가 행세를 하면서 사람들을 끌어모을 수 있다는 말이다. 등록조차 하지 않고 금전적 대가를 받는 영업을 하는 것은 불법이다. 해당 유사투자자문 업체가 정식으로 등록된 업체인지 확인하는 방법은 간단하다. 금융감독원 '파인' 홈페이지에서 상호, 대표자 이름 등을 검색해보면 된다.

금융소비자 정보포털 파인 – 유사투자자문업자 신고현황

(스마트폰 카메라로 아래 QR코드를 스캔하면, 해당 사이트로 연결)

유사투자자문은 약 2000개에 육박한다. 많을 때는 2500개를 넘기도 한다. 특히 증시가 활황일 때 급증하는 경향이 있다. 돈 주고 종목을 얻으려는 사람이 많아지기 때문이다. 금융감독원은 매년 정기적으로 실태 조사를 벌여 문제가 있는 유사투자자문 등록을 취소해버린다. 많을 때는 1년에 수백 개씩 등록 취소 처분을 받기도 한다. 2020년 동학개미 열풍 이후 리딩방이 난립하고 그만큼 개인들의 민원이 급증하자 금융감독원은 리딩방 모니터링과 퇴출을 강화하고 있다.

그렇다면 유사투자자문은 정말 실력이 있는 곳일까? '종목 족집

게'라는데 정말 믿을만한 걸까? 일부 전문가 중 정말 실력 있는 사람도 있겠지만, 대부분은 고객의 수익보다 업체의 수익을 위해 존재하는 것이 현실이다. 주식을 배운 지 1~2년밖에 안 된 사람이 유사투자자문을 차리고 전문가 행세를 하는 것도 많이 봤다. 이때 빠지지 않는 것이 명품백, 명품시계, 외제차, 슈퍼카다. '내가 주식으로 이렇게 성공한 사람이야'라고 과시하는 것이다. 물론 개미들을 꼬드기기 위해서다. 요새는 이런 방식으로 코인 투자 전문가로 행세하는 사람도 늘고 있다.

월 회비를 받는 것을 넘어서 아예 자신에게 투자금을 맡기라고 권하는 경우도 생겨나고 있다. 자기가 직접 큰돈으로 불려주겠다면서 말이다. 엄연한 불법이다. 남의 돈을 맡아서 운용하려면 금융당국에서 투자일임업 허가를 받아야 한다. 미등록 무허가 전문가(?)에게 손실을 보더라도 하소연할 곳이 없으며, 그들이 돈을 가지고 아예 사라져버려도 찾을 방도가 없다. 인스타그램, 페이스북, 유튜브 등을 통해 화려한 집과 명품백, 슈퍼카를 자랑하는 사람, 그러면서 월 회비가 필요한 종목 추천 서비스를 권하거나 투자금을 맡기라고 하는 사람은 1초라도 빨리 거르는 게 상책이다.

금융감독원에 등록된 리딩방이라면 정말 급등주를 알려줄까? 그랬으면 좋겠지만, 눈속임이 정말 많다. 적지 않은 리딩방들이 문자메시지 영업을 하는데 가장 흔한 방법은 이런 것이다. "내일 급등주 미리 말씀드립니다. 제 실력을 한번 보시죠", "내일 세력이 들어갈 급등주, 고객님께만 미리 보여드립니다"라고 하면서 종목 몇 개를 언급한다. 실제로 다음 날 보면 적지 않은 종목들이 장중 급등하는 모습을 보인다. 그러면 이런 업자들은 "보셨죠? 이래도 가입 안 하실 건가요?"라면서 자신들의 실력인 것처럼 광고한다.

그런데 그 실체를 알고 보면 눈속임 그 이상도 이하도 아니다. 장 마감 이후 호재성 공시나 뉴스가 나와서 시간외 거래에서 급등한 종목을 보고 마치 자기가 사전에 추천한 종목인 것처럼 광고하는 것이다. 장 마감 후 호재성 공시가 나오면 다음 날 개장과 함께 '갭 상승(개장부터 상승 출발)' 하는 경우가 많은데, 이를 잘 모르는 사람들을 꼬드기는 속임수에 불과하다. 이미 답안지를 본 상태에서 마치 자기가 시험 문제를 다 풀고 100점 맞은 것처럼 호도하는 셈이다.

문자메시지로 자랑하는 수익률도 해당 종목의 '장중 최고점'을 기준으로 한다. 갭 상승으로 떴다가 하락 마감하더라도 무조건 최고가가 자신들의 실력이란다. 이런 종목들만 놓고 보면 무료체험 맛보기 서비스의 수익률이 누적 수백 퍼센트에 달하기도 한다. 정말 신이 아니고서야 이 같은 종목을 미리 회원들에게 전달할 수는 없는 노릇이다. 그런데도 이런 속임수에 속아 넘어가는 사람들이 적지 않다. 정말 모르고 당하는 경우가 대부분이겠지만, 그 바탕에

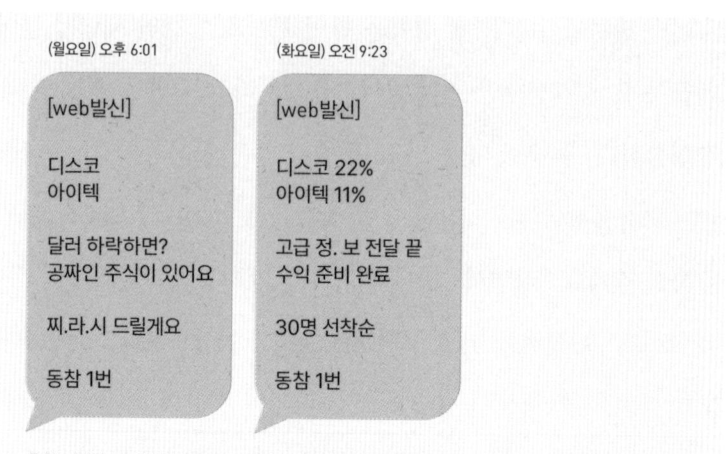
(월요일) 오후 6:01
[web발신]
디스코
아이텍
달러 하락하면?
공짜인 주식이 있어요
찌.라.시 드릴게요
동참 1번
(화요일) 오전 9:23
[web발신]
디스코 22%
아이텍 11%
고급 정. 보 전달 끝
수익 준비 완료
30명 선착순
동참 1번

흔한 리딩방 문자메시지. 전날 오후 6시경 문자메시지를 보낸 뒤 다음 날 장 초반 급등한 주가를 자랑한다. 장 마감 후 시간외 거래에서 급등한 종목을 찾아 문자메시지를 보내고, 이 종목을 마치 자신이 사전에 추천한 것처럼 속이는 전형적인 패턴이다.

는 돈을 쉽게 벌고자 하는 인간의 욕망이 깔려 있다. 리딩방 운영자들은 대중의 이러한 심리를 이용한다. 막상 유료회원으로 가입하고 보면 광고 선전과는 완전히 다른 수익률에 실망하기 마련이다. 답안지를 보고 푼 것과 실제 시험을 보는 것의 차이이다. 상당히 많은 사람들이 "대표님, 맛보기 서비스 때는 수익률 높았는데 유료 가입하고 나니까 수익률이 왜 이렇죠?"라고 묻는다. 아직도 리딩방의 실체를 깨닫지 못한 것이다.

리딩방 이용료는 적게는 월 50만 원에서, 많게는 월 200만 원을 넘기도 한다. 월 50만 원인 경우 연간 회원으로 12개월(600만 원) 선결제를 하면 100만 원 할인한 500만 원에 이용할 수 있다고 홍보한다. 월 100만 원일 경우 연간 회원에게는 '1200만 원이 아닌 1000만 원에 모신다'라는 식이다. 당연히 장기 결제를 유도하기 위함이다. 여기에 빠지면 손실만 커지고 환불도 못 받는 '개미 지옥'에 빠지게 된다. '환불 지옥'에 관해서는 뒷부분에서 이야기하자.

리딩방의 가장 큰 문제는 선행매매다. 쉽게 말해 자신들이 먼저 해당 종목을 매수해놓고 회원들에게 추천한 뒤 주가가 올랐을 때 고가에 매도하는 행위다. 유료회원이 많을수록 추천 문자메시지 발송 직후 주가 변동폭이 커질 수 있다. 일부 세력들은 이것을 즐긴다. 한마디로 회원들을 '물량받이'로 취급하는 것이다. 일반 회원들은 선행매매 하는 사람을 자신도 모르게 도와주는 꼴이 된다.

선행매매는 유사투자자문뿐만 아니라 증권사, 자산운용사 등 업권 구분 없이 모두 불법이다. 예를 들어 증권사 리서치센터의 경우 애널리스트가 보고서 발간 전에 미리 자기의 계산(자산)으로 주식을 사두었다가 리포트 발간 이후 주가가 떴을 때 매도하는 경우가 선행매매에 해당된다. 자산운용사의 경우 펀드매니저가 자기 계산으로 특정 종목을 미리 사두었다가 고객들의 자금으로 해당 종목을 펀드에 담으면서 주가를 들어 올리고, 이때 자신이 보유하던 주식을 매도하는 경우가 있을 수 있다. 실제로 지난 2007년, 2014년, 2016년 등 이런 방식으로 선행매매를 하거나 주가 조작에 가담한 펀드매니저가 적발된 바 있다. 금융당국은 이러한 이해상충 문제를 방지하기 위해서 자본시장법을 통해 선행매매를 엄격하게 금지하고 있다.

일각에서는 선행매매를 '선취매先取買'라고 부르기도 하는데, 금융당국에서 쓰는 공식 용어는 '선행매매'가 맞다. 선취매는 '주식을 미리 사 둔다'라는 매우 넓은 의미이기 때문이다. 문제의 본질은 주식을 미리 사두는 것뿐만 아니라, 추천 이후에 그것을 매도하는 데서 생긴다. 즉, 고객에게는 매수를 추천하면서 본인은 매도를 하는 불건전 영업행위, 불공정 거래행위를 차단해야 한다는 것이다.

상대적으로 규모가 큰 증권사나 자산운용사보다 유사투자자문업에서 선행매매가 발생할 가능성이 높다. 금융감독원으로부터 정기적인 검사를 받지 않는 영역이고, 내부통제 장치(컴플라이언스)가 거의 없기 때문이다. 대부분 유사투자자문업자들은 사내 컴플라이언스 담당이 없다고 봐도 무방하다. 사내 컴플라이언스팀이 있더라도 법규 준수 여부를 내부적으로만 보관할 뿐, 금융당국에 정기적으로 제출할 의무도 없다. 컴플라이언스 조직을 두고 있는 유사투자자문사가 아주 간혹 있는데, 이는 리스크 관리를 매우 잘하는 회사로 볼 수 있다. 강조하지만 유사투자자문업 즉, 리딩방 자체가 불법은 아니다.

선행매매를 하기 위해 뒷돈까지 오가기도 한다. 리딩방 회원이 많아질수록 종목 추천 직후 주가가 급등할 가능성이 높기 때문에 이를 한시라도 먼저 받아보려는 행위다. 리딩방 운영자에게 뒷돈을 주고, 추천 종목을 자기에게 단 1분이라도 먼저 알려달라고 부탁하는 사람도 있다. 이들은 일반회원보다 높은 등급인 VIP로 관리된다. 물론 VIP 위에 VVIP도 있다. 그 위에 VVVIP가 없으리라는 보장도 없다.

이런 사람을 실제로 본 적이 있다. 미용실을 운영하는 사람이었는데, 매일 리딩방 문자메시지를 기다리느라 일을 제대로 못 했다. 메시지가 왔을 때 다른 회원들보다 먼저 매수해야 한다며 계속 휴대전화를 손에 쥐고 있었다. 단 몇 초만 늦어도 호가가 몇 퍼센트까지 벌어지기 때문이다. 나중에는 해당 리딩방 업자를 찾아가서 '문자메시지를 나에게 먼저 발송해달라'며 고액의 선물을 주고 왔단다. 이런 생각을 하는 사람이 한둘이 아니겠구나 싶었다. 지금도 어딘가에서는 VIP와 VVIP가 만들어지고 있다. 그리고 그 최상단이 있다면, 그건 바로 리딩방 업자 자신들일 것이다.

원칙적으로 유사투자자문업자의 '1대 1 투자자문'은 불법이다. 앞서 설명한 것과 같이 1대 1 자문은 투자자문사의 영역이기 때문이다. 유사투자자문은 1대 다수의 자문만 가능하다. 즉, 홈페이지나 문자메시지처럼 다수에게 일방적으로 정보를 보내주는 것만 가능하지, 서로 소통하면서 상담을 하는 것은 불법이다. 그래서 유사투자자문업체에게 "이 종목은 어때요? 저 종목 더 살까요?"라고 묻는 것 자체가 실례다. 물론 아예 금융감독원에 등록되지 않은 업체이거나 불법을 대놓고 하는 업체에 이러한 준법정신을 기대하는 것은 어불성설이다.

한편 리딩방 업자들은 개미를 꼬드기기 위해 고수익을 자랑하는 것은 기본이다. 물론 이조차 거짓인 경우가 많지만, 자신을 따르면 쉽게 돈을 벌 수 있다며 슈퍼카, 명품시계, 명품백 등을 자랑하는 경우도 허다하다. 말 그대로, 돈을 쉽게 벌고 싶은 인간의 나약함을 노리는 것이다. 저런 사진을 보고 왜 혹할까 싶기도 한데, 의외로 속는 사람들이 많다. 자신을 따라 한 회원이 정말 부자가 되었다며 '인증샷'을 보여주는 경우도 많다. 물론, 검증할 수 없는 인증샷이다. 심지어 "대표님 덕분에 차 바꿨어요", "방장님 덕분에 집 샀어요"라고 글을 올리는 사람들도 대다수 리딩방 직원인 경우가 많다. 회원을 모집할 때 '최소 00% 수익률 보장', '종목 적중률 00%', '원금 보장' 등 허위·과대광고를 하는 경우도 다반사다. 표시광고법 위반에 해당되는데, 미등록 불법업체가 난무하는 마당에 표시광고법이 무서울쏘냐. 심지어 연예인 사진을 합성해서 수익 인증샷으로 만들어버리는 경우도 있다.

리딩방 업자들은 기부와 같은 선행(?)도 많이 한다. 대표적인 것이 고액 기부자 등록이다. 유니세프나 사랑의 열매 등 자선단체에 1억 원 이상을 기부하면 '아너스 클럽'이라는 고액 기부자 타이틀을 받게 된다. 자선단체 대표와 사진도 찍고 대외적으로 크게 홍보도 해준다. 연예인들과 함께하는 봉사활동에 참여해 사진도 남길 수 있다. 리딩방 업자들은 이를 노린다. 약 1억 원을 기부하고 명예를 사는 것이다. 단순히 종목 추천만 하고 돈만 버는 업자가 아니라 세상을 이롭게 하는, 마음이 따뜻한 사람임을 보여주려는 의도다. 리딩방 업자는 본인의 아너스클럽 가입을 대대적으로 자랑하면서 마케팅 수단으로 적극 써먹는다. "진심으로 개미들을 돕고자…", "자신은 1000억대 부자가 되었지만, 힘없는 개인투자자들을 위해 발 벗고 나선…" 등의 카피도 다수 등장한다.

리딩방 업자들은 단체카카오톡방(단톡방)뿐만 아니라 네이버·다음 카페와 같은 온라인 커뮤니티도 운영하는데, 여기에도 댓글 아르바이트, 수익 인증 아르바이트가 득실댄다. 단톡방에 100명이 있다고 가정하면, 그중 1명을 속이기 위해 99명의 아르바이트생이 단톡방에 참여할 수도 있는 일이다. 온라인 카페에서는 해당 리딩방 때문에 손실을 봤다는 글을 찾아보기 어렵다. 바로 삭제되기 때문이다. 비판적인 글은 삭제되고, 비판하는 사람은 강퇴당한다. 그리고 직원들이 리딩방 칭찬과 허위 수익 인증 글을 도배한다. 모양새만 보면 더없이 훌륭한 집단인데, 실상은 가두리 양식에 가깝다.

리딩방은 문제가 생기더라도 나중에 이름만 바꿔서 얼마든지 활동할 수 있다. 금융감독원 미등록 업체라면 볼 것도 없다. 카카오톡 오픈채팅방 수십 개를 동시에 가동하면서 여기저기에서 활동할 수 있다. 사고가 나면, 혹은 사기를 치고서 단톡방을 폭파해버리면 그만이다. 금융감독원 등록업체라고 해도 이 같은 돌려막기는 얼마든지 가능하다. 유사투자자문업 상호와 사이트, 대표자 명의만 바꾸면 되기 때문이다. 3~4명이 함께 리딩방을 운영할 경우 1명씩 돌아가면서 대표이사를 맡으면 된다. 사고를 쳐서 등록 말소 처분을 받더라도 다른 사람 명의로 또 등록하면 된다.

앞서 이야기한 것처럼 리딩방 월간 이용료는 수십만, 수백만 원을 호가한다. 또 이들은 장기 결제를 유도하기 위해 '6개월 선결제 시 10% 할인, 12개월 선결제 시 30% 할인' 등을 내세운다. 그러나 장기 결제로 들어서는 순간 큰돈을 날리는 것은 물론, 정신 건강도 잃을 수 있다.

환불을 아예 안 해주거나, 환불 과정을 매우 까다롭게 만든다. 환불해주더라도 이런저런 핑계를 대면서 최소 금액만 해주려 한다. 일단 환불 전화를 아예 받지 않는 업체는 금융감독원 미등록 업체일 가능성이 높다. 그냥 한탕 크게 해먹고 날라버리자는 식이다. 이 경우 해당 업체를 잡아내서 환불받기는 보이스피싱 조직을 잡는 것만큼 어렵다.

환불해주더라도 극히 일부 금액만 건질 수 있다. 예를 들어 가입 기간 6개월짜리를 600만 원에 결제했고 1개월 이용 후 환불을 요구한다면, 100만 원을 제외한 500만 원을 돌려받을 거라고 생각하지만 현실은 그렇지 않다. "원래 1000만 원짜리를 600만 원으로 할인해드린 거라서 1개월 치가 약 167만 원 상당"이라는 이상한 논리가 등장한다. 심지어 "6개월 중 마지막 3개월은 서비스 기간이고, 앞에 3개월이 진짜 유료기간이어서 고객님은 $\frac{1}{6}$이 아니라 $\frac{1}{3}$ 사용하셨다"처럼 어처구니없는 논리를 내세우기도 한다. 또한 있지도 않은 교재비와 교육 수강료 등을 제반 비용으로 들고 나와 환불 금액을 쥐꼬리로 만들어버린다. 분명히 6개월에 600만 원짜리인데, 1개월만 이용하고 환불받는 금액이 100만 원도 안 되는 식이다.

환불을 제대로 받으려면 험난한 과정이 필요하다. 우선 가입 과정부터 상담 내용을 잘 녹취하고 안내 사항을 꼼꼼히 들어야 한다. 환불 규정을 확인하는 것은 기본이다(물론 이런 과정을 꼼꼼히 챙기는 사람이라면 애초에 리딩방에 가입하지 않겠지만). 이미 때가 늦었다면 금융감독원 민원을 적극 활용해야 한다. 금융감독원 민원상담전화 '1332번'으로 전화해서 해당 업체에 관한 문제점을 알려야 한다. 그런데 금융감독원이 직접 중재할 수는 없다. 금융당국은 위법성이 확인될 경우 해당 유사투자자문업체를 등록 말소하는 등 제재할 수는 있지만, 직접적으로 가입자의 회비를 돌려받아줄 수는 없다. 한국소비자원에 상담해도 마찬가지다. 소비자원 역시 법적 강제력이 없다. 소송을 한다고 해도 소송에 들어가는 비용과 시간을 감안하면 사실상 실익이 없다.

그나마 현실적인 방법이 '눈에는 눈, 이에는 이' 전략이다. 금융감독원과 소비자원 민원 그 자체는 큰 힘이 없지만 "민원을 제기해서 유사투자자문업 등록 말소를 시켜버리겠다", "언론사에 제보하겠다", "각종 온라인 커뮤니티에 해당 업체의 환불 방식을 공개해버리겠다" 식으로 나가는 것이다. 금융감독원 파인 사이트를 통해 해당 업체가 유사투자자문업자 신고된 등록 업체인지 확인해보고, 미등록 업체일 경우 경찰에 고발하겠다고 으름장을 놓는 것도 방법이다. 안타깝지만, 아예 등록조차 하지 않은 미등록 업자라면 환불 요구에 '배 째라' 식으로 나올 가능성이 크다. 아예 연락두절될 수도 있다.

이렇게 해서 전부는 아니지만 일부라도 환불받을 수 있다면 그나마 다행이다. 다시 한번 강조하지만 리딩방에는 아예 발을 들이지 않는 것이 상책이다. 장기간 결제를 할 경우 신용카드 할부를 이용하고, 문제가 생기면 해당 카드사에 '잔여대금 청구 중단'을 요청하는 것도 방법이다. 물론 리딩방 업자들은 현금이나 일시불 결제를 해야 할인받을 수 있다며 할부 결제를 반기지 않을 것이다.

리딩방 업자들이 날로 똑똑해지고 있다. 이제는 많은 사람들이 리딩방의 실체를 알게 되자 더이상 리딩방으로 보이지 않는 형태를 띄는 것이다. 가장 대표적인 것이 강의로 포장하는 것이다. '부자 되는 수업', '종목 발굴 노하우', '돈을 끌어당기는 힘' 등 그럴듯한 타이틀을 내걸고 온라인 강의 1개월에 60만 원, 3개월에 150만 원, 6개월 200만 원 식으로 강의료를 받는다. 유튜브나 자체 온라인 강의 사이트를 통해 수강생을 모집한다. 그런데 알고 보면 결국 리딩이다. 강의 커리큘럼은 따로 없고, 매일 차트를 띄워 놓고 종목별 등락과 시황을 전한다. 그리고 공략주를 추천한다. 영락없는 리딩이다. 문제가 될 것 같으면 "추천한 적 없다. 추천주가 아니라 관심주다" 식으로 빠져나간다.

주식 유튜버 사이에서도 리딩이 매우 흔해졌다. 본인들은 리딩이 아니라고 항변할지언정 이미 제도는 이들을 유사투자자문업자로 규정하고 있다. 금융위원회와 금융감독원은 지난 2021년 4월 유사투자자문업자 관리·감독 강화 방안을 발표하고 유튜브 등 온라인 주식방송의 유사투자자문업 신고대상을 명확히 했다. 유료회원제를 운영할 경우 투자자에게 직접적인 대가를 받는 것이니 유사투자자문업자로 금융감독원에 신고 등록해야 한다는 것이다. 여기에는 '유튜브 멤버십 서비스'가 포함된다. 따라서 유튜브 멤버십을 받는 주식 유튜버는 필히 유사투자자문업 등록을 해야 한다. 2021년 7월 말까지 계도기간이 주어졌고, 그 이후 위법사항(미등록 유사투자자문업 포함)이 적발될 경우 1년 이하 징역이나 3000만 원 이하 벌금형에 처할 수 있다.

그런데 이 역시 모호한 지점이 있다. 해당 채널에서 주식 이야기를 한다고 해서 이를 모두 유사투자자문 등록 대상으로 볼 수 있느냐는 논쟁이다. 유튜브 멤버십은 '먹방'부터 게임 방송·인문학·경제 유튜버 등 매우 많은 크리에이터가 도입하고 있는 흔한 후원 서비스다. 경제 상식을 전하는 유튜버가 멤버십을 받고 있는데, 간혹 주식 투자 이야기를 하고 기업 분석을 한다고 해서 이를 유사투자자문업으로 규정할 수 있는지는 매우 복잡한 문제다. 당시 보도자료에서도 금융당국은 필요한 조치사항으로 '유권해석'이라고 밝혔다. 즉, 유튜버 사례마다 달라질 수 있다는 이야기다. 이 규제 자체가 매우 혼란스러운 장치라는 것이다. 주식 언급 분량이나 기업명 언급 횟수 등을 가지고 유사투자자문 등록 대상을 가를 수 있을까? 매수 단가, 목표가, 손절가 등을 제시한다면 볼 것도 없이 등록 대상이겠지만, 그 외 취미로 주식 유튜브를 하는 사람들까지 등록 대상으로 볼 수 있을까?

필자가 알고 있는 주식 유튜버들도 큰 혼란을 겪고 있다. 만약을 대비하여 이미 유사투자자문업 등록을 마친 사람도 있는 반면, 유사투자자문업자라는 굴레가 싫다며 등록을 하지 않는 사람도 있다. 이 경우 혹시나 재수없게 처벌 대상으로 걸릴까 우려해 방송에서 종목 이야기를 하지 않는 사람도 있다. 혹자는 전반적인 시황이나 투자 마인드, 투자 관련 서적 내용 위주로 방송을 하고 있다. 일부 유튜버의 경우 주식 종목에 대한 자신의 의견을 밝히면서도 유사투자자문업 등록을 하지 않고 있어 다소 우려스럽기도 하다.

이러한 혼란은 금융당국의 편의주의적 행정에서 비롯됐다. 금융당국 입장에서 보면 주식 유튜버라는 관리 사각지대가 넓어질수록 민원이 발생할 여지가 커지고, 금융당국을 향한 비난의 화살이 많아질 수 있다. 실제로 지난 2020년 코로나19 팬데믹 이후 증시가 급반등하고 주식 투자자가 급증하면서 리딩방과 주식 유튜버가 급증했는데, 시장이 꺾이면서 관련 민원도 급증했다. 금융감독원에 따르면 지난 2021년 유사투자자문업자 관련 피해 민원은 3442건으로 전년 대비 97.4% 급증했다. 국회에서도 지적이 이어지면서 금융위원회, 금융감독원이 국정감사를 통해 혼쭐나기도 했다. 금융당국은 암행 점검을 연간 10건에서 40건 이상으로 확대하고, 일제 점검을 300여 건에서 600여 건으로 대폭 확대하는 등 불법·불건전 영업 단속을 강화하고 있다. 동시에 미등록 유사투자자문업자들을 등록 업체로 유인해 관리 사각지대를 좁히려는 노력도 강화하고 있다.

이 과정에서 앞서 말한 혼선이 생긴다. 당국 입장에서는 주식 유튜버들을 그냥 방치하자니 민원이 많아지고, 대다수를 등록 업체로 유인하자니 기준이 모호한 상황인 것이다. 그래서 결과적으로 유권해석에 따라 불법과 합법을 오갈 수 있는 현실이 되고 있다. 금융당국이 가장 민감해하는 것은 민원이다. 만약 유료 멤버십을 받는 어떤 주식 유튜버가 유사투자자문업 등록은 하지 않았다가 누군가에게 악감정을 사게 될 경우, 그래서 민원이 다수 발생할 경우 금융감독원은 '미등록 유사투자자문'으로 제재에 나설 가능성이 있다. 멤버십을 받는 주식, 경제 유튜버들은 필히 조심해야 할 부분이다.

계좌 인증으로 열리는 개미 지옥

개인투자자를 '개미'에 빗대는 데는 소액을 운용하는 수많은 사람들이라는 의미가 담겨 있다. 흔히 개인투자자의 무력함을 얕잡아 부르는 말로 쓴다. 반대로 거액을 운용하는 소수의 개인투자자가 있다. 바로 '슈퍼개미'다. 언론에 자주 등장하는 영향력 있는 개인투자자부터, 그 어떤 미디어에도 노출되지 않고 조용히 자신의 투자만 하는 은둔형 슈퍼개미까지 다양하다.

슈퍼개미의 기준은 도대체 무엇일까? 일단 법적으로나 사전적으로 명확하게 정의된 것은 없다. 필자의 경험상 일반적으로 주식 자산만 100억 원 이상일 경우를 슈퍼개미라고 부르는 것 같다. 기준을 더 엄정하게 놓고, 상장사 지분율 5%를 넘겨서 실명으로 지분

공시를 해본 사람만 슈퍼개미로 인정해야 한다는 주장도 있다. 공시를 통해 객관적 자료로 평가하자는 것이다. 그런데 여기에도 한계가 있다. 시가총액 500억 원인 기업의 경우 5% 지분 가치는 25억 원 수준이다. 물론 적은 금액이 아니지만 이것만 보고 슈퍼개미라고 부르기에는 부족한 게 사실이다. 시총 1000억 원 규모 기업인 경우에도 자산 50억 원으로 슈퍼개미 인증이 가능하다. 총자산 100억 원이 안 되더라도 슈퍼개미로 칭송받을 수 있는 것이다. 그래서 최근에는 부채 빼고 순자산만 100억 원 이상이어야 한다거나, 지분율 5% 공시 경력과 주식 보유자산 100억 원 이상을 함께 봐야 한다는 말도 나온다. 일각에서는 인플레이션을 반영해야 하니 이제는 '총자산 300억 원 이상은 되어야 슈퍼개미 아니겠느냐'라는 말도 나온다. 정답은 없다.

그런데 따지고 보면 '그게 무슨 의미가 있나' 하는 물음도 갖게 된다. 50억이면 어떻고, 100억이면 어떻고, 99억과 101억의 차이로 무엇을 구분할 수 있을지 의문이 들기도 한다. 주식만 1000억 원 이상 보유한 주식농부 박영옥 대표의 경우 그럼 울트라 슈퍼개미로 불러야 할까? 그게 무슨 의미가 있을까 싶다.

때로는 인증을 요구하는 사람들도 종종 볼 수 있다. 속된 말로 "계좌 까봐" 하는 것이다. 사실 지분공시 대상이 아니고서야 누구에게도 자신의 계좌를 인증해야 할 의무는 없다. 언론사와 유튜브 등 다양한 미디어에 등장하는 모든 사람에게 계좌 인증을 요구한다면 매우 불편한 상황이 될 것이다. 본인의 사업을 마케팅하려는 사람에게는 슈퍼개미 인증이 아주 효과적인 홍보 수단이 되겠지만, 마케팅 목적 없이 순수하게 동료 투자자들에게 조언하려는 사람에게는 매우 불쾌한 요구가 아닐 수 없다. 자산 규모를 한 번 공개했다가 동창생은 물론 사돈의 팔촌까지 금전적인 요구를 하더라는 한 슈퍼개미의 넋두리를 들은 적 있다. 단순한 투자 제안, 돈 빌려 달라는 요청을 넘어 사소한 일상생활까지 불편함이 생긴다는 것이다. 계좌 인증을 하기 전에는 신뢰성을 의심받고, 본인의 자산을 공개한 이후에는 또 다른 불편함을 겪을 수 있다.

그런데 한 번 더 따지고 보면, 미디어에 나와 영향력을 행사하는 슈퍼개미라면 어느 정도는 신뢰할만한 근거를 보여줘야 한다는 지적에도 일리가 있다. 영향력을 바탕으로 본인의 사업을 확장하려 한다면 당연할 것이다. 사업 목적이 아니더라도 그 사람의 발언이 대중에게 영향을 줄 수 있다면 최소한의 신뢰 장치는 마련해야 한다고 본다. 대중에게 다 공개할 수는 없더라도, 최소한 인터뷰를 진행하는 제작진은 출연자의 신뢰성을 확인하려고 노력해야 할 것이다. 과거 공시 내역이나 MTS에 찍히는 자산 규모, 증권사 수익률 대회 순위 등 출연자의 신뢰성을 확인할 수 있는 최소한의 방법은 많다.

문제는 자산 규모를 얼마든지 조작할 수 있다는 점이다. 전업투자자이자 프로그램 개발자인 송종식 씨는 자신의 유튜브 〈재간둥이 송선생〉을 통해 업비트 사이트에서 몇 초 만에 코인 보유자산을 0원에서 100억 원으로 조작하는 장면을 재연했다. 브라우저를 통해 HTML 코드 몇 개만 고쳐 쓰면 순식간에 100억 부자가 되는 것이다. 코딩뿐 아니라 포토샵이나 동영상 편집 툴을 활용하여 계좌 규모를 조작하는 것도 얼마든지 가능하다고 지적했다. 그렇기에 계좌 인증을 맹신해서는 안 된다고도 강조했다.

필자도 〈와이스트릿〉 유튜브를 통해 주식 계좌 수익률 조작 방

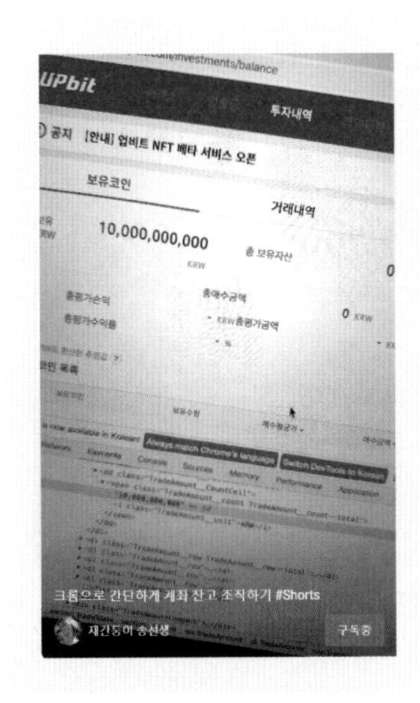

가상자산 거래소 홈페이지에서 보유자산 조작이 가능하다는 것을 재연하는 장면.

출처: 유튜브 〈재간둥이 송선생〉

법을 보여준 적이 있다. 필자의 주식계좌 수익률이 2500%를 넘었다. 방법은 간단하다. 증권사 홈페이지에 들어가 매입 단가를 변경하는 것이다. 1주당 1만 원에 산 것을 5000원으로 고치면 그 순간 바로 수익률이 100%가 되는 것이다.

증권사 모의계좌를 만들어서 가상의 금액을 설정하는 방법도 있다. 매매거래 내역까지 나오니 이를 토대로 사람들을 속이기도 쉽다. 아예 대출을 쓰거나 사채업자에게 돈을 빌려서 계좌 잔고를 입증하는 방법도 있다. 실제로 거액이 필요한 부동산 거래나 기업 인수 때처럼 잔액증명서가 필요할 경우 이런 방법을 쓰기도 한다.

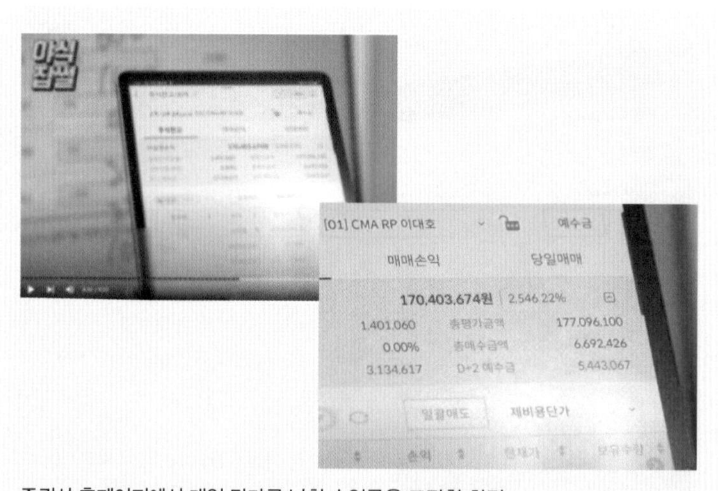

증권사 홈페이지에서 매입 단가를 낮춰 수익률을 조작한 화면.

출처: 유튜브 〈와이스트릿〉

사설 HTS나 MTS를 만들어서 숫자를 조 작하는 것도 얼마든지 가능하다. 마음만 먹으면 누군가를 속일 방법은 얼마든지 있다. 계좌를 인증했다고 해서 그 사람을 맹신해서는 안 된다는 말이다.

슈퍼개미 행세와 계좌 인증을 통해 사람들을 꼬이게 한 뒤 본인의 목적을 달성하는 경우도 많다. 댓글로 사람들을 줄 세워서 즐거움을 맛보려는 경우는 그나마 귀여운 축에 속한다. 온라인 커뮤니티에 코인 수익 이미지를 올리고, 거기에 댓글을 달면 일부 금액을 보내주겠다는 식이다.

한 젊은 유튜버 A씨의 경우 정기적으로 자신의 주식 투자 수익률을 인증하면서 구독자를 빠르게 모아갔다. 코로나19 팬데믹 이

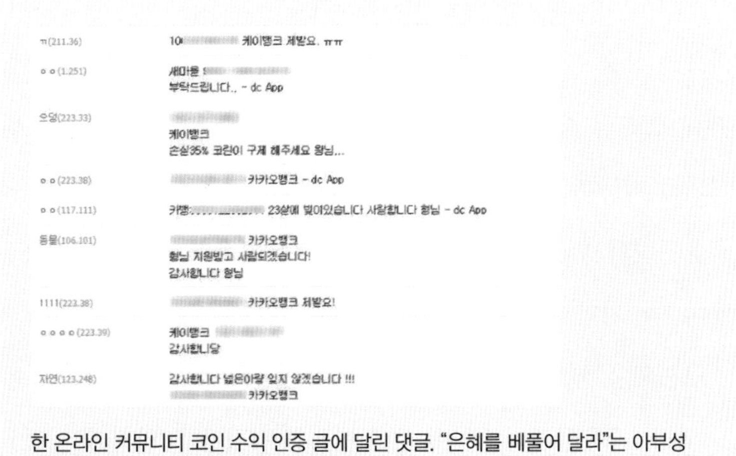

ㅠ(211.36)	10 케이뱅크 제발요. ㅠㅠ
ㅇㅇ(1.251)	새마을 부탁드립니다.. - dc App
오뎅(223.33)	케이뱅크 손실35% 코린이 구제 해주세요 왕님...
ㅇㅇ(223.38)	카카오뱅크 - dc App
ㅇㅇ(117.111)	카뱅 23살에 빚이있습니다 사랑합니다 형님 - dc App
동물(106.101)	카카오뱅크 형님 지원받고 사람되겠습니다! 감사합니다 형님
1111(223.38)	카카오뱅크 제발요!
ㅇㅇㅇㅇ(223.39)	케이뱅크 감사합니당
자연(123.248)	감사합니다 넓은아량 잊지 않겠습니다 !!! 카카오뱅크

한 온라인 커뮤니티 코인 수익 인증 글에 달린 댓글. "은혜를 베풀어 달라"는 아부성 문구와 함께 수십 개의 계좌번호가 남겨져 있다.

후 급증한 동학개미 열풍에 편승해 영상 몇 개만으로 10만 구독자를 넘어섰다. 자신의 유튜브를 통해 수억 원부터 수십억 원, 결국 100억대까지 수익을 인증하기에 이르렀다. 우량주부터 소형주 투자 방법, 테마주 투자법 등 다양한 강의 영상을 올리면서 슈퍼개미가 지식을 나누는 채널로 포장했다. 책을 출간하고 강의를 하기도 했다. 얼굴을 드러내지는 않았다. 이 유튜버는 지난 2021년 초 시세조종 혐의로 압수수색을 받았다.

금융위원회에 따르면 A씨는 주식 수와 일일 거래량이 적은 우선주를 이용해 시세조종을 한 것으로 드러났다. 계좌 3개를 동원해 고가매수, 물량소진, 허수매수 등 이상매매를 반복해서 실행하고, 같은 날 이와 상반되는 거래 행태를 보이기도 했다. 금융위원회는 "주식 매매가 성황인 것처럼 오인하게 할 목적으로 주가를 인위적으로 상승시켜 거래 증권사로부터 불공정거래 예방조치 및 수탁거부 예고 등 경고조치를 받기도 했다"라고 밝혔다. A씨가 이런 방식으로 거둔 부당이득은 13억 1581만 원인 것으로 드러났다. 결국 금융위원회 증권선물위원회는 A씨를 자본시장법 제176조(시세조종행위 금지) 위반 혐의로 검찰에 고발했다.

A씨의 유튜브에는 2021년 초 이후 새로운 영상이 올라오지 않고 있다. 금융위원회 압수수색이 이뤄진 시점이다. 안타까운 것은 A씨의 범법 행위를 해당 채널 구독자들이 모르고 있다는 사실이

주식 유튜버 A씨의 시세조종 사례

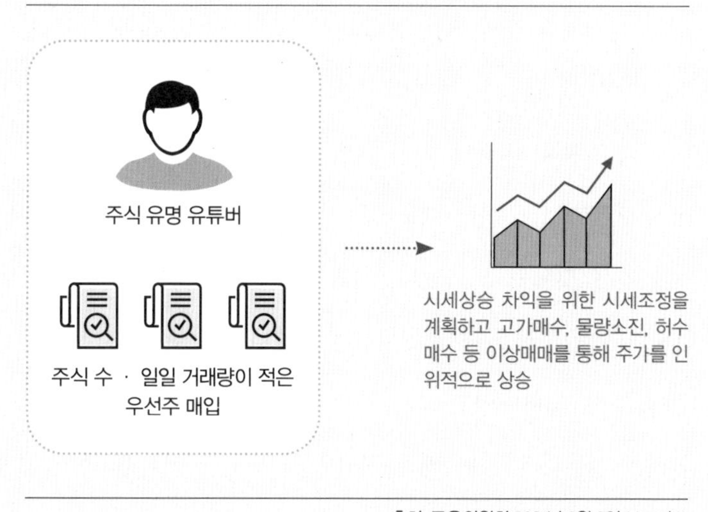
주식 유명 유튜버
주식 수 · 일일 거래량이 적은
우선주 매입
시세상승 차익을 위한 시세조정을
계획하고 고가매수, 물량소진, 허수
매수 등 이상매매를 통해 주가를 인
위적으로 상승

출처: 금융위원회 2021년 8월 2일 보도자료

다. 당국의 보도자료가 실명으로 나오지 않았기 때문이다. 법원에서 (대법원까지 간다면 3심까지) 완전히 유죄로 확정되기 전까지는 언론사도 실명으로 보도하기 부담스러운 것이 사실이다. 유튜브 채널명이 사람 이름으로 된 것은 아니지만, 채널명까지 보도할 수 없는 것인지는 고민이 되는 부분이다. 해당 채널은 댓글 사용을 중지해 놓은 상태다. 그가 출간한 책에 관해서는 지금도 온라인 카페, 블로그 등을 통해 책 리뷰가 올라오고 있다. 여전히 책이 잘 팔리고 있다는 뜻이다. 책 리뷰 블로그 댓글에는 “군대 가셨다는 소문이 있네요”, “다시 유튜브 빨리 복귀하시면 좋겠네요” 등의 댓글이 달리고 있다. 안타까운 현실이다.

같은 시기에 압수수색을 당하고 검찰에 고발된 사례 중에는 회원 20여만 명에 달하는 네이버 주식 카페 운영자 B씨도 있었다. B씨는 주식 카페와 리딩방 회원들에게 자신이 미리 사둔 종목을 추천하고, 주가가 상승하면 매도하는 방식으로 6억 6701만 원의 부당이득을 얻은 것으로 드러났다. 전형적인 선행매매다. B씨 역시 금융위원회 증권선물위원회로부터 검찰에 고발당했다. 자본시장법 제178조(부정거래행위 금지 위반) 위반 혐의다.

B씨는 얼굴과 이름이 꽤 알려진 인물이다. 인터뷰를 통해 종종 언론에 비치기도 했고, 다양한 증권방송에 출연하기도 했으며 유튜브를 통해 친근한 이미지도 쌓아왔다. 그가 직간접적으로 관여하는 유사투자자문업체는 각종 포인트 마케팅을 통해 꽤 큰 규모로 운영되고 있었고, 그가 주요 운영진으로 활동하는 네이버 카페 회원 수도 20만 명을 훌쩍 넘는 상황이었다. 안타까운 것은 B씨가 선행매매로 법적 처벌을 받은 전력이 있음에도 유사투자자문업자로 활발하게 활동해왔다는 사실이다. 바꿔 말하면, 그의 전과에도 불구하고 많은 회원들이 그를 추종하고 있었다는 것이다.

B씨는 지난 2014년 서울남부지방법원으로부터 징역 1년 2월, 집행유예 3년을 선고받은 바 있다. 당시 판결문에 따르면 B씨는 인터넷 증권방송 사이트를 이용해 유료 및 불특정 다수인 무료 회원

을 유치한 뒤 미리 사놓은 주식을 매수 추천해 여러 차례 시세차익을 얻은 것으로 드러났다. 그와 같은 일이 2021년에도 벌어진 것이다. 물론 회원들은 이 같은 사실을 잘 모를 수도 있다. 관련 내용이 인터넷에 올라오면 여러 수단을 동원해 해당 글을 삭제하도록 작업했기 때문이다. 카페 댓글은 운영진이 빠르게 확인하고 삭제나 차

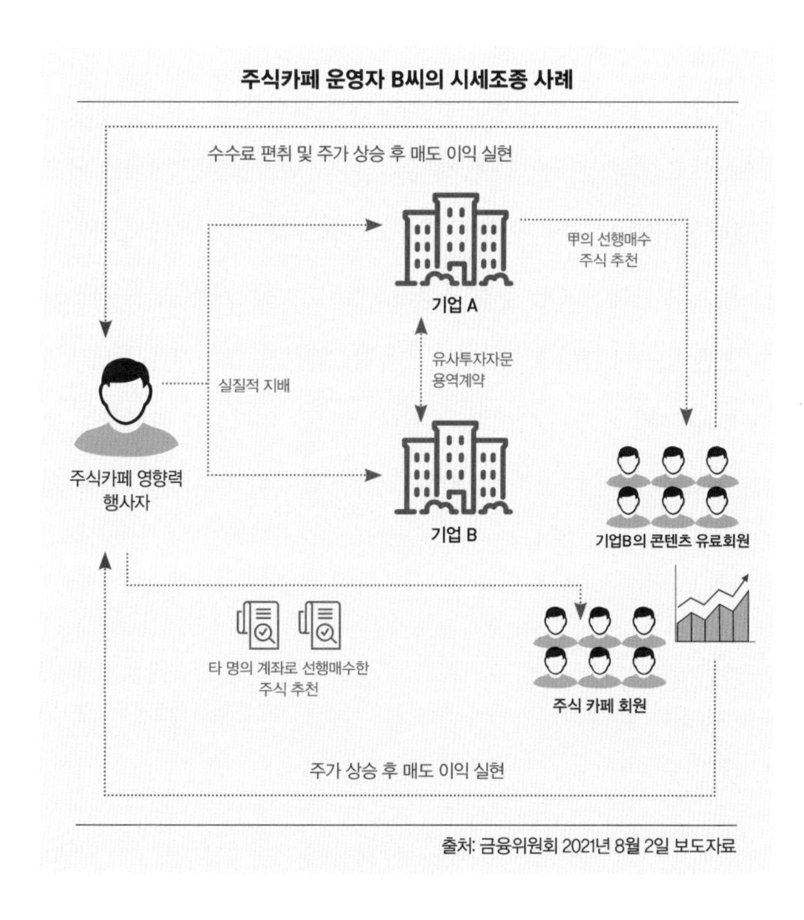

단 하기 용이하다. 인터넷 백과사전인 나무위키에 올라왔던 B씨의 범법 행위에 관한 글도 결국 삭제 처리됐다. 개인의 실명과 사생활 일부가 노출돼 일상생활과 업무가 불가능하다는 이유에서다. B씨는 자신의 선행매매 전력을 문제 삼는 이들에게 "집행유예 받은 것은 죄도 아니다"라고 말해왔다고 한다. 경미한 사안이어서 집행유예를 받았고, 이는 범죄로 볼 수 없다는 것이다. 궤변이다. 결국 그는 재범을 저질렀다.

지금도 이 두 사람의 복귀를 기다리는 사람들이 상당히 많은 것으로 알고 있다. 과연 그 사람들은 이들의 범법행위를 제대로 알고 있을까? 정말 모르는 것일까? 알고도 기다리는 사람은 없을까? 위 두 사람의 사례는 수많은 불공정거래행위, 시장교란행위의 극히 일부일 뿐이다. 10만~20만 명대 구독자, 회원이 있는 인플루언서였기에 더 크게 회자된 사례일 수 있다. 지금도 어디선가 유튜브를 통해, 온라인 카페를 통해, 카카오톡을 통해, 문자메시지를 통해 개미를 낚는 개미 지옥이 열리고 있을 것이다.

베스트 애널리스트의 진실

인기투표가 된 베스트 애널리스트 폴

이른바 '베스트'라는 애널리스트가 많다. 너도나도 베스트란다. 도대체 베스트의 기준은 무엇일까? 일반적으로 베스트 애널리스트는 언론사에서 선정한다. 언론사 브랜드 파워가 있으니 그것을 명분으로 베스트 애널리스트라는 타이틀을 만들어주는 것이다. 어떤 상이든 그 상을 주는 기관의 공신력에 따라서 상의 가치가 달라지지 않는가. 일반인들에게 익숙한, 지명도 높은, 공신력 있는 언론사 이름은 분명 애널리스트들에게 충분히 가치 있는 상을 만들어줄 수 있다. 베스트 애널리스트 선정은 애널리스트와 소속 증권사, 그리고 언론사 모두에게 누이 좋고 매부 좋은 이벤트다.

선정 방식은 조금씩 차이가 있지만 크게 두 가지로 나뉜다. 대표적인 것이 '폴poll' 방식이다. 일종의 투표다. 표를 행사하는 이는 펀드매니저들이다. 언론사가 펀드매니저들을 대상으로 각 분야별 베스트 애널리스트를 뽑아달라고 요청하는 방식이다. 자산운용사 운용자금 규모에 따라 행사할 수 있는 표가 다르다. 규모가 작은 운용사는 1표에 불과하지만 대형 운용사나 연기금은 여러 표를 행사할 수 있다. 그 기준은 주관 언론사가 정한다. 선정 결과도 주관 언론사 지면이나 방송을 통해 공개된다. 누가 누구에게 몇 표를 받았는지 세부적인 내용은 공개되지 않는다. 일부 자산운용사는 투표권을 더 많이 행사하기 위해 즉, 더 큰 영향력을 갖기 위해 언론사에 더 많은 투표권을 달라고 요청하기도 한다. 증권사와 애널리스트 입장에서는 더 많은 투표권을 가진 자산운용사와 펀드매니저에게 더욱 고급 서비스를 제공하려 한다.

폴 방식은 실제 큰 자금을 운용하는 펀드매니저들이 일선에서 평가한다는 측면에서 애널리스트를 밀접하게 평가할 수 있다는 장점이 있다. 발간 자료와 세미나 등을 통해 가장 가까이에서 애널리스트를 마주하는 사람이 펀드매니저이기 때문이다. 실제 산업과 기업에 대한 이해도, 전망의 바탕이 되는 논리 구조, 예측 적중률 등에서 피부에 와닿는 정성적 평가가 가능하다.

그러나 이 같은 폴 방식은 결국 인기 투표에 그친다는 비판을 받기도 한다. 개인적 친분에 따라, 자신들 펀드 운용을 도와준 기여도에 따라 팔이 안으로 굽기 때문이다. 투표 시즌이 되면 많은 청탁이 이뤄지기도 한다. 오래전이긴 하지만 일부 증권사는 회사 차원에서 법인카드 한도를 대폭 풀어서 펀드매니저 접대를 강화한 적도 있다. 친분에 의해 폴이 좌우된다는 한계도 있다. 학연과 지연, 술자리 친분 등을 벗어나기 어렵다는 지적이다.

펀드매니저가 모든 애널리스트와 교류하며 평가의 토대를 갖출 수 없다는 한계도 있다. 동일 섹터에 10여 명의 애널리스트가 있어도 펀드매니저가 그 모든 애널리스트에게 세미나를 듣는 것은 아니다. 평소 좋아하는 애널리스트, 데이터 등 요청 자료를 잘 뽑아주는 애널리스트, 자사에 협조적인 애널리스트 쪽으로 세미나 빈도가 높아지는 것은 어쩔 수 없는 일이다.

해당 애널리스트를 왜 1등으로 꼽는지도 불분명하다. 투표 방식이기 때문에 그냥 펀드매니저가 베스트라고 생각하면 베스트인 것이다. 결국 객관적인 결과를 보장할 수 없는 방식이다. 그래서 애널리스트가 펀드매니저에게 종속되어 버린다는 지적이 끊이지 않고 있다. 갑을 관계가 명확해진다.

이 같은 폴 방식 베스트 애널리스트 선정은 지난 1998년과

1999년 두 경제신문사에 의해 시작됐으며, 매년 상반기와 하반기에 한 번씩 진행된다. 그리고 그 결과는 해당 경제신문과 매거진(주간) 등을 통해 대대적으로 공표된다. 베스트 애널리스트들이 당당하게 팔짱을 낀 사진이 주간지 표지를 장식한다. 각 애널리스트들의 프로필부터 성향, 각 섹터 분석과 전망 등을 기사로 전달한다. 이렇게 멋진 사진과 기사가 실린 신문과 주간지는 해당 베스트 애널리스트에게 '소장각'이다.

정량평가 방식도 있다. 객관적인 데이터를 바탕으로 평가하는 것이다. 1년 사이 발간된 리포트를 바탕으로 평가가 진행된다. 리포트에 포함된 실적 추정치와 목표주가를 실제 실적과 실제 주가 흐름에 비교하는 방식이다. 즉, 실적을 가장 정확하게 예측하고 목표주가도 실제 주가와 가장 유사하게 제시한 애널리스트를 베스트로 뽑게 된다. 이를 바탕으로 1년간 투자자에게 가장 정확한 투자 정보를 제공한 애널리스트를 추려낼 수 있다는 장점이 있다.

그러나 이 역시 한계가 존재한다. 베스트로 선정되는 애널리스트가 자주 바뀐다는 것. 2년 연속 베스트에 오르는 애널리스트가 매우 드물다. 그만큼 연속해서 실적과 주가를 최고로 잘 예측한다는 것이 얼마나 어려운지를 보여준다. 다만 해가 거듭되고 10년 넘는 데이터가 축적되면서 상위권에 가장 자주 오르는 애널리스트가 추려지는 흐름이다. 누적된 순위를 보면 해당 애널리스트의 실력을 정량적으로 가늠해볼 수 있다. 이 같은 정량평가 방식 베스트 애널리스트 선정은 1년에 한 번 이뤄진다. 각 기업들의 사업보고서(손익계산서 등) 공시가 마무리되어야 1년간 실적 예측치를 평가할 수 있기 때문이다.

리서치 업계를 떠나는 애널리스트도 많아 연속성, 지속성을 평가하기 어렵다는 문제도 있다. 증권사를 옮기더라도 애널리스트를 계속한다면 상관없지만, 펀드매니저로 전업하거나 아예 증권업계를 떠날 경우 해당 애널리스트의 데이터 누적은 그날로 종료되기 때문이다. 정량평가가 불가능한 영역이 많다는 것도 한계다. 데이터만으로 평가하기 애매모호한 분야가 적지 않다. 대표적으로 투자전략, 경제분석, 채권, 스몰캡 분야가 그렇다. 그래서 정량평가는 대부분 주요 산업(섹터) 애널리스트에 국한된다.

정량평가 방식은 지난 2010년 한 종합일간지, 2012년 한 경제방송이 각각 시작했다. 이 밖에도 설문조사와 정량평가를 병행하는 가중 평가방식도 있다. 이는 지난 2001년부터 한 종합일간지가 진행하고 있는 방식이다.

베스트 애널리스트 시상식은 수익사업

한계가 분명한 베스트 애널리스트 선정 작업이지만, 그 결과를 보면 누이 좋고 매부 좋은 이벤트다. 베스트로 뽑힌 애널리스트는 그 자체가 영광일뿐더러, 실제 커리어에 큰 도움이 된다. 대외적으로 '베스트'라는 타이틀을 쓰면서 '네임드 애널리스트'로 활동할 수 있다. 책을 발간하거나 외부 강연을 뛸 때 수식어 '베스트'가 있고 없고는 큰 차이가 난다. 명예가 높아지면 실리도 커진다. 전문직종인 증권분석사로서 몸값을 높일 수 있기 때문이다. 매년 진행되는 연봉 협상에서 남들보다 더 높은 인상률을 받아내는 데 '최신판 베스트' 타이틀만큼 좋은 것은 없다.

베스트로 자주 꼽혀 몸값이 높아지고 유명해진 애널리스트는 대기업 임원으로 이직하기도 한다. 해당 산업과 기업에 대한 최고의 분석가로 인정받았으니, 해당 산업과 기업에서 필요한 인재가 될 수 있는 셈이다. 최근에는 대기업뿐만 아니라 VCVenture Capital(벤처캐피탈), 비상장사 등으로도 많이 이직한다.

반면 증권사 리서치센터 입장에서는 외부에서 선정한 결과를 바탕으로 내부 연봉을 어떻게 책정해줄 것인지 고민하기도 한다. 정밀한 연봉 반영 체계가 없는 증권사가 대부분이기 때문이다. 소속 애널리스트가 베스트 상을 받긴 받았는데, 그걸 연봉에 얼마나 반영해줘야 할지 기준이 없는 것이다. 극히 일부이긴 하지만 증권사 내부 평가와 다르게 외부에서 너무 고평가되는 애널리스트가 있어 고민인 경우도 있다. '저 친구는 실력은 별로인데 외부 평가만 좋단 말이지' 하는 식이다. 리포트는 한 달에 1~2개밖에 안 쓰면서, 혹은 1장짜리만 몇 개 내면서 방송과 세미나 등 입으로만 세일즈 하는 애널리스트가 이런 경우에 속한다. 애널리스트는 보고서로 평가해야 한다는 주장과 보고서보다 실질적인 도움(세미나, 매수 타이밍 콜 등)이 더 중요하다는 주장이 엇갈린다. 증권업계 애널리스트로서 태생적인 고민이기도 하다.

베스트 애널리스트 탄생은 증권사에도 큰 명예다. 자사 리서치센터에 베스트 애널리스트가 많다는 것은 곧 해당 증권사에서 양질의 기업분석이 이뤄지고 있다는 방증이 되기 때문이다. 증권사는 그 선정 결과를 마케팅 도구로 십분 활용한다. 본사 내외부에 커다란 플래카드를 내걸기도 하고, 책자를 통해 홍보하기도 한다. 특히 은행계 증권사의 경우 이 같은 홍보에 더욱 공을 들인다. 리서치센터의 훌륭한 분석이 계열 은행의 고액자산가들에게도 큰 도움을 주고 있다고 홍보할 수 있기 때문이다. 은행에는 고액자산가를 관리하는 PB(프라이빗 뱅커)가 많이 있는데, 이들 PB 역시 애널리스트에게 교육을 받는다. 거시경제부터 산업별 전망, 기업별 분석까지 애널리스트에게 듣는 것만큼 빠르고 확실한 것이 없다. 또한 증권사 소속 애널리스트가 직접 은행 고액자산가들을 대상으로 강연을 하기도 한다. 산하에 은행과 증권사를 모두 두고 있는 금융그룹 입장에서는 '베스트 애널리스트', '베스트 리서치센터'를 적극 홍보하며 더 많은 고액자산가를 유치하고 싶은 것이다.

시상식을 주관하는 언론사도 큰돈을 번다. 베스트 애널리스트를 배출한 증권사에서 광고를 받기 때문이다. 베스트 애널리스트 선정 결과를 알리는 기사는 일간지, 주간지, 월간지, 방송 등에 다양하게 실린다. 섹터별 베스트 애널리스트 개개인을 따로 인터뷰해 시리즈로 연재하기도 한다. 언론사는 이같이 해당 증권사와 애널리스트를 적극 홍보해준다. 자사의 시상식이니 당연히 그러겠지만, 해당 증권사를 홍보해주고 광고 협찬을 받기 위한 목적도 있다. 일종의 수익 사업이다.

언론계에는 '시상식=수익 사업'이라는 공식이 존재한다. 상을 주었으니 귀사 마케팅에 도움이 될 것이고 우리가 홍보도 많이 해주니 광고 협찬 금액을 달라는 식이다. 그래서 언론사는 예산이 적은 소형 증권사에서 베스트를 차지하는 것을 그리 달가워하지 않는다. 이왕이면 대형 증권사에서 1등을 차지해 자신들의 광고 수입도 높아지기를 내심 바란다. 다행히 투표 방식의 베스트 애널리스트는 대형 증권사에서 주로 탄생한다. 앞서 언급한 것처럼 펀드매니저에 대한 서비스와 관리, 접대 등의 측면에서 우월하기 때문이다. 언론사는 베스트 애널리스트 시상식을 한 해도 거를 수 없다. 해당 매출이 빠지면 안 되기 때문이다.

영원한 베스트 애널리스트?

"한 번 베스트는 영원한 베스트"라는 우스갯소리가 있다. 대외적으로 '베스트' 타이틀을 끝없이 우려먹을 수 있기 때문이다. 5년 전에 한 번 뽑혔어도, 10년 전에 한 번 뽑혔어도 베스트 애널리스트다. 책을 내게 되면 저자 소개에 'OO경제신문 선정 베스트 애널리스트'로 실린다. 외부 강연이나 방송 출연 때도 베스트 애널리스트로 소개된다. 몇 년 전에, 몇 번이나 선정됐는지는 따지는 사람도 없고 따져보려 하지도 않는다.

분석이 잘 맞거나 언변이 좋으면 "역시 베스트 애널리스트"라는 칭송을 받는다. 약간의 후광 효과가 더해지면서 때로는 주관적인 과대평가로 이어지기도 한다. 서로 띄워주고 출연해주고, 서로 홍보해주고 강연해주고 '누이 좋고 매부 좋고'인 셈이다.

베스트 애널리스트 평가를 진행하는 언론사는 4~5곳에 이른다. 이들 언론사에서 매년 최소 10여 명씩 베스트를 선정한다. 겹치는 사람도 있지만 산술적으로 매년 수십 명의 베스트 애널리스트가 탄생하는 셈이다. 해를 거듭할수록 '과거의 베스트' 역시 누적되어 간다. 한 번 베스트는 영원한 베스트로 통한다. 이런 데이터가 10년만 쌓여도 이른바 베스트 애널리스트는 중복 포함 수백 명에 달하게 된다.

애널리스트는 누구를 위해 존재하는가

애널리스트는 우리말로 '증권분석사, 금융투자분석사'다. 금융투자협회 금융투자회사의 영업 및 업무에 관한 규정 제2-25조에 따르면 애널리스트에 관한 정의는 다음과 같다.

사전적 정의만 놓고 보면 말 그대로 '분석 인력, 분석사'다. 산업과 기업, 주식을 포함해 금융투자상품의 가치에 관한 주장이나 예측을 담는 자료 즉, 리포트를 발간하는 사람. 우리가 알고 있는 대표적인 애널리스트의 모습이다. 그러나 이 같은 분석사가 왜 필요한지를 살펴보면 그 존재의 이유부터 활동의 방향성까지 보인다.

증권업계 애널리스트를 순수한 분석사로만 보면 안 된다. 증권사는 엄연히 이윤을 추구하는 기업이고, 애널리스트는 증권사의 수익 창출을 위해 존재하는 직업이기 때문이다. 학교나 순수 연구기관 연구원과는 존재 이유부터 다르다. 모든 증권사의 기본이 되는 수익 모델은 '브로커리지brokerage'다. 이는 '중개영업'이라는 뜻으로, 각종 증권의 매매거래를 중개하면서 수수료를 얻는 방식이다. 지금은 증권사들의 수익 모델이 글로벌 IBInvestment Bank(투자은행) 등으로 다양화되고 있지만, 여전히 핵심은 브로커리지다. 중개업자에게 중개업 수익은 기본 중 기본인 것이다. 이 같은 중개영업을 지원하기 위해 존재하는 것이 바로 증권사 리서치센터 애널리스트다.

증권사 입장에서는 고객에게 주식, 채권, 선물 등을 매매하도록 해야 브로커리지 수익이 발생하니 애널리스트를 통해 해당 주식,

- **조사분석자료** : 금융투자회사의 명의로 공표 또는 제3자에게 제공되는 것으로 특정 금융투자상품(집합투자증권은 제외한다)의 가치에 대한 주장이나 예측을 담고 있는 자료
- **조사분석인력**(이하 '금융투자분석사'라 하며 영문으로는 'Certified Research Analyst'라 한다) : 투자매매업 또는 투자중개업을 인가받은 금융투자회사에서 특정 금융투자상품의 가치에 대한 주장이나 예측을 담고 있는 자료(이하 '조사분석자료'라 한다)를 작성하거나 이를 심사·승인하는 업무를 수행하는 자
- **금융투자분석사** : 금융투자회사 임직원으로서 조사분석자료의 작성, 심사 및 승인 업무를 수행하는 자로 전문인력규정 제2-1조에 따라 협회에 등록된 금융투자전문 인력

출처: 한국애널리스트회 홈페이지

채권, 선물 등에 관한 분석정보를 제공하도록 하는 것이다. A사 주식을 매수하라고 그냥 권하는 것이 아니라 'A사는 어떤 기업이고, 업황이 어떻고 경쟁력이 어떻고, 주식 가치는 어떻고' 등을 담아 매매를 지원(혹은 유도)하는 것이다. 마치 부동산중개업소에서 집이나 땅 매매를 중개할 때 해당 물건에 대해 브리핑을 잘 해줘야 그 중개업소를 이용하게 되는 것과 마찬가지다. 다시 말해 증권사 리서치센터라는 조직과 애널리스트라는 직업은 중개 수익을 위해 존재한다는 점을 기억해야 한다.

그래서 태생적으로 편향이 있을 수밖에 없다는 점도 염두에 둬야 한다(업계에서는 '바이어스bias'라는 표현을 많이 쓴다). 일단 증권사에서 매도 리포트sell report가 거의 나오지 않는 점부터 생각해보자. 많은 언론과 투자자들이 "증권사가 매도 리포트를 거의 발간하지 않는다"거나 "애널리스트가 매도 리포트를 소신 있게 쓰지 못한다"라고 지적한다. 주가가 급등하고 있는 종목에 대해서는 매일 매수 리포트를 쏟아내면서 정작 업황이 기울고 주가가 떨어지는 기업에 대해서는 매도 의견을 내는 경우가 거의 없기 때문이다.

그러나 엄밀히 따지고 보면 애널리스트가 굳이 매도 리포트를 작성할 유인이 없는 것도 사실이다. 부동산 공인중개사가 자신이 중개할 아파트만 분석하면 되듯이, 증권사 애널리스트도 자신들이 중개할 기업의 주식, 채권만 분석하면 된다. 시간과 인력은 한정

돼 있기 때문이다. 자신들이 세일즈를 할 때 효율적인 매물을 소개해야 하고, 그다지 좋지 않은 상태의 매물은 시간 들여 자료를 만들 필요가 없는 것은 너무나 당연한 이치다. 왜 매도 리포트는 쓰지 않느냐, 왜 소외기업에 대한 리포트는 내지 않느냐 지적하는 것은 이러한 기본적 생리를 무시하거나 이해하지 못한 결과다. 앞서 말한 것처럼 증권사 리서치센터는 학술단체가 아니다. 그렇다면 매도 리포트가 없는 이유는 무엇일까?

매도 리포트 없는 이유

애널리스트 사이에서도 "Bias가 있다"라는 말을 심심치 않게 들을 수 있다. 일종의 편향성인데, 앞서 설명한 것과 같이 태생적인 한계, 애널리스트 존재 이유와 맥락을 같이 한다.

일단 매도 리포트가 없다는 지적이 많은데, 이 부분에 대해서도 애널리스트들은 할 말이 많다. 위에 기술한 바와 같이 매도 리포트를 쓸 시간에 매수 리포트를 쓰는 것이 조직이나 개인을 위해서 훨씬 효율적이다. 영업을 지원할 수 있는 리포트를 써야지, 영업을 저해하는 리포트를 쓰는 것은 시간 낭비이기 때문이다. 외국계 IB처럼 방향성 매매를 지원하는 공매도 보고서가 확대된다면 모를까,

현실적으로 국내 증권업계에서는 매도 리포트로 얻을 수 있는 것이 거의 없다. 오히려 잃을 것이 더 많다.

매도 리포트를 발간하면 해당 애널리스트는 그 기업 경영진과 주주들의 타깃이 된다. 이해관계에 정면으로 충돌하기 때문이다. 언론에도 오르내리면서 더 크게 확대 재생산된다. 단순한 논란 그 자체로 그치지 않는다. 매도 의견 대상이 된 기업은 해당 애널리스트를 기피하게 되고, 그 애널리스트에게는 컨퍼런스콜[•]과 기업탐방 등 IR 전반적으로 비협조적으로 돌변한다. 아예 회사 출입 금지 조치를 하기도 한다. 이렇게 되면 해당 애널리스트는 그 산업, 기업이 턴어라운드 할 때 제대로 신호를 알아채지 못하게 되고, 해당 섹터 분석에서 신속성, 정확도가 뒤처질 수밖에 없다. 이는 다시 애널리스트와 리서치센터 경쟁력 약화로 이어진다.

매도 리포트가 해당 기업의 최대주주, 경영진의 감정까지 건들게 되면 일은 더 커진다. 모 기업의 경우 한 임원이 애널리스트에게 욕설 등 거친 언사를 퍼부어 논란이 되기도 했다. 나중에 이 사실이 언론보도를 통해 알려지면서 그 기업 임원도 여론의 질타를 받았다. 어찌 됐든 애널리스트 입장에서는 이래저래 힘든 상황이었

• 상장사가 기관투자가와 증권사 애널리스트 등을 대상으로 자사의 실적과 향후 전망을 설명하기 위해 여는 전화회의.

다. 과거 어떤 기업의 경우 애널리스트에게 매도 리포트를 내리라고 강요하고, 실제로 증권사에 영향력을 행사해 해당 리포트를 삭제 처리하도록 한 일도 있었다.

일반적으로 대기업 그룹의 경우 증자를 위한 주식 발행, 자본조달을 위한 각종 채권 발행이 많은 편이다. 즉, 증권사가 증권 모집 발행 업무를 맡으려 하는 큰손 고객이라는 뜻이다. 기업 측에서 "이런 리포트 내면 우리는 당신네 증권사와 거래 못 합니다"라고 나오면 증권사 입장에서는 두 손 들 수밖에 없다. 윗선에서 "왜 그런 쓸데없는 리포트를 내서 일을 피곤하게 만드냐"라고 나오면 리서치센터장과 애널리스트는 고개를 숙일 수밖에 없다.

이 같은 비효율성과 리스크를 안고 과감히 매도 리포트를 낼 수 있는 애널리스트는 많지 않다. 필자는 10여 년 전부터 매도 의견을 과감히 내겠다는 리서치센터장, 애널리스트를 여럿 봐왔지만 그런 결기는 그리 길게 가지 못했다. 분석사로서 한두 명의 용자는 나올 수 있지만 구조적인 변화가 뒤따르지 못한다면, 이는 지속가능성 없는 결기일 뿐이다. 아예 자본권력으로부터 독립된 분석기관, 영업과 상관없는 리서치센터가 만들어진다면 달라질 수도 있겠지만 이는 요원한 일이다.

'독립 리서치'를 지향하는 회사가 몇몇 있기는 하다. 브로커리지 영업 등에 관여받지 않고 순수하게 독립된 리서치를 하겠다는 전문

리서치 회사다. 수익원은 리포트 유료 구독모델이다. 정액으로 결제를 받거나, 리포트 건별로 비용을 받는 구조다. 그러나 대부분 영세업체에 그치고 있다. 아직은 우리나라에서 애널리스트 리포트를 돈 주고 사서 본다는 인식이 강하지 않기 때문이다. 해당 독립 리서치의 규모, 발간 보고서의 양적·질적인 한계일 수도 있겠지만, 전반적으로 독립 리서치가 성장할 수 있는 환경은 아직 무르익지 않았다. 실제로 유료 구독모델을 실행 중인 독립 리서치 상당수가 흑자와 적자 사이를 간신히 오가고 있다.

애널리스트의 분석 대상이 협소하고, 쓰는 기업만 계속 쓰게 된다는 한계도 명확하다. 분석 대상 영역은 이른바 '커버리지coverage, 유니버스universe'라고도 하는데, 시간과 인력 한계로 인해 그 영역을 무한 확장할 수는 없는 노릇이다. 특히 경쟁력이 떨어지는 기업, 소규모 기업의 경우 시간과 비용을 들여 굳이 분석 보고서를 발간할 동인이 떨어진다.

특히 코스닥의 경우 더욱 심하다. 에프앤가이드에 따르면 2021년 상반기 기준 예상 실적(연결기준)이 제시된 코스닥 상장사는 405곳에 그친다. 코스닥 상장사가 같은 시점 기준으로 1484곳임을 감안하면 73%에 해당하는 종목에는 실적 예측 정보가 없었다는 것이다.

같은 기간 코스닥 종목을 다룬 리포트는 2243개로, 코스피 종목을 다룬 리포트 5999개의 절반도 되지 않았다. 특히 코스닥 중에서 보고서가 한 번이라도 나온 종목은 876개에 불과했다. 코스닥 시장 전체 구성 종목의 59%에 그친다. 다시 강조하지만 이는 애널리스트들이 게을러서가 아니다. 앞서 설명한 바와 같이 구조적인 한계다.

이를 개선하기 위해 한국거래소 차원에서 증권사에 비용을 지불하고 코스닥 보고서를 내도록 하기도 한다. 코스닥 상장법인 기업분석보고서 발간 지원서비스가 그것이다. 증권사들이 돈 안 되는 보고서는 쓰지 않으려 하니, 한국거래소가 돈을 주고 보고서 발간을 독려하는 셈이다. 그러나 대부분 1~2장짜리 코멘트 자료에 그치고 목표주가나 실적 추정치가 담기지 않아 반쪽짜리 보고서라는 지적이 높다.

그래서 한국거래소는 아예 더 큰 예산을 투입해 중·소형주 전문 연구소를 직접 설립했다. 한국IR협의회 기업리서치센터가 그것이다. 한국거래소와 한국예탁결제원, 한국증권금융, 한국IR협의회 등 관계기관이 힘을 합쳤다. 코스피, 코스닥, 코넥스에 소속된 시가총액 5000억 원 미만 기업에 대한 보고서를 무상으로 발간하는 역할이다. 2022년 초부터 본격적인 보고서 발간을 시작했다. 초반에는 실력 있는 애널리스트들의 지원이 많지 않아 경쟁력이 떨어지는 것 아니냐는 우려를 낳기도 했는데, 순차적으로 베테랑 애널리스트를 충원해 나가고 있다. 일부이긴 하지만 영업 지원 압박을 벗어나고자 하는 현직 증권사 애널리스트가 이곳에 지원하는 일도 생기고 있다. 이곳에서는 증권사처럼 브로커리지 수익을 위해 세미나를 뛰어다닐 일이 없기 때문이다. 한국IR협의회 기업리서치센터는 자체 수익모델 없이 유관기관 예산으로 운영된다는 점이 독립성 측면에서는 장점이다. 다만, 인센티브 요인은 떨어지는 만큼 자생적으로 경쟁력을 높이는 것이 숙제다.

애널리스트가 연봉을 크게 낮추면서까지 이곳으로 이직하는 이유가 '워라밸●' 때문이라는 이야기가 있다. 애널리스트 개인의 시간은 많아지겠지만, 그것이 증권시장과 투자자들에게 현실적으로 어떠한 이득이 되는지 곱씹어볼 일이다. 공적인 목적으로 만들어진 곳이기 때문에 더욱 그러하다. 특히 시의성 측면에서 한계를 보이기도 한다. 한국IR협의회 기업리서치센터의 설립 목적이 '다양한 기업 커버'이다 보니 초점은 발간 기업 개수에 맞춰져 있는 것이 현실이다. 그래서 실적 전망과 이슈 분석 등 시의성 측면에서는 약점을 가질 수밖에 없다. 한 종목 리서치 보고서가 1년에 1~2번에 그칠 수밖에 없는 것이 이곳의 현실이자 한계다.

● '일과 삶의 균형'이라는 의미인 'Work-life balance'의 준말.

애널리스트 월급은 누가 주는가

애널리스트 직종은 (최근에는 내리막이긴 하지만) 고액 연봉으로 유명하다. 애널리스트가 경력을 좀 쌓으면 억대 연봉은 어렵지 않게 될 수 있다. 리서치센터가 잘나가던 시절에는 리서치센터장 연봉이 10억 원을 넘기도 했다. 리서치센터 인력이 40~50명 규모만 되어도 연간 예산이 100억 원을 넘는다. 애널리스트뿐만 아니라 RA Research Assistant(리서치 보조)와 지원 부서 인건비, 기타 운영비 등을 합해야 하기 때문이다.

그런데 리서치센터는 자체 수익모델이 없다. 직접 돈을 버는 조직이 아니라는 말이다. 앞서 설명한 것처럼 브로커리지를 지원하는 것이 주요 업무다. 어디 나가서 세미나 1회당 얼마를 받는다거나, 강연 1회당 얼마를 받는다거나 그런 것도 없다. 애널리스트 리포트를 유료로 판매하는 일도 거의 없다. 일각에서 리서치센터에 리포트 사용료를 지불하기는 하지만 이는 매우 드문 경우다. 우리나라에서 증권사 리서치센터와 정식으로 계약을 맺고 일정한 대가를 지급하며 애널리스트 리포트를 유통하는 기업은 필자가 알기에 에프앤가이드가 거의 유일하다.

코스닥 상장사인 에프앤가이드는 애널리스트 리포트에 담긴 각종 데이터를 뽑아내어 컨센서스 등 빅데이터를 만들어내는 곳이다. 이 같은 빅데이터의 소스를 얻기 위해 리서치센터에 비용을 주는 구조다. 그 외에는 대부분 애널리스트 리포트를 공짜라고 여기는 곳이 많다. 투자정보 포털부터 언론사 자체 사이트까지 애널리스트 리포트를 무단으로 가져와 전재하는 경우가 허다하다. 마치 공공재처럼 아무나 마구 가져다 써도 되는 것처럼 인식하는 경우가 많다. 그러나 엄연히 애널리스트 리포트도 저작권이 있는 창작물이다. 증권사가 고객 지원이라는 명분을 위해 법적 대응을 참고 있을 뿐, 내부에서는 공들여 만든 자료가 무단으로 복제 유통되는 현실에 부글부글하고 있다. 에프앤가이드 같은 곳에서 일정 금액을 받는다고 해도 사실상 리서치센터를 운영하는 데 드는 막대한 비용을 생각하면 새 발의 피 수준이다.

실질적으로 리서치센터 운영비를 부담하는 곳은 증권사 영업조직이다. 홀세일 혹은 법인영업이라고 부르는 기관영업, 그리고 리테일이라고 부르는 개인영업 조직이 리서치센터 운영비를 대는 구조다. 실질적으로 돈을 버는 조직이 지원 조직의 운영비를 분담하는 방식이다. 증권사마다 홀세일 본부가 더 클 경우 홀세일에서, 리테일 본부가 더 클 경우 리테일에서 더 큰 비용을 부담한다. 그만큼 리서치센터를 더 많이 활용하고 그 덕을 보는 곳에서 운영비도 담당하는 것이다. 때로는 홀세일과 리테일 본부가 마찰을 빚기도 한다. "올해는 어느 쪽 업황이 좋았고, 어느 쪽 수익이 더 높았으니 내년에는 어느 쪽에서 비용을 더 크게 부담해야 한다"라며 말이다.

비용을 대는 조직은 또 그만큼 리서치센터에 영향력을 행사한다. 기관투자자 영업을 위해 세미나 일정을 잡고 애널리스트와 동행한다. 펀드매니저 대상으로 경제나 산업, 특정 주식 등에 관한 설명회를 여는 것이다. 개인투자자 영업을 위해 필요하다면 지점별 투자설명회 일정을 잡아 애널리스트를 강연자로 내세운다. 이 같은 동원에도 애널리스트는 불만을 가질 수 없다. 어쩌면 이것이 본업이기 때문이다. 어찌 보면 리포트를 발간하는 것도 세미나를 하기 위함이다.

리포트는 공짜일지언정, 세미나는 공짜가 아니다. 기관투자자를 대상으로 세미나를 한번 진행하면 해당 기관은 증권사에 상응하는 대가를 준다. 대표적인 것이 바로 주식 거래 주문이다. 예를 들어 A증권사 애널리스트에게 반도체 업황에 관한 세미나를 들었다면 A증권사 법인영업부를 통해 삼성전자 주식 매매 거래를 주문하는 식이다. 거래 규모는 해당 기관의 운용자금 규모에 따라 천차만별이다. 최소한 수백만 원 정도 거래수수료가 발생할 수 있을 정도의 거래 주문을 넣는 것이 일반적이다. 간혹 법인영업과 리서치센터에서는 "이번에는 얼마짜리 세미나였다" 같은 농담도 주고받는다.

기관영업 직원들은 이 같은 세미나를 더 많이 잡기 위해 노력한다. 세미나는 가장 정석에 가까운 세일즈 방식이다. 영업직원이 직접 펀드매니저를 만나 설명하는 것도 방법이지만, 해당 분야 전문가라 할 수 있는 애널리스트를 대동한다면 영업이 훨씬 더 수월해진다. 이 같은 세일즈를 위해 증권사는 매일 아침 애널리스트 리포트를 하드카피(종이 인쇄)로 수백 부 찍어서 각 기관에 돌린다. 마치 조간신문 배달과도 같다. 연기금은 물론, 유력 자산운용사, 투자자문사에 매일 아침 조간신문처럼 리포트 꾸러미가 배달된다. 한국거래소, 금융투자협회처럼 증권부 기자들이 모여 있는 기자실에도 다량 배부된다. 이를 인용하는 기사를 쓰도록 해서 자사 이름이 더 많이 홍보되도록 하기 위함이다.

증권사에 연예인 밴이 있는 이유

여의도 일부 증권사 주차장에 가보면 이른바 '연예인 밴'이 종종 세워져 있다. 새까만 색, 커다란 외제 승합차. 연예인들이 주로 타고 다닌다고 해서 연예인 밴이라고 부르는 그 모델이다. 어떤 차종은 차고가 너무 높아서 지하 주차장에 들어갈 수 없다 보니 항상 증권사 정문 앞 지상 주차장에 세워져 있다. 그래서 더욱 눈길이 간다. 그런데 왜 이런 밴이 증권사에 있을까?

이 역시 고객을 위한 영업용이다. 해외를 비롯해 먼 곳에 있는 VIP 고객이 증권사를 방문할 때나 기관 고객 즉, 펀드매니저들이 기업탐방을 갈 때 이 차량을 지원한다. 고객을 위해 공항으로 마중 나가거나 지방으로 장거리 기업탐방을 갈 때 이런 차량을 지원하면 상대적으로 더 많은 점수를 딸 수 있다는 것이다. 어떻게 보면 이 역시 의전이다. 고급 차종이고 실내도 넓다 보니 장거리 이용에 편리하다. 선팅이 짙게 되어 있고 정숙성도 좋아서 VIP 고객에게는 만족감 높은 의전 수단으로 꼽힌다.

가끔은 리서치센터 애널리스트들이 기업탐방을 갈 때도 이 차량을 이용한다. 다만 대부분 애널리스트들은 지방으로 기업탐방을 갈 때 비행기나 KTX를 선호하는 경우가 많다. 차량이 한정되어 있다 보니 누구나 자유롭게 이용하기 어려운 측면도 있고, 돈 벌어오는 영업 아니면 고급차량을 나 홀로 이용하기가 눈치 보이기 때문이다. 대부분 법인영업 직원과 동행하는 세일즈 일정 때나 당당하게 이용할 수 있다고 한다. 가끔은 골프 영업을 할 때도 이 차량이 동원되기도 한다. 증권업계에서는 평일 골프 영업이 적지 않다. 주식시장은 평일 오전 9시부터 3시 30분까지 쉬지 않고 돌아가지만, 매매를 많이 하지 않는 투자자들은 평일에 골프를 하러 나가는 경우가 많다. 회사별, 업무 형태별로 차이가 있기는 하지만, 영업 즉, 돈 벌러 가는 평일 골프는 회사에서 업무로 인정해주기도 한다.

고급차량이 종종 골칫덩이가 될 때도 있다. 워낙 배기량이 크고 렌트비 등 유지비가 많이 들어가는 차량이다 보니 효율성이 떨어지기 때문이다. 특히 하락장에서 두드러진다. 기업탐방이나 지방 세미나 등 이동 건수가 줄어들고, 수익률 등 운용성과가 좋지 않을 때 기관 고객들이 안팎의 눈치를 보느라 더더욱 고급 차량 이용을 꺼리기 때문이다. 최근에는 스타크래프트 밴처럼 유지비가 많이 들고 외형적으로 눈에 많이 띄는 차량 대신 카니발 리무진 같은 실용성 높은 차종으로 변경하는 흐름이다.

위기의 리서치센터

애널리스트는 '증권사의 꽃'이라 불린다. 외부에서 보기에 리서치 자체 업무와 고액 연봉이 화려해 보이기 때문이다. 그러나 실상은 아주 다르다. 억대 연봉이라고 해도 근로시간이 워낙 길어 시급으로 따지면 얼마 되지 않는다는 푸념도 있다.

매일 새벽부터 기업과 산업의 이슈를 챙기는 것은 물론, 영업부서와 기관 고객의 요청 자료를 만들어줘야 하고, 기자들의 취재에도 응해야 하며, 개별 고객들의 문의까지 응답해야 한다. 수십 장 혹은 100장이 넘는 인뎁스 리포트(심층 보고서)와 1~2장짜리 데일

리 리포트를 끊임없이 발간해야 한다. 게다가 해외기업까지 커버 영역이 넓어지면서 업무량은 배가되고 있다. 국내기업 커버도 벅찬 상황에서 해외기업까지 분석 보고서를 써야 한다. 증권사 차원에서 수익 다변화를 위해 해외 주식 서비스를 강화하다 보니 해외주식 분석 보고서 발간 요구도 높아졌다. 그러다 보면 야근은 기본, 주말 이틀 중 하루 이상은 출근해야 하는 것이 일상이다. 특히 일요일의 경우 마치 평일처럼 출근하는 애널리스트가 많다. 여기에 유튜브 출연까지 많아지면서 업무량은 끝없이 늘고 있다.

그럼에도 애널리스트 몸값은 하락하는 추세다. 증권사에서 IB(투자은행) 업무를 강화하면서 브로커리지 수익 비중이 줄고 있고, 증권사 사이 경쟁이 치열해지면서 거래수수료가 낮아지고 있기 때문이다. 개인고객 수수료는 '평생 무료'까지 등장했고, 연기금 등 기관투자자의 경우 대량거래를 명목으로 더욱 낮은 수수료를 요구하고 있다. 또한 펀드시장 자체가 위축되면서 주요 수익원인 기관고객의 운용자금이 줄어드는 것도 문제다. 여건이 이렇다 보니 과거처럼 5억 원, 10억 원에 달하던 애널리스트 몸값은 점점 호랑이 담배 피우던 시절이 되어가고 있다.

애널리스트 퇴사도 줄줄이 이어지고 있다. 연봉은 하락 추세인데 업무 강도는 나날이 높아지다 보니 아예 증권업계를 떠나는 경우가 늘고 있다. 전통적으로 애널리스트는 이직이 잦은 직종이기는 하다. 그러나 과거에는 주로 여의도 안에서 돌고 도는 이직 구조였다면, 최근에는 아예 증권업계를 떠나는 애널리스트가 많이 늘고 있다는 것이 문제다.

분석하던 커리어를 바탕으로 해당 분야 대기업으로 가는 것이 대표적이다. 주식 세일즈를 위한 보고서를 만드는 것이 아니라, 해당 산업과 기업만을 위한 분석을 할 수 있기 때문이다. 물론 연봉 등 더 나은 처우가 있기 때문이기도 하다. 대기업 자체 소속은 물론이고 대기업 그룹 산하 'OO경제연구원' 등으로 이직하기도 한다. 대기업 그룹의 경우 글로벌 산업 변화와 그룹의 미래 먹거리에 대비하기 위해 자체적인 연구소를 두고 있다. 이런 곳으로 가면 상대적으로 몸이 편해진다고 한다. 기관영업 등 여기저기 불려 다닐 일이 별로 없고 보고서만 잘 쓰면 되기 때문이란다. 이런 이유로 연봉을 낮춰서라도 조사연구 위주의 조직으로 이직하려는 애널리스트가 적지 않다. 그곳에서는 불려 다니더라도 그룹 내부 보고에만 집중하면 된다. 회장님 등 고위급에게 브리핑을 잘하면 그분들 눈에 들어 성공 가도를 달릴 수도 있다.

비상장사로 이직하는 애널리스트도 늘고 있다. 머지않아 증시에 상장할 수 있는 기업으로 이직해 IPOInitial Public Offering(기업공개)[•] 작업을 함께하는 것이다. 해당 산업과 증권업계를 두루 접해본 경험을 바탕으로 시너지를 낼 수 있다는 장점이 발휘된다. 애널리스트는 재무에 밝기 때문에 CFOChief Financial Officer(최고 재무책임자)로 가는 경우가 많다. CFO는 CEOChief Executive Officer(최고 의사결정권자)에 이어 해당 기업의 2인자라고 봐도 무방하다. 기업의 재무, 즉 돈줄을 쥐게 되는 것은 아주 큰 힘이다. 비상장사로 이직하며 스톡옵션을 받고, 상장 이후 스톡옵션 행사를 통해 거액을 만질 기회도 뒤따른다. 당장은 연봉이 줄더라도 이 같은 한 방을 위해 비상장사로 가는 애널리스트가 줄을 잇고 있다.

직접 비상장사 투자를 위해 VC(벤처캐피탈)로 가는 경우도 있다. 비상장 투자의 경우 위험이 더욱 큰 편인데, 산업 이해도와 네트워크를 바탕으로 VC 투자 결정에 도움을 줄 수 있기 때문이다. VC는 투자 결과에 따른 인센티브가 매우 높은 편이어서 큰돈을 만질 수 있다는 기대감도 있다. 이 밖에 펀드매니저로 이직해 직접 펀드를 운용하거나, 아예 직접 투자를 하기 위해 전업투자자로 변신하는 경우도 적지 않다.

• 비상장기업이 유가증권시장이나 코스닥시장에 상장하기 위해 그 주식을 법적인 절차와 방법에 따라 주식을 불특정 다수의 투자자들에게 팔고 재무내용을 공시하는 것

애널리스트 처우가 높아지지 않는다면 이 같은 '탈脫 증권사' 흐름은 이어질 것으로 보인다. 워낙 많은 애널리스트가 업계를 떠나다 보니 머지않아 애널리스트 씨가 마를 것 같다는 말까지 나온다. 나아가 "끝까지 버티는 자가 베스트 애널리스트가 될 것"이라거나, "버티다 보면 결국 수급 논리에 따라 다시 몸값이 높아지지 않겠느냐"라는 말도 오간다. 애널리스트 수가 줄면 줄수록 다시 그 몸값이 올라갈 수도 있겠지만, 그 바닥이 언제일지 알 수 없다는 것이 문제다. 자본주의 중심인 여의도 증권가에서 자본주의 기본인 '수요·공급 원리'와 '바닥 찾기'가 이렇게도 진행되고 있다.

트레이딩을 조장하라

증권사 수수료 장사 도구

증권 방송을 보면 끝없이 종목 추천이 이어진다. 그들의 말만 듣고 뇌동매매를 해선 안 되겠지만, 하루에도 수십 개씩 쏟아지는 추천 종목을 보고 있으면 한두 번은 혹할 수밖에 없다. 증권사 콘텐츠를 봐도 추천종목이 끊이지 않는다. 애널리스트 리포트부터 지점 직원의 개별 콜까지 매일같이 매수해야 한다는 종목이 쏟아지고 쏟아진다. 법인영업 직원들도 펀드매니저들에게 저마다의 방법으로 '콜'을 넣는다. 여의도 바닥에서 콜이란, 곧 '매수 추천'을 말한다. 매수 추천은 늘 있는 일이지만 특별히 특정 종목에 대한 매수 타이밍이 되었다는 의미이기도 하다.

이들은 왜 이렇게 열심히 종목을 추천할까? 이유는 간단하다. 앞서 말했듯 이들이 그것으로 먹고살기 때문이다. 증권사의 주 수입원 가운데 하나가 바로 '브로커리지'다. 주식 중개를 통해 거둬들이는 거래 수수료를 말한다. 부동산 공인중개사에서 주택 거래를 중개해주고 수수료를 받는 것과 마찬가지다. 부동산 공인중개사가 수수료 수입을 거두려면 많은 매물을 확보하고 있어야 한다. 그리고 손님이 오면 입지부터 평형, 층수, 가격대 등을 고려해 가장 적당한 매물을 추천해야 한다. 그래야 거래가 성사되고 수수료 수입을 올릴 수 있다. 거래가 꼭 성사되도록 바람을 잡는 것도 중요한 스킬이다. "이따가 또 누가 보러 올 예정"이라든지, "이 집을 보러오는 사람이 많아서 금방 팔릴 것 같다"라든지, "이 집에서 살던 사람들이 다들 성공해서 나갔다"라든지, "오늘 가계약금이라도 걸고 가라"든지 다양한 표현으로 거래를 부추긴다. 사실 부동산 시장의 이런 구조는 많은 이들이 알고 있다. 그런데 같은 구조임에도 주식 쪽에서는 의외로 이를 간과하는 경우가 많다.

앙드레 코스톨라니 저서 『돈, 뜨겁게 사랑하고 차갑게 다루어라』[•]에는 이런 대목이 나온다.

"한 고객이 조언을 구하기 위해 브로커를 방문했다. 브로커는 고객에게 IBM 주식을 매수하라고 열정적으로 권했다. 상담이 끝날 무렵 그는 고객이 사실 IBM 주식을 팔려고 한다는 걸 알았다. '아아, 그렇습니까?' 브로커가 말했다. '파신다고요. 그것도 나쁘지 않습니다!' "

일반적으로 증권사 영업직원이 기본적으로 달성해야 하는 거래수수료는 자기 연봉의 3배로 알려져 있다. 연봉이 5000만 원이라면 거래수수료만으로 1억 5000만 원을 거둬야 한다는 뜻이다. 연봉이 1억 원이라면 3억 원 이상의 거래수수료를 만들어내야 몸값 이상을 한다고 인정받을 수 있다. 이는 곧 증권사가 생각하는 BEPBreak-Even Point(손익분기점) 수준이기도 하다. 직원 연봉뿐 아니라 지점 임대료 등 운영비, 광고마케팅 등 모든 비용을 감안한 수치다. 최근에는 증권사 수익 모델이 다양해지면서 금융상품 판매수수료 등 성과를 낼 수 있는(혹은 내야 하는) 수단이 다양해졌다. 그럼에도 여전히 거래수수료 즉, 브로커리지 수입은 증권업계의 절대적인 수익 기반이다.

• 앙드레 코스톨라니, 『돈, 뜨겁게 사랑하고 차갑게 다루어라』, 한윤진 옮김, 미래의창, 2015.09.30.

증권사 리서치센터에서 거시경제부터 산업분석, 기업분석 보고서 등을 열심히 발간하는 것도 이런 이유에서다. 증권사가 고객에게 매물을 많이 소개해야 그 증권사에서 중개할 매매거래가 많아지기 때문이다. 법인영업 직원들은 아침 일찍부터 이메일을 보내고 전화를 돌리고 미팅을 이어간다. 한 건이라도 더 거래시키기 위해서다. 리테일 즉, 지점 직원들도 마찬가지다. 담당 고객들에게 전화를 걸고 메신저를 보내 오늘은 어떤 종목을 사야 한다거나, 이 종목 매수하기에 좋은 가격이 왔다는 등의 내용을 설명한다.

물론, 매도 역시 중요하다. 정확하게 말하자면 보유 중인 주식을 매도하도록 하는 일이다. 그래야 비워진 비중만큼 주식을 또 사게 할 수 있기 때문이다. 거래가 이뤄지려면 매수만 종용해서는 안 된다. 매수할 만큼 매도를 시키는 것도 중요하다. 그래야 '주식 회전율'이 높아진다. 회전율이란, 투자자가 주식을 얼마나 사고팔았는지 보여주는 숫자다. 쉽게 말해 투자금 1억 원인 사람이 1년에 1억 원어치 사고팔았다면 회전율은 100%가 된다.

매매 회전율 = 총 거래금액÷자본÷2×100(%)

대부분 개인투자자는 회전율 100%를 훌쩍 넘는다. 평균 수백%라고 표현해도 과언이 아닐 정도다. 자본시장연구원의 2021년 11월

보고서[•]에 따르면 전체 개인투자자의 합산기준 일간 거래회전율은 6.8%로 나타났다. 하루 동안 본인의 주식 투자 금액 가운데 6.8%를 거래한다는 의미다. 같은 기간 주식시장 전체의 일간 거래회전율은 1.4%였다. 개인투자자가 기관이나 외국인보다 5배 가까이 빈번하게 사고판다는 뜻이다. 실감이 안 된다면 이를 연간으로 환산해보면 얼마나 높은 회전율인지 느낄 수 있을 것이다. 비용에서 특히 와닿을 수 있다.

이 조사는 코로나19 팬데믹 이전부터 투자를 하고 있던 사람과 새롭게 유입된 이른바 동학개미들의 수익률을 비교 분석했다. 잦은 매매로 인해 거래비용 제외 시, 포함 시 수익률이 크게 차이 나는 것을 볼 수 있다. 기존 투자자의 경우 거래비용 차감 전 수익률이 18.8%였으나, 거래비용 차감 후에는 15.0%로 낮아졌다. 신규투자자의 경우 거래비용 차감 전 5.9%였던 수익률이, 거래비용 차감 후에는 −1.2%로 오히려 손실이 되어버렸다. 즉, 동학개미들은 잦은 거래 때문에 손해만 봤다는 뜻이다.

거래비용에는 증권사에 내는 거래수수료뿐만 아니라 유관기관 수수료(한국예탁결제원, 한국거래소 등), 그리고 증권거래세가 모두 포

• 김민기·김준석, 「코로나19 국면의 개인투자자 : 투자행태와 투자성과」, 2021

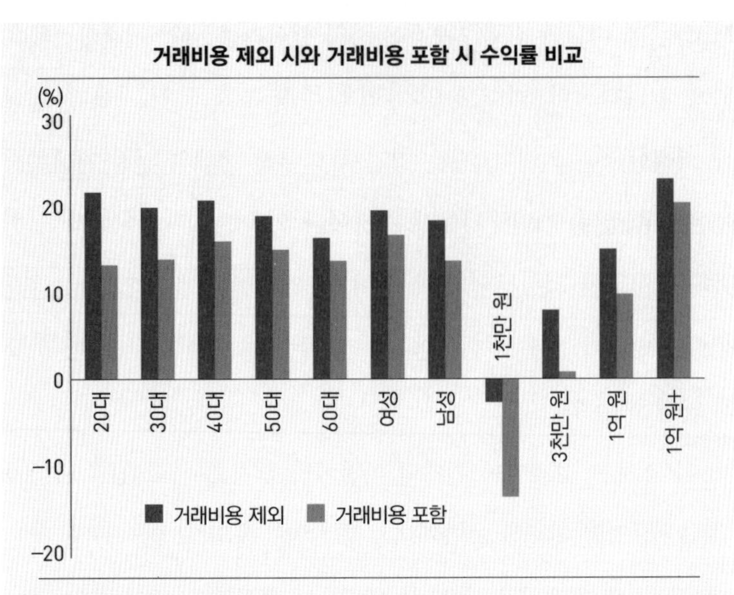

4개 대형 증권사가 제공한 개인투자자 20만 4004명의 상장주식 거래내역 바탕으로 비교하였다. 3개 증권사 자료는 2020년 3월부터 10월까지. 나머지 1개 증권사 자료는 2020년 3월부터 6월까지의 자료로 구성되었다.

출처: 자본시장연구원

함된다. 유관기관수수료는 대략 0.004% 정도 된다. 증권거래세(농특세 포함)는 0.25%(2021년 기준. 2025년까지 0.15%로 단계적 인하 예정) 정도다. 특히 증권사 거래수수료(매매수수료)와 유관기관수수료는 매수할 때, 매도할 때 각각 발생한다. 즉, 사고파는 것을 한 번이라고 생각하기 쉽지만, 수수료는 두 번 낸다는 뜻이다. 투자자 입장에서 당장은 미미한 수준, 체감되지 않는 수준 같지만, 연간 제반비용을 정산해보면 정말 놀랄만한 금액이 찍혀 있을 것이다. 1억 원을 투자하는 사람이라면 거래비용이 최소 수백만 원에 달할 것이다. 매매가 잦은 사람은 1억 원을 투자하면서 제반비용으로 수천만 원을 쓸 수도 있다. 고객에게는 비용이지만, 증권사에는 수익이다. 그들이 매일 아침 모닝브리프를 통해 열심히 '오늘의 관심주'를 쏟아내는 이유다.

실전 투자대회와 수수료 평생 무료가 노리는 것

추천 종목을 내는 것뿐만 아니다. 거래를 활성화하기 위해서 온갖 방법이 동원된다. 개인투자자들을 위한 트레이딩 교육을 열어 어떻게 하면 매매를 잘하는지 가르쳐주기도 한다. 투자 잘하는 방법보다는 매매 잘하는 방법을 가르친다. 이유는 앞서 설명한 것과 같다.

실전 투자대회도 대표적인 마케팅 거리다. 많은 투자자들의 관심을 높이기 위해 흥행이 될만한 투자대회를 연다. 목적 자체가 마케팅과 브로커리지 수입에 있다. 일단 투자대회는 그 특성상 대회 기간이 한정될 수밖에 없어 짧은 시간 내에 수익률을 극대화하려면 잦은 매매를 할 수밖에 없다. 그리고 단기 트레이딩 고수들이 수익률 상위에 오르기 때문에 일반인들에게 '단기 트레이딩 = 고수익'

이라는 인식을 심어주기에 딱 좋은 아이템이다. 대표적인 생존 편향이다.

생존 편향을 다른 말로 하면 '승자의 역사'다. 살아남은 사람 위주로 역사가 기록되기 때문에 승자 중심으로 편향이 생길 수 있다는 논리다. 10명이 참가하든 100명이 참가하든 어찌 됐든 우승자는 트레이딩 고수다. 우승자가 홍길동이든 고길동이든 어찌 됐든 결과적으로 '빠른 매매로 좋은 성적을 거뒀다'라는 등식이 만들어진다. 이를 통해 증권사들은 실전 고수를 추종하는 많은 개인투자자를 자사 고객으로 유치한다. 증권사들은 경우에 따라 실전 투자대회에서 고수들이 사고파는 종목을 공개하기도 한다. 수익률 상위 종목을 보여주면서 왠지 상위 랭커들을 따라 하면 같이 돈을 벌 수 있을 듯한 분위기를 조성하는 것이다.

실전 투자대회에서 잦은 매매 못지않게 중요한 것이 '레버리지 leverage'다. 즉, 신용융자를 동원해 투자금을 늘리는 것이다. 정해진 금액만큼만 투자하도록 하는 대회가 있는 반면, 큰 폭의 레버리지까지 가능한 투자대회도 있다. 레버리지가 허용되는 대회에서는 무조건 신용을 써야 유리하다. 어차피 3등 안에 들지 못하면 부(상금)와 명예(타이틀) 아무것도 얻지 못하는 판에서 4등을 하거나 꼴등을 하거나 다를 게 없기 때문이다. 그래서 참가자들은 레버리지를 최대한 당겨서 지른다. 이 또한 일반인들에게 '역시 수익률을 극대화하려면 레버리지를 써야 해'라는 인식을 심어주기 위함이다.

증권사들은 주식거래 수수료뿐 아니라 신용융자 영업 즉, 이자 장사를 하며 수익을 배가시킨다. 신용거래융자 이자율은 증권사마다 차이가 있지만 1주일짜리가 연 5%를 넘고, 60일짜리는 8%를 넘는다. 180일을 초과할 경우 연 10%에 가까운 이자율이 적용되기도 한다.

주식거래 수수료를 평생 무료로 하는 증권사도 많아지고 있다. 증권사들이 주식거래 수수료를 왜 포기할까? 일단 주식거래 수수료 평생 무료를 미끼로 내걸고 고객층을 넓혀서 수익을 극대화하기 위함이다. 주식거래 수수료 평생 무료 이벤트는 지난 2017년 NH투자증권이 일시적인 행사로 들고나왔다. 당시에는 굉장히 파격적인 이벤트로 여겨졌는데, 이제는 상당수 증권사가 거의 상시적으로 행하고 있다. 0.015% 수준인 온라인 주식거래 수수료를 포기해서라도 고객 수를 늘려보겠다는 계산이다. 그리고 이렇게 유치한 고객을 대상으로 부가적인 수익을 창출하겠다는 전략이다. 대표적인 것이 바로 신용융자 이자다. 그리고 다양한 펀드 가입을 추천하고 ISA와 IRP 등 다양한 금융상품을 판매하면서 중장기적인 수수료 기반을 다져가고 있다.

동학개미 열풍에 표정 관리하는 한국거래소

증권사만 수수료 수입으로 배를 불리는 것이 아니다. 유관기관수수료를 받는 그 유관기관 역시 마찬가지다. 대표적인 곳이 한국거래소와 한국예탁결제원이다. 두 기관은 지난 2020년 동학개미 투자 열풍으로 거래량이 폭증하자 표정 관리하느라 애먹었다. 코로나19 팬데믹으로 인한 국가적인 위기 상황에서 수수료 수입이 폭증했기 때문이다. 오죽하면 그해 9월부터 연말까지 거래수수료를 받지 않겠다고 선언했을 정도다. 한 분기 수수료를 아예 받지 않았음에도 그해 한국거래소 영업이익은 1979억 원으로, 전년도(841억 원)보다 135.3% 급증했다. 그다음 해 실적은 더욱 놀라웠다. 2021년 한국거래소 영업이익은 4037억 원으로 전년 대비 104% 증가했다. 2년 연속 '세 자릿수 성장'이었다. 상장사였으면 주가가 몇 배는 올랐을 어닝 서프라이즈다.

한국거래소의 막대한 수익은 증권사에도 득이 된다. 한국거래소의 주주가 바로 증권사들이기 때문이다. KB증권(6.42%), 메리츠증권(5.83%), NH투자증권(5.45%), 한화투자증권(5%), 유안타증권(3.46%), 하나금융투자(3.29%), 미래에셋증권(3.23%), JP모간증권 서울지점(3.23%) 등 수십 개 증권사와 선물회사 등이 지분을 갖고 있다. 이들이 곧 한국거래소의 주인인 셈이다. 주주인 증권사들은 한국거래소 수익 일부를 배당으로 받아 간다. 한국거래소가 주주들에게 배당한 금액은 지난 2020년 약 496억 원, 2021년에는 약 687억 원에 달했다.

선수들은 알고 있는 공공연한 비밀

낚싯배 탄 개미와 수급 베끼기

우리나라만큼 수급에 민감한 주식시장이 또 있을까 싶다. 매일같이 외국인, 기관 수급 동향을 확인하는 것이 많은 투자자에게 일상처럼 되어버렸다. 큰손 투자자의 매매에 따라 증시 향방이 달라지고, 그들의 매수·매도 강도에 따라 모멘텀이 달라지니 일견 이해된다.

일단 거래대금에서 차지하는 비중 자체는 개인투자자가 압도적이다. 통계청에 따르면 지난 2021년 상장주식 전체 거래대금(매수·

매도 합)은 총 1경 3537조 3030억 원 규모였다. 이 가운데 개인의 거래대금이 9885조 2132억 원에 달했다. 비중으로 보면 73%에 이른다. 외국인이 약 15%, 기관이 11% 수준이었다. 개개인 한 명 한 명의 자금은 적을지라도, 이들이 모여 수시로 사고파는 규모와 비중은 이처럼 상당하다는 것이다. 이 같은 현상을 '개미 군단'이라 비유할 수 있을 것이다. 개미 한 마리는 매우 작은 존재이지만, 그들이 셀 수 없이 많이 군집하면 아예 땅을 까맣게 뒤엎어버리는 것처럼 말이다. 위와 같은 거래대금은 자동차 엔진 회전 수만큼이나 활발한 주식거래 회전율에 기인한다. 앞서 설명한 것처럼 개인투자자의 일간 거래회전율은 6.8%에 달한다. 전체 주식시장 일간 거래회전율 1.4%보다 압도적으로 높다.

거래 규모는 개인투자자가 압도적이지만, 시장의 방향성을 좌우하기는 역부족이다. 응집력이 약하기 때문일 것이다. 흔히 여의도에서는 "외국인이 방향성을 정하고, 기관이 모멘텀을 제공한다"라고 말한다. 외국인의 투자 동향에 따라 증시의 오르내림이 갈린다는 의미다. 여기에 기관투자자가 편승하면서 상승 혹은 하락 방향성에 탄력을 붙인다는 뜻이기도 하다. 주식시장을 바다로 놓고 봤을 때 투자 규모에 따라 외국인은 항공모함, 기관은 구축함, 개인은 낚싯배 정도로 표현한다. 혹은 주식시장이 전쟁터와 같다는 의미에서 외국인이 가진 무기를 미사일, 기관은 기관총, 개인은 새총 정도로 비유하기도 한다. 새총 하나로 명중을 해야 하는 개인으로서는 명중률을 더욱 높여야 하는데, 말처럼 쉽지는 않다. 그래서 큰 손들의 수급 동향을 보면서 그들이 사고파는 것에서 힌트를 얻고자 하는지 모르겠다.

문제는 시장 동향 모니터링 차원이 아니라, 특정 종목에 관한 구체적인 매매 정보가 흘러 다닌다는 점이다. 아예 특정 자산운용사, 투자자문사가 사고파는 종목이 실시간으로 생중계되는 일까지 비일비재하다. 정보가 모이는 곳은 증권사다. 기관투자자의 주문을 받아 거래를 체결시키는 곳이 증권사이기 때문이다. 주식 주문을 받는 브로커와 주문을 넣는 트레이더는 실시간으로 특정 기관의 매매 정보를 취하게 된다. A연금에서 어떤 종목을 몇 시에 얼마나 매수해달라고 주문했는지, B자산운용사에서 어떤 종목을 추가 매수하고 있는지, C자산운용사에서 어떤 종목을 손절매하고 있는지 증권사에서는 알 수가 있다.

고객사의 거래 동향을 외부에 발설하는 일은 금지되어 있다. 고객의 인적사항 및 매매거래 정보 등을 부당하게 이용하거나 유출하지 못하게 되어 있다(금융투자회사 표준내부통제기준 영업행위준칙 4.1.1.4). 그러나 현실에서는 고객들의 주문 정보가 거의 실시간으로 떠다닌다. 점심을 먹으면서 대화 중에 자연스럽게 이야기가 나오기도 하고, 메신저를 통해 알려주기도 한다. 특정 기관의 거래동향을 주변 지인들에게 알려주고 추종 매매를 할 수 있도록 도와주는 경우가 가장 흔하다. "요새 잘 나가는 A운용사에서 이 종목 사기 시작했다니까", "요즘 B자문사가 이거 열심히 밀고 있던데" 이런 식이다.

극히 일부의 경우겠지만, 때로는 이를 세일즈에 이용하는 영업 직원들도 있다. "제가 얼마 전에 콜을 드린 A종목을 B운용사에서 좋게 보고 많이 담기 시작했습니다"라든지, "C운용사에서 최근에 담기 시작한 D종목을 저도 좋게 보고 있습니다" 이런 식으로 정보를 준다. 상대적으로 규모가 작은 자산운용사나 투자자문사의 경우 대형 기관의 동향에 관심을 두는 것은 인지상정이다. 이 같은 정보를 제공하면서 증권사 브로커는 더 많은 실적을 올릴 수도 있다. 물론 아주 일부의 이야기다.

개인 고객을 상대하는 지점에서도 이런 일이 드물지 않다. 특히 자주 일어나는 일이 '랩 계좌Wrap Account • 컨닝'이다. 증권사 지점 영업직원은 자신이 관리하는 고객의 계좌를 볼 수 있는데, 고객이 가

• 랩 계좌란, 증권사가 고객에게 권한을 위임받아서 자산을 운용하는 계좌를 말한다. 랩 계좌 종류로는 지점 일임형, 본사 직접형, 자문형 랩이 있다. 지점 일임형은 지점 직원이 직접 고객의 계좌를 일임 맡아서 운영하는 것이고, 본사 직접형은 그것을 본사에서 짠 포트폴리오대로 운영하는 것이다. 자문형은 투자자문사의 자문을 받아서 운영하는 방식으로, 자문사가 결정하는 대로 포트폴리오를 꾸리는 형태다.

입한 랩 계좌에서 어떤 종목이 새로 편입됐는지 혹은 편출됐는지 실시간으로 알 수가 있다.

지점 직원이 커닝하는 것은 주로 '자문형 랩'이다. 영업직원 자신이 속한 지점이나 본사의 것이 아니라 외부 투자자문사가 꾸린 포트폴리오 말이다. A투자자문사의 투자 판단을 따르는 'A자문형 랩'에 가입한 고객의 계좌를 보면 A투자자문사의 포트폴리오를 그대로 볼 수가 있다. 문제는 그냥 보는 것에 그치지 않고, 이를 베끼거나 외부에 유출까지 한다는 점이다. 물론 일부의 경우이겠지만 한때 이것이 매우 큰 문제가 된 적이 있다.

투자자문사 자문형 랩이 유행처럼 번지고, 그들의 포트폴리오가 우리나라 주식시장을 좌우하던 시절이 있었다. 그 유명한 '차화정' 장세 때다. 지난 2010~2011년 즈음 자동차, 화학, 정유주가 주식시장을 주도해 나갔는데, 주도를 넘어 쏠림현상에 가까웠다. 돈이 몰리는 투자자문사가 시장의 수급도 좌지우지 하던 시절이었다. '차화정'뿐만 아니라 '7공주'라는 신조어까지 등장하는 등 자문사가 밀어붙이는 특정 종목 위주로 수급 쏠림현상이 대단했다. 지난 2010년 현대차가 43% 급등했고, 이듬해인 2011년에는 연중 48% 더 오르기도 했다. 기아는 2010년 152% 폭등했고, 2011년에는 여기서 67% 더 올랐다. S-OIL의 경우 2010년 71% 폭등한 데 이어 2011년에는 연중 최고점이 83%에 이르렀다.

자문사가 주도하는 종목의 수익률이 이렇게 폭등하자 너도나도 자문사 포트폴리오 베끼기에 열중했다. 지점 직원들을 통해 "A자문사가 B종목을 더 담았다", "B자문사가 D종목도 편입했다" 등의 정보가 거의 실시간으로 흘러나왔다. 심지어 자문사별 포트폴리오가 통째로 유통되는 일까지 생겼다. 포트폴리오에 담긴 종목은 물론, 종목별 비중까지 정리된 파일이었다. 그 정도로 당시 시장에서는 수급을 주도하는 세력이 분명했고, 이를 추종해야 돈을 벌 수 있다는 생각이 팽배했다. 필자는 지난 2010년 6월 이 같은 투자자문사 포트폴리오 베끼기 관행을 단독 보도한 바 있다.

이 같은 매매정보 유출은 당연히 불법이다. 앞서 설명한 것처럼 증권사 직원들은 업무상 알게 된 고객의 거래 정보를 외부에 발설

자문형 랩이 한창 유행하던 시절, 필자의 단독보도. 특정 랩 계좌의 포트폴리오가 통째로 유출돼 있다.

출처 : 2010년 6월 9일 머니투데이 방송 MTN

해서는 안 된다. 고객의 매매주문을 접수할 때 처리 상황과 체결 내용, 금융거래 내역 등을 제3자에게 유출해서는 안 되게 되어 있다. 이는 금융감독원에서 정기적으로 감독하는 일이기도 하다. 그러나 투자자문사 랩뿐만 아니라 자산운용사 펀드 포트폴리오까지 베끼고 유출하는 행위는 지금도 끊이지 않는다. 방식과 정도만 달라졌을 뿐이다.

슈퍼개미 등 큰손 재력가의 계좌를 관리하는 지점 직원 역시 해당 슈퍼개미의 포트폴리오를 보고(극히 일부이긴 하지만) "누가 뭘 사고 있다더라" 하는 말을 흘리기도 한다. 일부 증권사 브로커와 트레이더는 당일에 주문받은 대형 기관의 물량을 두고 "하루 물량이 얼마이고, 이걸 오늘 다 사려면 주가 좀 올리면서 살 수밖에 없다"라는 말을 주변에 흘리기도 한다. 물론 극히 일부의 경우이지만, 이 같은 정보를 얻어 추종 매매를 하기도 하고, 이 같은 정보를 흘리면서 영업하기도 하는 것이 현실이다.

일각에서는 "수급은 재료에 우선한다"라면서 수급의 중요성을 엄청나게 강조한다. 뉴스와 공시 등 재료가 아무리 좋아도 주식을 사줄 사람이 없으면 주가는 오르지 못하고, 재료가 없어도 주식을 사줄 사람이 많으면 주가는 오를 수 있다는 진리를 역설하기도 한다. 어찌 보면 이런 사람들은 '수급 만능주의'에 빠진 것처럼 보인다. 대부분 이런 투자자들은 단기투자 성향일 것이다.

미국 증시의 경우 아예 수급 데이터를 공개하지 않는다. 우리나라처럼 개인, 기관, 외국인 그리고 기관 종류별로 연기금, 금융투자, 보험, 은행, 나아가 기타법인과 기타외국인, 사모펀드까지 세세한 수급 상황을 매일같이 공표하는 나라는 거의 없는 것으로 알고 있다. 한국거래소는 그것도 모자라 하루에 5~6차례 잠정치까지 공표하고 있다. 일부 증권사들은 한술 더 떠서 수급 예측 분석 프로그램까지 도입해 실시간 수급 분석 서비스를 제공하기도 한다.

필자는 이 같은 수급 데이터가 과잉 정보라고 생각한다. 아무리 정보기술이 최고로 발전한 나라라지만, 이처럼 너무나도 친절하게 자주 제공하는 수급 동향이 자칫 단기매매만 양성하는 것 아닐까 하는 의문이 들기도 한다. 이런 단기매매가 많아질수록 한국거래소와 증권사들은 더 많은 돈을 벌게 된다. 미국이 수급 데이터를 공개하지 않는 이유가 과연 정보기술의 한계 때문일까? 그들은 능력이 없어서 수급 동향을 공표하지 못하는 것일까? 그보다는 투자의 본질을 생각하면서 '매일매일의 수급 동향이 왜 중요하느냐'라고 스스로 반문해보면 어떨까?

블록딜과 공매도, 정답을 알고 푸는 시험

주가가 떨어질 것이 자명하다면 누구나 하락에 베팅해 수익을 극대화하려는 유혹을 느낄 수 있다. 공매도를 통해서다. 개인투자자에게 공매도는 여전히 어려운 영역(대주부터 담보비율, 상환 기간 관리 등)이지만, 기관투자자에게는 양방향으로 수익을 노릴 수 있는 매력적인(리스크도 크지만) 투자기법임이 분명하다.

앞 문단에 필자는 '주가가 떨어질 것이 자명하다면'이라고 썼다. 이는 곧 '정답을 보고 시험을 치를 수 있다면'과 같은 말이다. 답을 알고 문제를 풀 수 있다면 그야말로 손 안 대고 코 푸는 것보다 더 좋은 일 아니겠는가.

그 대표적인 사례가 바로 블록딜block deal이다. 블록딜은 주식 대량매매를 뜻하는 말이다. 장내에서 거래되는 시가와 상관없이 시간 외 거래를 통해 대량으로 한번에 거래가 이뤄진다. 특정 매도자가 대량으로 주식을 한번에 팔고자 할 경우 매수자를 찾아서 즉, '블록을 쳐놓고' 그 안에서 자신들끼리 정한 수량을 자신들끼리 원하는 가격으로 거래하는 방식이다. 장내 거래를 통해 팔기에는 물량이 너무 많거나 시장에 영향을 미칠 수 있을 때 블록딜 방식으로 거래한다.

대량으로 블록딜을 할 때는 일반적으로 할인을 해준다. 일종의 도매 같은 개념이다. 주식을 한꺼번에 많이 팔아야 하는데 시가 그대로 판다면 사려는 사람이 별로 없을 것이다. 그냥 장내매매를 통해 사는 것과 다를 것이 없기 때문이다. 그래서 블록딜을 할 때는 약 5% 정도 할인을 해주는 것이 일반적이다. 다만 할인율은 기업(주식)과 상황에 따라 다른데, 인기 많은 주식일 경우 3%만 할인해주기도 하고, 인기가 없을 경우 6~7%, 그 이상 할인하기도 한다. 또한 물량이 많으면 할인율이 높아지는 것이 일반적이다. 지난 2022년 6월 8일 알리페이가 카카오페이 주식 500만 주를 블록딜할 당시 할인율은 11.8%에 달했다. 총 거래 규모가 4675억 원에 달했기 때문이다.

문제는 이같이 '할인될 블록딜'이라는 정보를 미리 접하고 공매도를 치는 경우다. 이게 바로 위에서 '정답을 보고 시험을 치를 수 있다'라고 표현한 이유다. 블록딜 당일 주가는 블록딜로 인해 할인되는 만큼 떨어지는 것이 일반적이다. 추가적인 오버행(물량 부담) 이슈나 실적 전망 등에 따라서 더 떨어질 수도 있고 아닐 수도 있지만, 주가는 단기적으로 블록딜 충격을 받는 경우가 많다. 일부 기관들은 바로 이점을 노리고 블록딜이 예정된 종목에 공매도를 친다.

이 경우 정보가 매우 중요하다. 블록딜 충격이 주가에 반영되기 전에 공매도를 쳐야 하기 때문이다. 그런데 블록딜 정보를 얻는 것은 그리 어렵지 않다. 블록딜 주관사(증권사)가 해당 물량을 인수할 기관을 찾는 과정에서 소문이 쫙 퍼지기 때문이다. 국내외 여러 기관에 블록딜 물량 인수 여부를 타진하는 과정*에서 정보가 여기저기에 새어나가게 된다. 블록딜 주관사(증권사)는 특정 주식에 대한 시장의 수요를 미리 조사(수요 예측)할 필요가 있고, 또한 해당 블록딜 거래를 완수하기 위해 많은 기관투자자에게 마케팅할 필요도 있다. 그럴수록 정보는 널리 퍼져나간다.

롱숏전략**을 추구하는 자산운용사에 블록딜 참여 문의가 들어오면 이들은 한편에서 함박웃음을 짓는다. 꽃놀이패가 들어온 것과 마찬가지이기 때문이다. 블록딜에 참여해서 5~10% 할인된 가격에 해당 주식을 확보할 수 있고, 반대로 이 소식을 접하자마자 공매도를 쳐서 블록딜 충격으로 하락하는 만큼 수익을 낼 수 있기 때문이다. 특히, 먼저 공매도를 쳐놓고, 블록딜 물량을 할인 매수해 이것으로 되갚는 경우도 있다. '블록딜 정보 취득 → 공매도 실행' 전략이 일부 기관투자자 사이에서 이른바 '알파 전략'으로 통했다. 알파란 초과 수익률을 낸다는 뜻이다. 앞에서 설명한 것처럼 '정답을 보고 문제를 푸는 꽃놀이패'였으니 말이다.

* 여의도에서는 이를 '태핑(tapping)'이라 표현한다.

** 매수를 의미하는 '롱 전략'과 매도를 의미하는 '숏 전략'을 동시에 구사하는 투자 방식.

이는 엄연한 반칙이다. 자본시장법 위반 혐의로 처벌받을 수 있다. 지난 2018년 현대로템 주식 823만 주(당시 모건스탠리PE 보유 물량) 블록딜 소식을 들은 홍콩계 자산운용사 펀드매니저 A씨는 블록딜 정보가 공개되기 전에 공매도를 쳐서 5억 8270만 원을 벌었다. 당시 현대로템 블록딜 물량은 전체 주식의 9.7%에 이르는 큰 규모여서 주가 충격도 컸다. 2018년 5월 3일 현대로템 주가는 블록딜 충

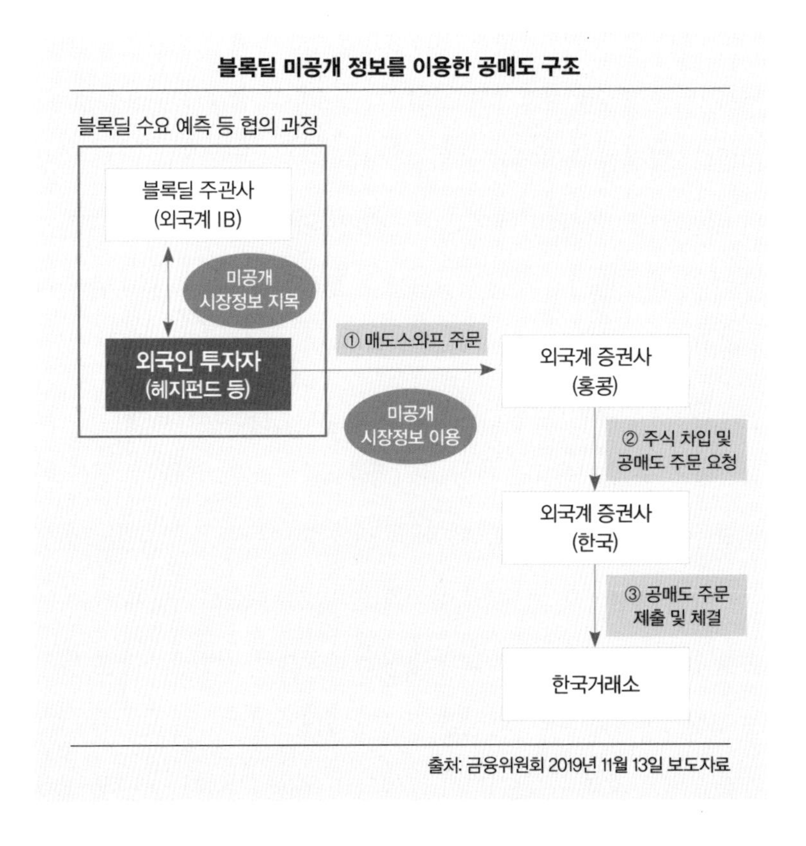

격으로 17.18% 폭락했다. 블록딜 규모가 클수록 주가 충격도 크고, 공매도 세력의 수익도 커지는 셈이다. 어찌 됐든 A씨는 금융위원회 증권선물위원회로부터 과징금 처분을 받았다. 그런데 그에게 부과된 과징금은 5억 8270만 원, 딱 그가 올린 부당이득금 수준이었다. 번 만큼만 뱉어낸, 손해 볼 것 없는 장사였다.

처벌이 왜 이렇게 솜방망이 수준일까? 김지현 한림대 부교수와 우민철 한국거래소 차장의 2019년 논문 「공매도를 이용한 불공정거래 개연성」 자료에 따르면 블록딜 정보를 이용한 공매도는 법적으로 '미공개 중요정보 이용행위'가 아니라 '시장정보 이용'으로 분류된다. 법적인 측면에서 블록딜 거래 정보는 기업 내부에서 형성된 미공개 중요정보가 아니고, 상장법인 외부에서 생성된 시장정보라는 것이다. 따라서 자본시장법상 미공개 중요정보 이용행위 금지 조항이 아닌 시장질서 교란행위로 처벌하는 것이다.

자본시장법에 따르면 미공개 중요정보 이용행위 금지(174조)를 위반할 경우 벌칙은 1년 이상 유기징역 또는 그 위반행위로 얻은 이익 또는 회피한 손실액의 3배 이상 5배 이하에 상당하는 벌금이다. 잘못하면 징역까지 살 수 있고, 이익금의 몇 배를 물어내야 하는 큰 범죄다. 하지만 시장질서 교란행위(178조의2)로 처벌받는다면 벌칙은 고작 5억 원 이하의 과징금 정도다. 위반 금액이 아무리 커도 그 과징금은 이익 혹은 손실회피 금액의 1.5배에 지나지 않는다. 법이 이렇다 보니 블록딜 정보를 접한 헤지펀드들은 별다른 두려움 없이 공매도를 준비하는 것이라 볼 수 있다. 걸려봐야 번 돈 이내에서 물어내니까 말이다.

유상증자 한다고? 주가 떨어지겠네? 공매도 치자

블록딜 정보처럼, 유상증자 소식을 미리 취득하고 공매도를 치는 기관도 적지 않다. 유상증자란 기업이 자본금을 추가로 늘리는 것인데, 이를 위해 조달하는 자본만큼 주식을 추가 발행하게 된다. 이렇게 되면 주식 수가 많아지면서 주식의 가치 즉, 주가는 희석되기 마련이다. 한마디로 유상증자를 하면 주가가 떨어진다는 의미다.

이 역시 공매도 세력에게는 군침을 흘릴 만한 먹잇감이다. 앞서 설명한 블록딜–공매도 사례처럼 '정답을 보고 문제를 푸는 행위'이기 때문이다. 유상증자 소식이 시장에 알려지는 순간, 주가는 대부분 급락한다. 증자 규모와 발행 주식 수, 증자 방식, 참여 기관 등에 따라 호재와 악재, 그리고 주가 변동 폭이 달라질 수 있지만, 일반적으로 시장에서는 주가 희석 요인으로 판단해 유상증자를 싫어

한다. 반대로 공매도 세력 입장에서는 시장이 싫어하는 만큼이 공매도 수익이 될 기회이기도 하다.

활용 방식은 크게 두 가지다. 첫 번째는 유상증자 정보를 사전에 취득하고 공매도를 친 다음, 유상증자 발표 이후 급락했을 때 싸게 사서 되갚는 방법이다. 이는 정보 전달자에 따라 미공개 정보 이용행위에 해당한다. 또 한 가지 방법은 미공개 정보가 없더라도, 공시 이후 주가가 밀리고 있을 때 공매도를 치고, 나중에 유상증자에 참여해서 신주를 싸게 받아 이것으로 공매도 물량을 되갚는 방법이다. 기업이 유상증자를 할 때는 주가가 떨어지는 것을 감안해 신주 발행가격을 정하게 된다. 주가가 떨어져서 신주를 더 낮은 가격에 발행하니, 공매도 세력도 유상증자에 참여하기만 하면 자신들이 공매도 친 가격보다 신주를 더 싸게 받을 수 있다. 즉, 공매도 세력은 언젠간 주식을 되사서 갚아야 하는데, 주가가 내려갈수록 주식을 더 싸게 확보할 수 있다는 것이다. 주가가 떨어지는 동안 공매도 수익이 더욱 극대화되는 것은 물론이다.

수년 전부터 제도 개선 목소리가 높았는데, 정부는 최근에야 법을 고쳤다. 공매도를 한 사람은 해당 기업의 유상증자에 참여하지 못하도록 하는 내용으로 지난 2021년 4월부터 자본시장법이 일부 개정됐다. 유상증자 계획이 공시된 다음 날부터 발행가격이 결정되는 날 사이에 해당 주식을 공매도 한 자는 유상증자 참여가 제한된다는 내용이다. 위반 시 처벌은 과징금 정도다. 공매도 이후 유상증자에 참여한 것이 밝혀지면 최대 5억 원 이내, 부당이득의 1.5배 이내에서 과징금을 부과할 수 있다. 필자 생각에는 이 역시 솜방망이 수준이다.

이겨 놓고 싸우는 공매도, 이기기 힘든 신용융자

도대체 공매도를 치면 얼마나 벌 수 있을까? 싸움의 승률은 얼마나 될까? 사실 공매도는 매우 위험한 투자기법이다. 이론적으로 손실 가능성이 무한대이기 때문이다. 예를 들어 1만 원짜리 주식을 매수한 사람의 최대 손실 가능성은 이론적으로 100%다. 0원이 되면 더 내려갈 곳이 없기 때문이다. 반대로 1만 원짜리 주식을 공매도한 사람의 최대 손실 가능성은 이론적으로 무한대다. 1만 원짜리가 10만 원이 될 수도, 100만 원이 될 수도 있기 때문이다. 그럼에도 공매도 세력들은 과감하게 공매도를 단행한다. 그리고 그 승률도 꽤 높은 편이다. 왜 그럴까?

전상경 한양대 경영대학 교수와 임은아 재무금융 박사의 「공매도와 신용거래의 투자성과」(2020년)라는 논문에 따르면 공매도 투자자는 모든 기간에 걸쳐 차익을 실현한 것으로 나타났다(전체 금액 기준). 대상 기간을 주가지수 흐름에 따라 횡보기(2016년 6~12월), 상승기(2017년 1월~2018년 1월), 하락기(2018년 2월~2019년 6월)로 나눠서 봤는데, 이들 기간에서 모두 공매도 수익금이 플러스였다는 뜻이다. 전 교수팀은 "공매도 거래 비중과 공매도 거래 수익성은 주가지수의 흐름과 상관없이 항상 양(+)의 방향으로 1% 이내에서 유의한 결과를 나타냈다"라고 밝혔다.

또한 무언가 확신에 찬 공매도가 나타날수록 공매도 수익성이 높아지는 결과도 나왔다. 전 교수팀은 "공매도 거래 강도가 강할수록 공매도 거래의 수익성은 높아지며 이는 공매도 거래자는 정보력을 갖고 있어 차익을 실현할 수 있다는 의미를 갖는다"라고 밝혔다. 특히 증시 하락기에서 코스닥 계수가 양(+)의 방향으로 유의한 결과가 나왔다고 한다. 전 교수팀은 "정보력이 있는 공매도 거래자들이 하락기의 코스닥 시장에서 공매도 수익성을 더 획득함을 시사한다"고 설명했다.

반면, 빚을 내서 하는 투자의 결말은 좋지 않았다. 신용융자 레버리지를 쓰는 투자는 수익률이 부진했다는 분석이다. 2016년 6월 30일부터 36개월 동안 신용거래 금액은 547조 9270억 원으로 공매도 금액 309조 8133억 원보다 두 배 가까이 많았다. 하지만 수익금은 공매도가 9176억 원에 달한 반면, 신용거래의 경우 234억 원으로 미미했다. 신용융자의 경우 거래금액이 2배 가까이 컸지만, 정작 수익금은 공매도의 $\frac{1}{39}$수준이었던 것이다. 전 교수팀은 "국내시장에 참여하고 있는 신용거래자들은 정보력이 없고 차익 또한 실현하지 못함을 의미한다"라고 밝혔다.

종합하면, 공매도는 사실상 이겨 놓고 싸우는 것이고, 신용거래는 승산이 매우 낮은 싸움으로 볼 수 있다. 전 교수팀은 "전체 기간 동안 공매도 거래 비중과 공매도 거래 수익금은 양(+)의 관계인 반면, 신용거래 비중과 신용거래 수익금은 음(−)의 상관관계였다"라며, "이는 공매도 거래의 경우 투자자들의 정보력이 반영된 반면, 신용거래는 그렇지 않음을 보여준다"고 밝혔다. 이어 "수익 차이가 정보력 격차 때문이라고 단정 짓기는 어렵지만, 주가에 반영되는 기업의 미공개 정보에 대한 공매도 주체의 분석력이 개인투자자보다 강할 수 있고, 공매도 자체가 전체 시장 참여자에게 영향력을 가질 수 있다"라고 설명했다.

왜 IR은 기관투자자에게만 하는가

IR Investor Relations(기업설명회)은 큰 틀에서 '투자자 소통'이라고 볼 수 있다. 공시부터 NDR Non Deal Roadshow(투자설명회)에 이르기까지 다양한 소통 방식을 통칭한다. IR은 상장기업에서 일종의 의무와 같다. 상장사는 곧 공개기업이기 때문에 시장과 수시로 소통해야 할 의무가 있는 것이다.

그런데 이런 IR 활동을 특정 집단끼리 향유하는 일이 너무 많다. 공시 위반의 문턱을 넘나드는 사례도 많다. 대표적인 것이 기관투자자 대상 IR이다. 전체 투자자가 아닌, 기관만을 위한 IR 활동인데, 이는 사실상 개인투자자를 배척하는 행위다.

일반적으로 상장사가 오프라인 기업설명회를 개최할 때는 특정 기관투자자들만 초청한다. 보통 증권사나 IR대행사를 통해 섭외가 이뤄지는데, 이들과 네트워크가 형성된 펀드매니저들이 초청 대상이다. 일단 오프라인 설명회는 현실적으로 장소의 제약이 있다 보니 참석자를 무제한으로 받을 수가 없다. 따라서 펀드 운용 규모가 큰 기관부터 초청하는 것이 인지상정이다. 문제는 형평성에 있다.

펀드 운용 규모에 따라 참석자를 사전에 초청한다 해도, 규모가 작은 운용사나 일반인 투자자들도 해당 정보를 접할 수 있도록 해야 한다. 그러나 현실적으로 이런 공평함은 제공되지 않는다. 심지어 온라인 컨퍼런스콜(전화 혹은 화상 회의)을 개최할 때도 마찬가지다. 온라인 참석자를 증권사나 IR대행사를 통해 비공개로 모집하는 경우, 이들의 네트워크를 통해야만 IR을 들을 수 있다. 때로는 온라인 컨퍼런스콜 참석자를 상장사 홈페이지나 IR협의회 사이트를 통해 공개적으로 모집하기도 한다. 그러나 이때도 상장사에서 승인 코드를 받아야만 온라인 회의에 참여할 수 있다. 참가 신청서를 제출한다고 해도 상장사가 거른다는 말이다. 개인투자자는 물론, 규모가 작은 투자자문사나 부티크(소수의 투자집단), 스터디모임은 중간에 차단당하기 일쑤다.

이해할 수 없는 일이다. 상장사는 공개기업인데, 비공개 IR을 고집하는 행위는 정보를 특정 집단에게만 독점적으로 주겠다는 것과 마찬가지다. 제도적으로 IR 개최 사실은 공정공시를 통해 알리게 되어 있다. 공정공시란, 경영 계획, 영업실적 전망, 잠정 실적, 주요 경영사항 등 중요 정보를 특정인에게 선별적으로 제공하고자 하는 경우 이를 모든 시장 참가자들이 알 수 있도록 그 특정인에게 제공하기 전에 공시하도록 하는 제도를 말한다. 한마디로 공정하게 알리라는 것이다.

공정공시를 하더라도 매우 형식적으로 이행된다. 기관투자자에게 제공하는 IR 자료를 기업설명회 당일 상장사 홈페이지나 IR협의회, 한국거래소 기업공시채널 KIND 등에 업로드 하는 것이 끝이다. 대부분 몇 장짜리 PPT 자료인데 '우리가 온·오프라인에서 설명할 내용이 이겁니다' 정도다. 그러나 현실적으로 기업설명회가 PPT 내용 몇 장 정도로 끝나지 않는다. 일단 PPT는 요약본일 뿐이다. 이에 대한 설명이 있어야만 이해 가능한 내용이 많다. 또한 질의응답 시간을 통해 PPT 자료에는 나와 있지 않은 다양한 정보들이 오간다. 심지어 IR 시간에 "자료에는 밝히지 못했지만…"으로 시작하는 미공개 정보도 상당수 유출된다. '올해 매출 목표는 얼마이고, 목표를 어느 정도 달성해 가고 있고, 수주상황이 어떠하고, 이번에 어떤 기술이 고객사와 어느 단계까지 와 있고…' 등등 PPT 자료에는 담기지 않은 내용이 수없이 오간다. 일종의 '가이던스guidance'라고 볼 수도 있는데, 문제는 모두에게 공표된 자료에는 표기되지 않은 내용이라는 것이다. 가이던스는 매출액, 이익률, 수주 등에 관한 기업 자체 전망으로, 애널리스트와 투자자들에게 실적 추정의 근간이 되는 매우 중요한 길잡이다. 이 같은 길잡이 정보를 특정인 즉, 기관투자자에게만 전달하는 것이 관행 아닌 관행이다. 해당 기업을 이미 잘 알고 있는 펀드매니저들까지도 IR에 꼬박꼬박 참석하려는 이유가 여기에 있다. PPT나 공정공시를 통해 다 알 수 있다면 왜 굳이 바쁜 시간을 내서 온·오프라인 미팅에 참여하겠는가!

상당수 상장사들이 "저희는 개인투자자 대상 IR은 안 합니다"라고 노골적으로 말한다. 개인투자자가 셀 수 없이 많은데 그 많은 사람을 대상으로 어떻게 IR을 하느냐는 것이다. 유튜브를 비롯해 온라인 소통 채널이 다양해진 상황에서 이는 핑계로 보일 수밖에 없다. 코스닥 개별 기업 한 곳만 해도 소액주주가 1만 명을 기본으로 넘는 상황에서 개인투자자를 배척하는 것은 행정 편의주의 외에는 이해할 길이 없다.

IR이 개최되는 이유는 필요성에 따라 크게 두 가지로 볼 수 있다. 상장사가 필요로 하거나, 증권사가 필요로 하거나 둘 중 하나다. IR 개최를 상장사가 필요로 하는 경우는 직접 홍보하고자 하는 내용이 있거나, 주가 부양 의지가 있는 경우에 해당한다. 이 경우 평소 거래가 있는 증권사나 IR대행사를 통해 장소와 참석자 섭외를 의뢰한다. 물론 비용은 상장사 부담이다. IR대행사의 경우 IR자료집 작성과 보도자료 작성, 온·오프라인 설명회 개최 등을 명목으로 연간 수천만 원을 받기도 한다.

IR 개최를 증권사가 필요로 하는 경우는 상장사를 증권사 수익 창출을 위한 수단으로 활용하기 위함이다. 앞서 여러 번 이야기했듯이 증권사의 주요 수익원은 바로 거래 수수료(브로커리지)다. 즉, 고객에게 주식을 사고팔도록 해서 거래 수수료를 받는 것이 증권사의 매우 기초적인 비즈니스 모델이다. 거래 수수료를 받기 위해서는 거래를 일으킬 수단이 필요한데 그것이 바로 상장사이고, 상장사 IR인 것이다. 부동산으로 치자면 공인중개사가 거래 수수료를 받기 위해 아파트 매물을 확보한 뒤, 이를 홍보하고 중개하는 행위에 비유할 수 있다. 증권사 입장에서는 해당 기업을 소개하고 자사를 통해 거래하도록 해야만 수수료 수입을 얻을 수 있다. 다시 말해, 자신들에게 주문을 주지 않을 사람들까지 IR에 초청할 필요가 없다

기업설명회(IR) 개최

<table>
<tr><td colspan="2" rowspan="3">1. 일시</td><td colspan="2">행사일</td><td colspan="2">시간(현지시간)</td></tr>
<tr><td>시작일</td><td>종료일</td><td>시작시간</td><td>종료시간</td></tr>
<tr><td>2021-12-08</td><td>2021-12-09</td><td>15:20</td><td>16:30</td></tr>
<tr><td colspan="2">2. 장소</td><td colspan="4">비대면(컨퍼런스콜)</td></tr>
<tr><td colspan="2">3. 대상자</td><td colspan="4">국내 기관투자자</td></tr>
<tr><td colspan="2">4. 실시목적</td><td colspan="4">투자자 이해 증진 및 기업가치 제고</td></tr>
<tr><td colspan="2">5. 실시방법</td><td colspan="4">1. OO투자증권 Corporate Day 참석
– 일시: 12/8, 15:20~16:00
– 방법: 컨퍼런스콜
2. OO금융투자 Corporate Day 참석
– 일시: 12/9, 15:30~16:30
– 방법: 컨퍼런스콜</td></tr>
<tr><td colspan="2">6. 주요내용</td><td colspan="4">사업 현황 및 전망 설명</td></tr>
<tr><td colspan="2">7. 후원기관</td><td colspan="4">NH투자증권, 하나금융투자</td></tr>
<tr><td colspan="2">8. 개최확정일</td><td colspan="4">2021-12-06</td></tr>
<tr><td rowspan="2">9. 담당자</td><td>담당부서
(담당자)</td><td colspan="4">IR팀(OO과장)</td></tr>
<tr><td>전화번호
(팩스번호)</td><td colspan="4">000-000-0000</td></tr>
<tr><td rowspan="2">10. IR 자료 게재</td><td>게재일시</td><td colspan="4">2021-12-08</td></tr>
<tr><td>게재장소</td><td colspan="4">KIND IR자료실 게재 (http://kind.krx.co.kr)</td></tr>
</table>

기업설명회 개최를 예고하는 공시
후원기관으로 증권사 이름이 명기돼 있다. IR 자료 게재 일시와 장소도 안내되어 있다. 그러나 실제 IR에서는 IR자료에 나와 있지 않은 정보들이 상당수 오간다.

는 뜻이다. 그래서 증권사는 자신들에게 주문을 주지 않거나, 운용 규모가 미미한 투자자는 거르게 되는 것이다. 개인투자자가 여기에 해당한다.

물론 예외도 있다. 바로 큰손들이다. 개인투자자라고 해도 백억 원 이상을 굴리는 슈퍼개미는 증권사에서 VIP 대접을 받는다.

기관투자자 대상 IR일지라도 슈퍼개미는 한자리를 차지할 수 있다. 지점 전담 직원에게 이야기하면 리테일본부를 통해 보고가 올라가고, 리테일본부에서 홀세일본부(기관대상 영업조직)에 전달해 VIP로 참석시켜준다. 슈퍼개미 정도 되면 평소 친분 있는 애널리스트나 법인영업 임직원을 통해 직접 요청할 수도 있다. 자본주의 그 자체다.

자본주의 단면을 부정할 수는 없다. 상장사의 주요 주주이고, 펀드 운용 규모가 크고, 증권사에 큰 수수료 수입을 안겨다 주는 투자자부터 IR에 초청하는 것은 어찌 보면 당연한 순리다. 필자가 지적하고자 하는 것은 편익을 제공할지언정, 정보의 불균형을 만들어서는 안 된다는 점이다. IR 자료집과 실제로는 다른 정보가 오가고, 더욱 자세한 설명이 곁들여지고, 질의응답 기회가 특정인에게만 주어진다면 이는 시장의 공정성을 심각하게 해치는 행위다. 기업별로 소액주주 수가 수만 명에 달하고, 전체 개인투자자 수가 1400만 명에 이르는 상황에서 이 같은 현실을 방치하는 것은 분명 문제가 있다고 본다.

대안이 없는 것도 아니다. 모든 IR활동을 실시간 공개하도록 하면 된다. 공개적이어야만 공정공시의 취지를 살릴 수 있고, 그것이 실시간이어야만 정보의 왜곡과 시간에 따른 비대칭성을 줄일 수 있다. 실제로 에이치엘비의 경우 사전 정보 유출과 정보 왜곡을 우려하여 진양곤 회장이 직접 유튜브 채널을 통해 실시간으로 IR을 진행하는 경우다. 발표 내용과 주가에 대해서는 논란이 있을 수 있지만, 실시간 소통을 통해 모든 주주에게 기업 정보를 공정하게 제공하겠다는 취지만큼은 높이 살 만한다(다만 이 역시 회사 측의 필요에 따라 진행된다는 한계점을 갖고 있다).

이제는 어느 기업이든 마음만 먹으면 얼마든지 유튜브 채널을 직접 열 수 있는 시대다. 상장사협의회, 코스닥협회, IR협의회와 같은 공적 기관을 통해서도 돈 들이지 않고 얼마든지 공개적인 행사를 열 수 있다. 상장사가 공개 IR이라는 것에 부담을 느낄 수는 있겠지만, 그것이 공개 IR을 거부할 명분은 되지 않는다. 상장한다는 것 자체가 기업을 공개한다는 뜻이기 때문이다. 상장하는 작업이 바로 투자금과 주주를 공개 모집하는 것이고, IPO(Initial Public Offering, 기업공개)가 '퍼블릭'이라는 의미를 담고 있는 이유가 바로 그것이다. 공개기업으로서 IR을 비공개적으로 한다는 것 자체가 매우 잘못된 발상이다. 비공개 IR은 미공개 정보의 유출을 낳고, 정보의 불균형을 가져올 수밖에 없다. 그리고 이는 시장의 투명성, 기업의 신뢰도와 직결된다. 반드시 모든 IR을 공개적으로 하도록 제도적인 보완이 필요하다. 그래야만 그들만의 IR, 그들만의 가이던스를 방지할 수 있다.

그래서 가이던스가 얼마인가요?

가이던스guidance와 관련된 왜곡된 현실도 분명 짚어볼 필요가 있다. 가이던스는 기업이 직접 밝히는 자사의 실적 전망치를 말한다. 자체적으로 사업계획을 수립하면서 목표로 잡은 실적이나, 사업을 진행하면서 판단되는 실적을 시장 참여자들에게 알리는 행위를 뜻한다.

이 같은 가이던스는 공정공시 방식으로 공시하게 되어 있다. 앞서 IR 개최 사실처럼 가이던스를 제공할 때도 모든 시장 참여자들에게 공정하게 전달하라는 취지다. 많은 기업이 이런 취지를 살려 시장에 공정한 정보를 제공하기 위해 노력한다. 그러나 아직도 갈 길이 멀다. 1년에 나오는 영업실적 전망 공시는 정정공시를 포함해 100건을 조금 넘는 수준이다. 전체 상장사가 2500개에 이르는 것을 감안하면 너무나 부족한 수준이다.

공정공시를 위반하는 사례도 많다. 공시를 하지 않고 암암리에 가이던스를 주고받는 행위다. 기업탐방 때나 기업설명회에서 소수의 특정 투자자에게 가이던스를 주는 행위가 의외로 많다. IR 자료에 담을 수는 없지만, 자체적으로 계산기를 두드려 보니 올해 매출은 얼마, 영업이익은 얼마 정도 나올 것 같다는 내용을 흘리는 것이다. 회사 차원에서 자체 전망치를 알려주기도 하고, 공식적인 전망

금융감독원 전자공시시스템에 올라온 영업실적 전망 관련 공정공시

번호	공시대상회사	보고서명	제출인	접수일자
1	유 휠라홀딩스	[기재정정]연결재무제표기준영업실적등에대한전망(공정공시)	휠라홀딩스	2022.08.12
2	코 서울반도체	연결재무제표기준영업실적등에대한전망(공정공시)	서울반도체	2022.08.10
3	코 클래시스	연결재무제표기준영업실적등에대한전망(공정공시)	클래시스	2022.08.09
4	코 서울바이오시스	연결재무제표기준영업실적등에대한전망(공정공시)	서울바이오시스	2022.08.09
5	코 심텍홀딩스	[기재정정]연결재무제표기준영업실적등에대한전망(공정공시)	심텍홀딩스	2022.08.05
6	코 CJ ENM	[기재정정]연결재무제표기준영업실적등에대한전망(공정공시)	CJ ENM	2022.08.04
7	코 심텍	[기재정정]연결재무제표기준영업실적등에대한전망(공정공시)	심텍	2022.07.29
8	유 두산에너빌리티	[기재정정]연결재무제표기준영업실적등에대한전망(공정공시)	두산에너빌리티	2022.07.29
9	유 LG에너지솔루션	[기재정정]연결재무제표기준영업실적등에대한전망(공정공시)	LG에너지솔루션	2022.07.27
10	유 POSCO홀딩스	[기재정정]연결재무제표기준영업실적등에대한전망(공정공시)	POSCO홀딩스	2022.07.21

정정신고(보고)

정정일자	2022-07-29	
1. 정정 관련 공시서류	연결재무제표 기준 영업실적 등에 관한 전망(공정공시)	
2. 정정 관련 공시서류 제출일	2022-02-24	
3. 정정사유	연초의 '22년 실적 전망치 대비 상반기 실적 초과 달성 및 하반기 추가성장분을 반영하여 영업실적 전망치 상향 조정 함.	
4. 정정사항		
정정항목	정정 전	정정 후
1. 연결 영업실적 전망 내용 - 매출액 - 영업이익	 1조 6522억 3030억	 1조 8764억 4456억
		[2022년 연결재무제표 기준 영업실적 전망] 1. 영업이익 - '22년 상반기 연결기준 영업이익 실적은 연초 전망 대비 38% 초과 달성한 1995억 원을 기록, '22년 하반기 영업이익 전망치는 연초 전망 대비 56% 증가한 2461억 원으로 예상함.

PCB 전문기업 심텍의 영업실적 전망 관련 공정공시. 심텍은 공정공시를 통해 가이던스를 공정하고 명확하게 밝히고 있으며, 상황에 따라 전망이 바뀌면 주기적으로 정정공시를 한다. 매우 좋은 사례라 할 수 있다.

치 없이 IR담당자가 자신의 짐작으로 어림수를 말해주기도 한다.

문제는 두 가지 모두 공시를 하지 않는다는 점이다. 탐방을 간 사람만이, IR에 참여한 사람만이 들을 수 있다. 가이던스를 듣기 위해 기업탐방을 가는 사람도 많다. 공시와 IR자료집에는 나와 있지 않은 살아 있는 정보를 들으러 가는 것이다. 사실 펀드매니저나 애널리스트나 전업투자자나 기업탐방을 가봐야 회의실에서 회사 경영지원팀장 정도 만나고 오는 것이 대부분이다. 그럼에도 그러한 발품을 파는 것은 그만큼 스킨십을 할 필요가 있다는 방증이기도 하다. 기업설명회에서도 마찬가지다. 1시간 넘는 IR 내내 조용히 있다가 마지막 질의응답 시간에 "그래서 올해 가이던스는 얼마인가요?"라고 묻는 애널리스트와 펀드매니저도 상당수다. 결국 그게 핵심이기 때문이다. 이걸 그들에게만 답해주면 공시 위반이다. 그러나 현실적으로 이를 지적하는 사람은 없다. 그 자리에서 고급 정보를 들은 사람이 바로 자신들이기 때문이다.

일부 스몰캡 애널리스트의 경우 회사 측이 제공하는 가이던스를 자신의 전망치로 리포트에 담기도 한다. 스몰캡 애널리스트가 시총 1000억~3000억 원짜리 기업의 매출, 영업이익, 순이익을 개별적으로 예측하고 이를 리포트에 공식적으로 담는 것은 현실적으로 매우 어렵다. 특히, 커버하는 기업이 30~50개에 육박하는 경우 이를 일일이 분기별로 정밀하게 추정하고 수정하기는 불가능에 가깝다. 회사 측의 가이던스 없이는 말이다.

스몰캡 기업들도 자신들이 제공하는 가이던스가 애널리스트 리포트에 그대로 실린다는 점을 잘 알고 있다. 가이던스를 공식적으로는 공시할 수는 없지만, 출처를 숨기고 애널리스트 리포트를 통해 시장에 내보낸다는 점이다. 이 과정에서 문제는 또 있다. 상장사가 자신들의 의도에 따라 '어닝 서프라이즈', '어닝 쇼크'를 만들 수 있다는 점이다. 가이던스를 일부러 낮게 제시하고, 실제 실적은 서프라이즈로 나오는 것을 얼마든지 연출할 수 있다. 반대로, 가이던스를 일부러 높게 제시했다가 어닝 쇼크와 함께 주가가 떨어지도록 유도하는 것도 불가능한 일이 아니다. 실제로 상속 증여 문제 등으로 주가가 오르지 않기를 희망하는 최대주주도 적지 않다. 가이던스를 공시하도록 하면 최소한 이런 장난은 예방할 수 있다. 전망치와 실제 실적이 다르면 그 오차를 다시 한번 공시해야 하고, 그 가이던스를 제공한 출처가 그 회사임을 만천하가 알 수 있기 때문이다.

일단 가이던스 자체는 활성화될 필요가 있다. 중요한 것은 가이던스를 암암리에 주고받지 말고, 공정하게 공시해야 한다는 점이다. 미국 기업들의 경우 분기 실적 발표 때마다 연간, 분기별 가이던스를 제공한다. 전분기에 전망한 내용이 달라졌으면 달라진 새로운 내용을 발표한다. 그러면서 시장과 꾸준히 소통하는 것이다. 주식시장에서 가장 중요한 것은 '예측 가능성'이다. 반면, 주식시장이 가장 싫어하는 것은 '불확실성'이다. IR을 통한 가이던스 제공은 불확실성을 줄이고 예측 가능성을 높이는 가장 훌륭한 장치다.

우리나라 상장사들은 아직 가이던스 개념이 별로 없다. 일단 공시를 그리 자주할 필요 있느냐는 인식이 지배적이다. 그리고 전망치가 틀릴 경우, '괜한 공시를 해서 시장에 혼란만 준다'라거나 '안 해도 되는 공시를 해서 욕만 먹는다' 같은 인식도 고쳐야 할 문제다. 가이던스가 당초 전망과 달라지면 언제든지 공시를 통해 수정 발표하면 된다. 그러나 이조차도 귀찮다거나 자존심 상한다는 반응이 꽤 있다. 사실 기업들이 가이던스를 공시하지 못하는 가장 큰 이유는 아마도 기업 스스로도 실적 예측이 어렵기 때문 아닐까 생각한다. 세계 경제는 물론, 기업이 속한 산업구조와 업황이 수시로 변하는 상황에서 연간 실적을 예상한다는 것은 기업에도 매우 어려운 일이다. 경영 목표를 정할 수는 있겠지만, 목표와 전망은 하늘과 땅 차이다.

그럼에도 상장사라면 가이던스를 시장에 공정하게 제공하도록 노력해야 한다. 그래야 정보의 불균형을 해소하고, 예측 가능성을 높이며 불확실성을 줄일 수 있기 때문이다. 이미 적지 않은 기업이 가이던스를 공시하면서 좋은 평가를 받고 있다. 설사 그것이 빗나가더라도 말이다. 시장에서는 기업의 전망과 실제 실적이 다르더라도 이를 이해해야 한다. 세계·경제는 물론, 기업 경영 여건이 예측하기 어려운 것이고, 기업은 살아 있는 생물과도 같아 언제든지 변할 수 있기 때문이다. 다만 불확실성을 줄이기 위해 기업은 주기적으로 가이던스를 체크하고 변동 사항을 주기적으로 시장에 알리려 노력해야 한다. 이 또한 공개기업에게 주어진 의무일 것이다. 다시 한번 강조하지만, 기업과 시장의 소통이 강화될수록 '정보 암시장'을 줄일 수 있다.

공시公示인가, 공시空示인가?

마음먹고 속일 수 있는 공시

주식 투자에서 공시는 모두에게 공평하게 주어진 총 한 자루와 같다. 똑같이 정보의 균형을 맞춘 상태에서 싸우도록 하자는 것이다. 그러나 공정하게만 생각되는 공시 제도 역시 때로는 반칙이 난무하는 전쟁터가 되기도 한다.

공시는 '완전경쟁'을 보장하기 위한 제도다. 좀 자세히 설명하자면, 투자자가 기업의 실체를 파악하여 투자자 스스로 자유로운 판단과 책임하에 투자를 결정할 수 있도록 하는 제도다. 증권 시장내 정보의 불균형을 해소하고 증권시장의 공정성을 확보하여 투자자를 보호하는 기능을 담당하는 것이다.

공시의 4대 요건은 '신속성, 정확성, 이해 용이성, 공평성'이다. 공시가 신속성, 적시성을 잃는다면 시장에는 풍문이 난무하고 주가가 왜곡될 것이다. 호재든 악재든 누락이나 왜곡 없이 정확히 알려야 함은 기본 중 기본이다. 또한 공시는 전문 지식 없이도 누구나 이해하기 쉽도록 간결하고 명확하게 써야 한다. 또 형평성이 보장되는 정보전달 매체(금융감독원 DART, 한국거래소 KIND 사이트 등)를 이용해 모두가 똑같은 시간에 열람할 수 있도록 해야 한다.

일단 제도적으로 공평한 게임의 룰을 마련하기는 했다. 그러나 공시는 그 내용의 진실성, 정확성을 보장하지 않는다. '신속성, 정확성, 이해 용이성, 공평성'이라는 공시의 4대 원칙 중 어느 하나라도, 마음먹고 속인다면 충분히 가능하다.

다음 표는 지난 2002년 배포된 금융감독원 보도자료(공시의무위반 법인에 대한 조치) 중 일부다. 당시 와이드텔레콤이라는 회사는 휴대전화 단말기 공급 계약을 여러 차례 공시했다. 그것도 계약마다 금액이 600억~800억 원에 이르는 대규모였다. 그러나 실제로 공급된 금액은 미미하거나 아예 없는 경우도 있었다.

금융당국은 이 회사 법인과 대표이사를 검찰에 고발했으며, 과징금 9056만 원을 부과했다. 그러나 그보다 더 큰 피해는 투자자

와이드텔레콤의 공급 계약 내용과 실제 공급 금액

계약일 (공시일)	계약상대방	계약기간	계약금액 (백만원)	계약대수 (천대)	실제공급 금액(백만원) 〈2002.7월 말 현재〉
2000.1.10 (2000.1.10)	Fourseas Telecom	2001.1.1~ 2001.12.31	60,000~ 70,000	300	없음
2000.7.24 (2000.7.25)	Cyberbell Mobile Phone	2000.9.1~ 2001.8.31	89,269	420	994
2000.11.6 (2000.11.6)	한통멀티미디어	2000.12.1~ 2001.12.31	79,709	410	없음
2000.11.11 (2000.11.13)	Axesstel	2000.11.11~ 2001.3.31	28,529	150	10,661
합계				1,280	

출처: 금융감독원 2002.09.11 '공시의무 위반 법인에 대한 조치' 보도자료

들에게 돌아갔다. 대규모 공급계약 공시를 믿고 투자한 사람들은 실체 없는 공시에 속은 것은 물론, 상당한 투자 손실도 입었을 것이다.

이와 같은 공시 사례는 사후적으로 확인할 수밖에 없다. 공급계약이 실제 매출로 이어졌는지, 시간이 지나고 봐야 알 수 있기 때문이다. 이를 위해서는 최소한 분기보고서, 반기보고서가 나오는 3~6개월이라는 시간이 필요하다. 물리적으로 제품 공급기한이 2~3년이라고 하면 확인할 수 있는 기간도 그만큼 길어진다. 그사이 해당 공시를 이용한 세력들은 큰 시세차익을 얻고 종적을 감출 수 있다.

간혹 허위공시가 며칠 만에 세상에 알려지기도 한다. 직간접 관

단일판매·공급계약체결

1. 판매·공급계약 내용		마스크 (KF94) 상품 공급계약
2. 계약내역	조건부 계약여부	미해당
	확정 계약금액	981,720,000,000
	조건부 계약금액	–
	계약금액 총액(원)	981,710,000,000
	최근 매출액(원)	145,119,083,456
	매출액 대비(%)	676.49
3. 계약 상대방		DOUBLE A GROUP
–최근 매출액(원)		814,989,900,000
–주요사업		용지제조, 펄프사업 등
–회사와의 관계		없음
–회사와 최근 3년간 동종계약 이행여부		미해당
4. 판매·공급지역		태국
5. 계약기간	시작일	2020–12–15
	종료일	2021–08–18

Double A

공지

더블에이 고객 및 이해관계자님께 알려드립니다.

2020년 12월 16일자 에 게재되었던 "엘아이에스, 더블에이그룹과 9817억원 규모 KF94 마스크 공급 계약" 기사와 관련하여 ***Double A*** (1991) Public Company Limited, ***Double A*** 상표 및 ***Double A Care*** 상표의 모든 제품을 포함한 당사 계열사는 해당 기사와 관련이 없으며, 우리 나라의 어떠한 회사와도 마스크 공급 계약을 하지 않았음을 고객 및 이해 관계자에게 알리는 바 입니다.

현재 ***Double A***는 고품질 복사용지 및 사무용품을 생산 및 판매하고 있으며, ***Double A Care*** 라는 상표로 의료 및 의약외품 (수술용 마스크 및 손소독제 등)을 태국 의료 표준을 기준으로 현재 태국 내에 공급 및 판매하고 있습니다. 이와 관련하여 현재까지 태국 이외의 국가에 공급을 하고 있지 않으며, 변동 사항이 생기면 공지 드리도록 하겠습니다.

감사합니다.
배포일: 22/12/2020

엘아이에스가 공시한 9817억 원 규모 마스크 수출 계약 공시와 더블에이가 자사 홈페이지에 올린 반박문.

계자가 이를 즉각 반박하는 경우다. 엘아이에스 '1조 원 마스크 수출 계약' 사건이 대표적이다(이처럼 계약 상대방으로 이용당한 기업이 이를 즉각 부인하면서 진실이 시장에 빠르게 알려진 사례는 매우 보기 드문 일이다).

주식시장(유통시장) 공시는 대부분 한국거래소에서 담당하지만, 한국거래소는 공시 채널일 뿐이다. 그 누구도 해당 내용의 진실성과 정확성을 담보하지 않는다. 한국거래소는 상장사가 신청한 공시의 내용을 보고, 계약서 등 명시적인 서류를 확인할 뿐이다. 계약 상대방을 일일이 찾아내어 해당 계약 내용이 진실인지 확인하지 않는다. 정확히 말하자면 사실상 불가능하다. 물리적으로 불가능한 것은 물론이다. 2400여 개 모든 기업의 모든 공시를 진실성까지 확인할 인력과 시간이 한국거래소에는 없다. 또한 해당 계약이 사실인지 지구 반대편 국가에 소재한 기업까지 연락해 한국거래소가 직접 몇 날 며칠에 걸쳐 증빙 자료를 받는다면 해당 공시는 신속성과 적시성을 잃을 수밖에 없다. 우리 눈 시신경에 맹점이 있듯, 애초에 공시 체계에도 맹점이 있을 수밖에 없다. 공시 4대 원칙을 모두 지켜야겠지만, 현실적으로는 그렇지 않다.

사실상 조작 가능한 공시 시간

공시 시간도 충분히 조율이 가능하다. 마음먹는 시간에 공시할 수 있다는 의미다. 일단 코스피 상장법인은 계약 금액이 전년도 매출액의 5%(자산총액 2조 원 이상인 경우 2.5%) 이상일 경우, 코스닥 상장법인은 전년도 매출액의 10% 이상일 경우 그다음 날까지 공시해야 한다.

그런데 단일판매 공급계약이 맺어지는 날은 회사 대표이사가 도장 찍는 날이다. 즉, 대표이사가 도장 찍는 날을 조율하면 원천적으로 공시 대상 날짜가 달라진다는 뜻이다. 역으로 계약 파기 날짜 역시 마찬가지다. 계약 금액을 변경하거나 계약 자체를 파기할 경우 이를 조율하는 과정을 거치는데, 그 일정에 따라 얼마든지 정정 공시를 해야 하는 날짜도 달라진다는 의미다. 일반적으로 대규모 공급계약은 호재, 공급계약 파기는 악재로 볼 수 있는데 이를 악용하려 마음먹는다면 얼마든지 일정 조율 즉, 조작이 가능하다는 것이다.

지분변동 공시 역시 마찬가지다. 지분율 5% 이상 대량보유자의 경우 5영업일 이내에 지분변동 내용을 공시해야 한다. 그러나 이 역시 일종의 '문턱 효과'를 이용해 시점을 밀고 당길 수 있다. 즉, 지분율이 5% 이상 되면 공시를 해야 하니 일단 4.99%까지만 지분을 매입한 뒤에 나머지 0.01% 추가 매입 시점을 조율하는 것이다. 본인의 대량 보유 사실을 세상에 알리고 싶지 않다면 4.99%까지만 보유하면 된다. 조용히 더 사고 싶다면 배우자 계좌로 사면 된다. 만약 은밀하게 적대적 M&A를 추진하거나 경영권 분쟁을 진행할 경우 4.99%를 넘는 한 발의 총알을 언제 장전할지 수면 아래에서 조용히 조절할 수도 있다.

5% 이상 대량보유자가 지분율 1% 이상 변동 시 의무적으로 공시해야 하는 것도 그렇다. 대량보유자의 보유 비율이 1% 이상 달라지면 변동보고를 해야 하는데, 이 역시 시점을 조율할 수 있다. 즉, 0.99%까지만 매수·매도한 뒤 나머지는 매수·매도 타이밍을 잴 수 있는 것이다. 일반적으로 최대주주나 그 특수관계인 및 회사 임원 등의 추가 매수는 호재, 장내 매도는 악재라고 생각하는 경우가 많아 그 공시 시점도 민감한 편이다.

단일판매·공급 쪼개기 계약의 대안

투자자들이 가장 기다리는 호재 중 하나가 바로 '단일판매 공급계약'이다. 제조업, 수주 산업이 많은 우리나라 특성상 더욱 도드라지는 부분이기도 하다. 단일판매 공급계약 즉, 수주 계약이 쌓이고 쌓이면 수주 잔액을 추정할 수 있고, 이를 바탕으로 매출을 추정하기에도 용이해지기 때문이다.

그러나 아무리 수주가 많은 기업도 단일판매 공급계약을 단 한 건도 공시하지 않을 수 있다. 이게 무슨 소린가? 우선 수주 계약은 최근 연도 매출액 대비 얼마 이상일 경우 의무적으로 공시하게 되어 있다. 앞서 말했듯 코스피 상장사의 경우 최근 연도 매출액의 5%(자산총액 2조 원 이상 시 2.5%) 이상인 경우, 코스닥 상장사는 10% 이상인 경우 의무 공시 대상이다. 그러나 매출액의 10%, 20%, 심지어 50~60%에 육박하더라도 이를 공시하지 않을 수 있다. 이른바 '쪼개기 계약'을 통해서다. 코스닥 상장사의 1000억 원짜리 수주이고 그게 전년도 매출액 10%를 넘는 규모라면 이를 500억 원짜리 계약 2개로 나눠 의무공시를 피해 가는 것이다. 전년도 매출액에 따라 3개, 4개, 그 이상으로도 쪼갤 수도 있다. 계약서 분량만 많아지는 것 뿐이다.

수주받는 입장에서 보면 이를 대외적으로 알리고 주주들에게 자랑하고도 싶을 텐데, 왜 못할까? 고객사 영업비밀 때문이다. 일반적으로 장치산업의 경우 해당 분야 캐파CAPA• 증설은 매우 중요

• Capacity의 약자로, 설비 또는 공정의 생산 능력을 의미한다.

한 이슈다. 경쟁사에서 우리 회사의 투자 동향을 즉각 파악할 수 있기 때문이다. 일반인들은 잘 알기 어렵지만, 업계에 있는 사람들은 '어느 협력사를 통한 얼마 정도 발주면 어디 지역에 들어가는 어떤 투자겠구나' 정도를 알 수 있다고 한다.

그래서 협력사에 발주를 주면서 해당 사안을 공시하지 않도록 요구하는 고객사가 많다. 협력사는 '갑'인 고객사의 요청이니 들어주지 않을 수가 없다. 어차피 협력사 입장에서도 경쟁을 통해 수주해야 하는데 고객사 심기를 건드려서 좋을 게 없기 때문이다. 문제는 그 영향이 일반 투자자들에게 돌아온다는 것이다. 수주 산업임에도 수주 공시가 안 나오는 기업이라면 시장에서 주가를 제대로 평가받기 쉽지 않다. 수주 산업은 수주 공시가 나올 때 한 번씩 모멘텀이 생기는데, 그런 효과를 기대할 수 없는 것도 디스카운트 요인이 된다.

또한 쪼개기 계약을 해야 할 정도로 고객사 비밀을 철저히 감춰줘야 한다면 IR(투자자 소통) 활동에도 소극적일 수 있다. '아버지를 아버지라 부르지 못하고, 형을 형이라 부르지 못하는 신세'인 것이다. 그렇다 보니 이런 기업에 투자한 주주들은 답답함을 호소한다. 어쩌면 이것도 장비 기업의 밸류에이션이 소재·부품 기업보다 낮은 이유 중 하나 아닐까 싶다.

수주 및 공급 구조를 보면 장비 기업은 단일판매·공급이 많고,

소재·부품 기업은 수시 공급이 많다. 즉, 장비 기업은 건별 계약에 따라서 수주와 공급이 이뤄지고, 소재·부품 기업의 경우 상황에 따라 공급이 수시로 이뤄진다는 의미다. 이는 곧 소재·부품 기업의 경우 아예 수주공시 자체가 없다는 뜻이기도 하다. 또한 소재·부품 기업도 고객사 영업활동을 잘못 발설했다가 불이익을 당할 수 있어 IR 활동에 소극적인 것은 마찬가지다. 세계적으로 기술력을 인정받고 있고, 코스닥 시가총액 상위 20~30위 안에 드는 강소 기업들도 고객사 눈치를 보느라 IR을 아예 하지 않는 경우가 허다하다.

투자자 입장에서는 수주 활동으로 먹고사는 기업이 이를 공시하지 않을 경우 이보다 답답할 수 없다. 상장사가 그야말로 꿀 먹은 벙어리인 셈이다. 주주들이 아무리 공시를 재촉해도 소액주주보다 대기업 고객사가 더 무서운 것이 현실이다. 투자자들은 결국 3개월에 한 번씩 나오는 분기보고서를 열람하면서 수주잔액을 확인하는 수밖에 없다. 주식 투자자에게는 매우 기본적인 체크리스트다. 분기보고서, 반기보고서, 사업보고서가 공시되면 제일 먼저 하는 일이 수주잔액 확인이다. 분기보고서에 들어가 '사업의 내용 → 매출 및 수주상황' 항목을 보면 수주잔액을 찾을 수 있다. 빨리 찾아 보려면 'Ctrl+F' 키를 눌러서 '수주잔'이라고 치면 된다. 상장사마다 쓰는 용어가 '수주잔액', '수주잔고' 등으로 달라서 그냥 앞 글자 '수주

잔'으로 검색하는 것이 빠르다. 경우에 따라서 '수주상황'이라고 쓰는 곳도 있다.

물론 수주상황조차 표기하지 않는 기업도 많다. 단일 계약에 따른 공급이 아니라, 고객사 주문에 따라 수시로 제품이 나갈 경우 일정한 수주잔액이 없을 수 있기 때문이다. 또한 장비 기업의 경우에도 수주잔액을 표기하지 못하는 경우도 있다. 고객사 비밀 보호 때문이다. 반도체 식각장비를 만드는 에이피티씨의 경우 대부분 SK하이닉스로 공급을 하는데, 이 회사의 수주가 곧 SK하이닉스의 발주이자 SK하이닉스의 식각장비 부문 국산화율이기 때문에 수주잔액을 밝히지 않는다(2022년 기준). 수주잔액이 표시되는 제조기업의 경우 양적인 성장을 어느 정도 가늠할 수 있다. 반면, 질적인 성장 즉, 이익률 측면에서는 제품 단가와 비용까지 알아야 하기에 그리 쉬운 일이 아니다. 수주상황을 전혀 표시하지 않는 기업의 경우 투자자가 직접 기업의 성장을 예측하기 위해 더욱 다각적인 노력을 기울여야 한다.

'갑'의 이름을 가린 백지공시

고객사 눈치를 보느라 단일판매·공급계약을 공시하지 못하는 기업이 늘자 당국에서는 숨통을 터줬다. 상장법인에 중대한 손실을 야기할 수 있는 경영상 비밀이 포함될 경우 해당 공시에서 이를 블라인드 처리할 수 있도록 한 것이다. 정식 명칭은 '상장법인의 수시공시 유보 제도'인데, '백지공시'라고도 불린다. 계약 상대방과 계약 조건 등 경영상 중요한 비밀을 '유보'라는 글자로 대체할 수 있는 제도다. 단일판매·공급계약 체결·해지 공시, 신규시설투자 공시에 대표적으로 적용되고 있다.

다만 백지공시라고 해도 마음대로 할 수 있는 것은 아니다. 한국거래소 공시 심사를 거쳐야 한다. 상장법인이 한국거래소에 공시 유보 신청서를 낼 때 해당 계약 사항과 관련된 계약서 등 증빙서류를 제출해야 한다. 즉, 한국거래소는 계약 상대방과 금액을 볼 수 있다는 뜻이다. 심사를 거쳐 유보 사유와 기한을 적도록 하고 백지공시를 승인해준다. 약속한 유보 기한이 지나면 정정공시를 통해 당초 유보됐던 계약 상대방 등을 정확히 밝혀야 한다. 이때 계약 상대방이 삼성전자인지, SK하이닉스인지, LG에너지솔루션인지 나타나게 된다. 계약 금액 역시 마찬가지다. 유보 기한이 지났는데도 이를 공개하지 않으면 불성실공시 법인으로 지정된다.

그렇다면 공시 유보 제도 즉, 백지공시는 과연 실효성이 있을까? 결론적으로 대기업과 거래하는 중소협력사들이 계약의 일부라도 공시할 수 있어 시장과 소통이 용이해진 것은 사실이다. 그러나 한계도 명확하다. 앞서 설명한 쪼개기 계약이 있기 때문이다. 아무리 공시 유보가 가능하다고 해도, 고객사가 이조차 불편해한다면 아예 계약 금액을 쪼개서 공시 자체를 하지 못하도록 할 수 있다. 얼마든지 가능한 일이다. 예를 들어 유보기한이 6개월로 설정되더라도 어차피 시간문제일 뿐, 고객사의 설비투자 정보가 시장과 경쟁사에 알려지는 것은 매한가지이기 때문이다. 또한 협력사 입장에서는 나중에 정정공시를 또 해야 하는 불편함도 있어서 아예 공시 자체를 하지 않는 방법을 택하려는 경향도 있다.

말장난에 불과한 조회공시 답변

주가에 영향을 미칠 수 있는 풍문이 떠돌거나, 언론 기사로 중요사항이 보도됐을 경우 공식적인 확인이 필요하다. 공정한 거래와 투자자 보호를 위해서다. 또한 이유 없이 주가와 거래량이 크게 급등락할 경우도 마찬가지다. 이 경우 한국거래소가 상장기업에게 중요한 정보가 있는지 답변하라고 요구할 수 있다. 이것이 '조회공시'다.

기업은 풍문이나 보도, 중요정보에 관한 조회공시의 경우 답변을 빠르게 해야 한다. 공시를 요구받은 시점이 오전이면 당일 오후까지, 공시를 요구받은 시점이 오후인 경우에는 다음 날 오전까지 공시 내용을 제출해야 한다. 주가 및 거래량에 관한 중요정보의 경우 조회공시 답변기한은 다음 날까지다.

그러나 대부분 조회공시 답변은 비슷비슷하다. 일종의 모범답안처럼 말이다. 경험적으로 보면 '확정된 바 없음' 혹은, '검토 중이나 확정된 바 없음'이 가장 많다. 당연한 소리다. 그만큼 중요한 사안이 확정됐다면 이미 공시 사항이었을 테고, 아직 공시하지 않았다는 것은 확정되지 않았다는 뜻이기 때문이다. 의미를 찾자면 '그나마 시장의 풍문이나 보도가 전혀 근거 없는 이야기는 아니구나' 알게 되는 정도일 것이다.

톤이 조금 높은 예도 있다. '검토한 바 없음' 같은 경우다. 톤이 더욱 강한 것은 '전혀 검토한 바 없음'이다. 이는 가장 강력한 부인이다. 우리는 검토하지도 않은 내용이고, 해당 언론사가 오보를 낸 것이라고 강력하게 부인하는 의미다. 따지고 보면 기자들이 특종 욕심에 막 지르고 보는 경우가 많긴 하다.

가장 모호한 답변은 바로 '사실과 다름', '사실이 아님'이다. 뭐가 어떻게 사실과 다르다는 것인지 부연 설명이 없다면 시장에 혼선을 줄 수 있는 답변이다. 예를 들어 어떤 기사에서 '누가, 언제, 어디서, 무엇을, 어떻게, 왜' 한다고 썼는데, 그냥 '사실과 다름'이라고 답변을 한다면 그 여섯 가지 사안 중에 도대체 무엇이 사실과 다른지, 무엇이 사실이 아닌지, 그중에 사실과 같은 것은 있다는 말인지 헷

갈릴 수밖에 없다. 때로는 기업이 의도적으로 전략적 모호성을 추구하기도 하는데, 경영상 비밀 때문에 그럴 수밖에 없는 경우도 있겠지만, 시장과 주주들을 기만할 수 있다는 점에서 상장사로서 그리 바람직한 답변은 아니다.

한국거래소에서 조회공시 답변을 비교적 명확하게 하도록 유도하긴 하지만, 문구 내용까지 강제하지는 못한다. 그래서 사후에 조회공시 답변과 다른 결정이 나올 경우 제재하는 방안이 있다. 풍문이나 보도 관련 조회공시에 대해 '답변 후 1개월', 시황변동 조회공시 답변의 경우 '답변 후 15일'까지 '번복 제한 기간'을 설정한 것. 번복 제한 기간에 공급계약, 증자, 감자, 자사주 취득이나 처분, 현금배당, 이익소각, 합병, 주식분할 등의 내용을 공시하는 경우 불성실공시로 제재할 수 있다. 다만 각 1개월, 15일을 지나자마자 당초 공시와 다른 내용을 공시하더라도 즉, 조회공시 답변을 번복하더라도 이때는 제재할 수가 없다. 번복 제한 기간을 어긴 것이 아니기 때문이다. 경영상 중요 결정에 민감한 경영진의 경우 일단 부인해놓고, 번복 제한 기간이 끝나기를 기다릴 수도 있는 일이다.

한국거래소는 상장사가 의도적으로 조회공시 답변을 회피하지는 않는지 심사하고, 제재 사유를 늘려서 성실한 답변을 유도하기도 한다. 또한 상장사가 시황변동 요인을 보다 적극적으로 검토하도록 하기 위해 대표이사 확인서 등을 첨부하도록 한다. 미확정 공시의 경우 1개월 이내에 재공시하도록 해서 상황 변화 가능성과 공시 사이 시차를 좁히도록 노력하고 있다. 계속해서 어떤 사안이 미확정일 경우 상장사는 한 달에 한 번씩 미확정 공시를 반복해야 한다. 상장사에는 다소 귀찮은 일일 테지만, 투자자에게는 정보 불확실성의 간격을 좁힌다는 측면에서 긍정적이다.

공정공시는 과연 공정한가

투자 정보는 공평하게 제공되어야 한다지만, 정말 그게 가능할까? 공정공시는 정말 공정할까? 공정공시는 기업의 장래 계획이나 경영 계획, 영업실적 전망, 잠정 영업실적, 주요경영사항 등 중요 정보를 기관투자자 등 특정인에게 선별적으로 제공하고자 할 경우 이를 모든 시장참가자들이 알 수 있도록 사전에 공시하도록 하는 제도다.

쉽게 말하면 기관투자자 대상 IR을 하려면 사전에 IR 자료를 한국거래소나 한국IR협의회 홈페이지 등에 올리라는 것이다. 표면적으로는 공정한 듯 보인다. PDF나 PPT(파워포인트)로 예쁘게 만들어진 IR북 파일을 누구나 다운로드 해서 볼 수 있다. 굳이 힘들게 기관투자자들의 IR 현장에 찾아가지 않아도 될 것 같다. 그러나 현실은 그렇지 않다. 손쉽게 다운로드 받을 수 있는 파일 하나만으로 IR이 끝난다면 굳이 발품을 팔아 현장까지 찾아다니는 사람이 왜 생기겠는가?

글보다는 말이 훨씬 중요하다. CEO와 CFO, IR 담당자의 말투, 표정, 몸짓 등 비언어적 요소에서 나오는 정보도 무시할 수 없는 판단 요소다. 물론 현장 분위기와 억양 등을 공시에 담을 수는 없으니 이를 공시 위반으로 볼 수는 없다. 현실적 한계가 있는 것은 분명하다. 문제는 내용에 있다. IR북에 담기지 않는 내용을 현장에서는 얼마든지 질의응답을 통해 들을 수 있기 때문이다. 질문자의 송곳 같은 질문이 IR북에는 담기지 않은 수많은 정보를 이끌어 낼 수 있다. 필자는 '좋은질문'이라는 이름을 필명으로 쓰고 있다. 좋은 질문이 좋은 답변을 이끌어 낸다고 믿는다. 20년 가까이 언론인 생활을 하며 나의 가장 강력한 무기는 질문이라고 믿고 있다.

IR 현장에서도 마찬가지다. 매출과 수주액 등 구체적인 숫자를 말하는 것은 볼 것도 없이 공시 위반에 해당되지만, 이를 유추할 수 있는 내용이라면 얘기가 달라진다. 고객사 이니셜(IT 부품업계에서 글로벌 A사, 자동차 부품업계에서 전기차 T사가 어디라는 것은 삼척동자도 눈치챌 일)이 가장 대표적이다. 애플, 테슬라, 삼성 등 고객사 이름을 자료에는 이니셜로도 쓸 수 없지만, 현장에서는 이니셜로 얼마든지 언급할 수 있다. 또한 당장 계약된 것은 없어도 제품 테스트 단계에 있다거나 QC(품질관리)를 통과했다거나 PO(제품 주문)를 앞두고 있다거나 하는 발언 하나하나가 투자자에게는 매우 큰 정보가 된다. 사실상 수주공시(단일판매·공급계약)는 이런 일련의 과정이 모두 끝나야 나오는 것이기 때문이다.

실제로 IR 현장에 가보면 PPT 자료를 화면에 띄우고 브리핑하는 시간에는 별 관심 없는 사람들이 많다. 이미 다 알고 있거나 자료만 봐도 알 수 있는 내용이기 때문이다. 전문투자자들은 현장 Q&A를 통해서 보다 세밀한 정보를 얻고자 한다. 특정 프로젝트의 진행 상황, 고객사와의 관계, 제품 개발 진행 정도 등등 어찌 보면 그것이 IR에 참석하는 진짜 이유이기도 하다. 그런데 아이러니하게도 이는 공정공시에 담을 수가 없다. 심지어 공시 위반도 아니다. 공정공시와 공시 위반 사이 어딘가에 있는 사각지대와 같다. 그래서 전문투자자들은 오늘도 IR에 참석하고, 멀리까지 기업탐방을 다니는 것 아닐까?

올빼미 공시는 좋은 걸까, 나쁜 걸까

보지 말라는 것일까, 신중히 생각해보라는 것일까? '올빼미 공시'를 두고 하는 말이다. 올빼미 공시란 주식시장이 마감된 늦은 오후,

특히 휴일을 앞두고 공시되는 중요 정보를 말한다. 주로 금요일 장 마감 이후나 명절과 같은 연휴 직전일 장마감 후에 공시를 내면 '올빼미 공시'라고 부른다. 올빼미 공시는 주로 악재가 많은 것이 사실이다. 실적 부진이나 공급계약 파기 등이 대표적이다. 바이오 기업의 경우 기술수출 계약 해지 공시가 여기에 해당된다.

일단 올빼미 공시는 부정적 측면이 강하다. 특히 부정적인 내용일 경우 많은 사람이 보기 어려운 시간에 공시해 비판을 면하고, 언론에 기사화되는 것을 피하기 위한 목적이 진하다. 일례로, 사업보고서의 경우 연간 보수 5억 원 이상인 등기임원의 개인별 보수 내역을 공시해야 하는데, 이를 일찍 공시할 경우 '회장님과 사장님'이 언론사 타깃이 되기 쉽다. 그래서 막판까지 눈치작전을 벌이는 회사도 있다. 홍보팀에서 조금이라도 늦게 공시해야 눈에 덜 띈다고 조언하기도 한다.

사회적 이슈가 되는 내용뿐 아니라 실적 공시도 올빼미 공시 대상이 된다. 실적이 부진할 경우가 그렇다. 투자자들의 관심을 분산하기 위해, 그리고 연휴를 이용해 관심을 피하려고 실적 발표를 금요일 늦은 시간에 하기도 한다. 분기보고서 등 실적이 담긴 공시를 금요일 6시쯤에 내고 아예 퇴근해버리는 회사도 적지 않다. 투자자들이 공시를 보고 회사에 전화하면 "업무 중이 아니다"라는 기계음만 들려올 뿐이다. 주주들은 그다음 주에 회사가 소통할 때까지 꼼

짝없이 기다릴 수밖에 없는 노릇이다.

올빼미 공시의 긍정적인 측면이 없는 것은 아니다. 투자자에게 충분히 숙려할 시간을 제공한다는 긍정적인 의미도 있다. 공시 내용이 호재든 악재든, 실적이 어떻든, 투자자들이 해당 사안을 살펴보고 충분히 해석하고 소화할 시간을 준다는 의미가 있다. 이렇게 하면 단시간 내에 주가가 급변하는 것을 방지할 수 있다. 불필요한 변동성과 시장 영향으로 인해 선의의 피해자가 발생하는 것도 예방할 수 있다. 대표적으로 워런 버핏의 버크셔해서웨이가 실적을 금요일 오후 장 마감 이후 공시하는 것으로 유명하다. 주주들에게 충분히 판단할 시간을 주어야 한다는 취지다. 다만 우리나라 기업들이 버크셔해서웨이와 같은 취지일지는 미지수다.

공시의 딜레마

지금까지 기술한 것처럼 공시에는 맹점이 많다. 그러나 순기능이 더욱 큰 것은 두말할 것도 없다. 그렇다면 투자자는 공시를 보고 투자해야 할까, 공시가 되기 전에 투자해야 할까?

공시를 '본다'라는 의미가 기업의 성장성, 수익성, 안정성 등 경영상황을 수시로 체크한다는 의미라면 당연히 공시를 보고 투자해야 하는 것이 옳다. 공시 제도의 기본 취지는 '완전경쟁을 위한 공평한 정보 제공'이다. 그런 의미에서 공시된 내용과 공시해야 할 사안은 완전경쟁이라는 이상적 목표를 달성하는 데 도움이 된다. 그러나 공시를 보고 투자한다는 의미가 시간적으로 '공시가 되고 난 후'라는 의미라면 말이 달라진다. 이미 그것은 너무 늦은 투자 판단이 될 수 있기 때문이다. 현실이 그렇다.

증시 격언 중에 "소문에 사서 뉴스에 팔아라"라는 말이 있다. 영어로는 "Sell On the News"인데, 증권가에서는 기다렸던 공시와 뉴스가 떴을 경우 단 2음절로 정리해버리는 습성이 있다. "셀온!" 호재성 공시 이후, 호재성 뉴스 이후 주가가 빠지는 현상 역시 단 한마디로 정리해버린다. "선반영!"

전설적 투자자 앙드레 코스톨리니Andre Kostolany는 생전에 '페타꼼뽈리Fait Accompli'를 역설했다. 우리말로 '기정사실화'라는 뜻이다. 호재든 악재든, 주가에는 상당 부분 선반영 되기 때문에 이미 그것이 사실로 확정되면 주가에 별 영향을 미치지 않는다는 의미다. 빼따꼼뽈리, 빼따꼼블리, 페타꼼블리 등 다양하게 불리고 있다.

이러한 선반영 현상은 IT 기술이 발달할수록, 커뮤니케이션 속도가 빨라질수록 더욱 강해진다. 정보를 가진 사람이 많을수록, 실제에 가까이 예측하는 사람이 많을수록 실제를 선반영할 가능성이 커지기 때문이다. 또한 그 정보가 더욱 빠르게 공유될수록 선반영 현상이 더욱 진해질 것이다. 수주 계약, 실적 동향뿐 아니라 M&A 정보까지 비밀이 없는 세상이다. 이럴 때는 더 먼저 예측하고 더 빠르게 행동하거나 아니면, 시계열을 더 길게 놓고 더 멀리 보며 여유 있게 장기투자를 하는 것이 해답이라면 해답이 될 것 같다.

물론 선반영 현상이 단박에 뒤집힐 수도 있다. 정확도에 따라서다. 대표적인 것이 어닝 서프라이즈, 어닝 쇼크다. 시장의 예상과 다르게, 시장의 예상보다 더 높이 혹은 더 낮게 실제치가 나타날 경우 주가는 요동친다. 인간은 예측되지 않는 것도 예측하고자 하고, 통계적 유의성이 없는 것에도 의미를 두는 경향이 있다. 오죽하면 어닝 서프라이즈, 어닝 쇼크 빈도와 비율을 정리하는 퀀트 투자 방법이 있을 정도다. 앞서 10개 분기 연속 어닝 서프라이즈를 기록했다고 해서 앞으로도 어닝 서프라이즈를 기록한다고 확신할 수 있을까? 나심 탈레브는 저서 『블랙스완*』과 『행운에 속지 마라**』 등을 통해 귀납법의 오류에 빠지지 말라고 지적했다. 백조는 흰색이라는 것이 정설이지만, 백조 4000마리가 모두 흰색이었다고 해서 모든 백조는 흰색이라고 정의할 수는 없다는 것이다. 단 한 마리의 검은

* 나심 니콜라스 탈레브, 『블랙 스완 : 0.1%의 가능성이 모든 것을 바꾼다』, 차익종 옮김, 동녘사이언스, 2008년

** 나심 니콜라스 탈레브, 『행운에 속지 마라 : 불확실한 시대에 살아남는 투자 생존법』, 이건 옮김, 신진오 감수, 중앙북스, 2016년

백조가 발견되면 이 정의는 깨지기 때문이다. 실제로 1697년 호주 서부에서 처음으로 검은 백조(흑고니)가 발견됐다고 한다.

다시 공시 이야기로 돌아와 두 가지 질문을 스스로에게 던지고자 한다. “과연 나는 정보 우위에 설 수 있는가?”, “정보 우위에 설 수 있다면 과연 나는 몇 번째일까?” 두 질문에 명확히 답할 수 없다면 시장 앞에 겸손해져야 한다는 생각이다. 공시를 무시해서도 안 되고, 공시보다 늦어서도 안 될 것이며, 그렇다고 공시보다 빠르게 기업을 예측하려는 노력을 게을리해서도 안 된다. 그냥 그 자체로 공시의 순기능과 맹점을 인지하고, 공시의 한계를 인정하며 투자하는 것이다. 공시 제도는 평평한 운동장을 지향하지만 그렇다고 그곳에 돌부리 하나 없을 것이라고 보장하지는 않는다. 공시는 나의 투자 아이디어를 검증하고, 투자 경로를 설정하는 데 도움을 주는 나침반, 표지판 정도로 이해하는 게 옳다. 나침반과 표지판이 당신을 목적지로 데려다주지는 않는다.

가치 끼워 맞추기 IPO

IPO 몸값 산정의 불편한 진실

상장을 앞둔 기업의 몸값은 어떻게 산정되는 것일까? 정답은 없다. 꼼수는 있다. 공모 절차에서 가장 중요한 작업이 바로 기업의 몸값 즉, 기업가치를 산정하는 일이다. 수백 페이지짜리 증권신고서도 엄밀히 따져보면 기업가치를 한 푼이라도 더 높게 받으려는 논리적 근거를 마련하는 작업이다. 공모가격이 높아야 회사로 유입되는 자금도 많아지기 때문이다. 이를 공모자금이라고 하는데, 일종의 유상증자다. 1주당 가치가 조금이라도 높아야 회사 자본금이 더욱 커지는 것이다.

기업의 몸값은 시장에서 결정된다고들 알고 있다. 그러나 이는 상장 이후 활발한 매매거래를 통해 시장 가격이 발견되는 것일 뿐, 상장 전 단계에서는 그렇지 않다. 상장예비기업(주식을 발행한다는 의미에서 발행기업이라고 한다)의 몸값은 사실상 해당 기업과 상장주관사가 틀을 정해놓게 된다. 나중에 그 틀 안에서 기관투자자 대상 수요예측을 하고 공모주 청약을 받는 것일 뿐이다.

상장을 앞둔 기업이라면 누구나 기업가치를 조금이라도 더 높게 평가받고 싶어 하는 것이 인지상정이다. 이는 상장주관사를 선정할 때부터 반영된다. 기업가치를 조금이라도 더 높게 받아주겠다는 증권사를 상장주관사로 선정하는 것이다. 자신의 기업가치를 2500억 원으로 받아주겠다는 증권사보다 3000억 원으로 받아주겠다는 증권사를 택하는 것이 당연하지 않겠는가? 살던 집을 내놓을 때도 10억 원 받아주겠다는 공인중개사와 11억 원 받아주겠다는 공인중개사가 있다면, 당신은 누구에게 중개를 맡기겠는가?

적자기업도 상장할 수 있는 각종 특례 제도가 많아지면서 이러한 현상이 심화되고 있다. 당장 실적이 나지 않는 상황에서 기업가치를 산정해야 하다 보니 자신들만의 논리를 마구 갖다 붙이는 것이다. '지금 당장은 적자지만 3년 뒤에는 흑자전환 할 것이다', '3년 뒤 신약 개발에 성공하면서 비약적인 성장을 시현할 것이다' 등등의 전망이다. 적자기업 특례상장을 가장 많이 주관하는 한 대형증권사 IPO 담당 임원은 필자에게 "어차피 기업가치를 미리 정해놓고 거기에 맞춰 3년 뒤 실적 추정치를 대입하는 것"이라고 대놓고 말하기도 했다.

특례 제도를 통해 상장하는 대부분의 적자 기업은 이 같은 '기적의 논리'를 바탕으로 천문학적인 기업가치를 산정받는다. 그러나 어디까지나 추정일 뿐이다. 그것을 믿느냐 믿지 않느냐 역시 시장의 몫이다. 투자자들이 더욱 날카로워지고 냉철해져야 하는 이유

다. 추정 당기순이익 산정내역

(1) 추정 손익계산서

단위: 백만원

구분	2016년(E)	2017년(E)	2018년(E)	2019년(E)	2020년(E)
1. 영업수익	7,414	12,079	7,029	39,263	342,559
2. 영업비용	43,872	70,538	67,102	32,789	238,441
3. 영업이익(손실)	(36,458)	(58,459)	(60,073)	6,475	104,118
4. 영업외수익	2,275	390	390	390	390
5. 영업외비용	3,853	2,400	2,400	24,164	704
6. 법인세차감전 순이익(손실)	(38,036)	(60,469)	(62,083)	(17,299)	103,804
7. 법인세등 (법인세비용)	601	–	–	–	–
8. 당기순이익(손실)	(38,637)	(60,469)	(62,083)	(17,299)	103,804

신라젠이 지난 2016년 상장할 때 제출한 증권신고서. 2019년부터 영업이익 기준으로 흑자전환을, 2020년부터는 순이익도 흑자전환 할 것이라고 내다봤다.

(4) 미래 추정순이익을 바탕으로 주당 평가가액 산출

구분	산출내역	비고
	2016년 기준	
1. 2020년 추정 당기순이익 (A) 주1)	103,804 백만원	A
2. 연 할인율	15%	주2)
3. 2020년 추정 당기순이익의 현가 (B)	59,350 백만원	2016년 말 기준 : B= A/1.15 ^ 4
4. 적용 주식수 (C) 주3)	**71,197,464 주**	C
5. 2016년말 기준 환산 주당순이익 (D)	**834 원**	D=B/C
6. 유사회사 평균 PER(배) (E)	33.7 배	E
7. 주당 평가 가치 (F)	**28,100원**	F=D×E

신라젠이 지난 2016년 상장할 때 제출한 증권신고서. 4년 뒤인 2020년 1000억 원대 순이익을 거둘 전망이라며 이를 바탕으로 공모가를 산정했다. 그러나 실제 2020년 신라젠의 순이익은 −478억 원, 2019년 순이익은 −1132억 원이었다.

다. 어쩌면 똑똑한 투자자들은 이미 장밋빛 전망은 꿈과 희망일 뿐이라는 사실을 잘 알고 있을지도 모르겠다. “거품이면 어때! 어차피 내가 단타 치고 빠질 며칠은 별 상관 없어”라는 반응도 많다.

이러한 IPO 거품이 만들어지는 데는 상장주관사들의 수주 경쟁이 한몫한다. 평소 각 증권사 IPO 부서는 수많은 비상장사를 대상으로 상장 주관을 맡기 위한 영업전을 치열하게 벌인다. 비상장기업 하나하나가 자신들의 일감이자 미래 수익원인 셈이다. 이것도 일종의 수주전이다. 치열한 수주전에서 상장 주관 계약을 따내기 위해 “귀사의 기업가치를 시가총액 OOOO억 원만큼 받아내겠습니다”라고 큰소리친다.

상장주관사 계약은 사실상 법적 구속력이 없다고 한다. 계약은 계약인데, 이를 파기하더라도 딱히 불이익이 없는 일종의 MOU Memorandum Of Understanding(양해각서) 성격밖에 안 된다는 것이다. 상장 예비 기업 입장에서는 A증권사가 시총 3000억 원가량을 받아주겠다고 해서 상장 주관 계약을 맺었는데, 나중에 B증권사가 3500억 원까지 받아주겠다고 호언장담하면 주관사를 B증권사로 변경해버리면 그만이다. A증권사 입장에서는 억울하기는 하지만 소송을 걸 수도 없다. 나중에 그 기업이 상장해서 유상증자나 회사채 발행 등을 할 때 다시 고객이 될 수 있기 때문이다.

기업가치는 먼저 상장주관사가 산정을 하고, 최종적으로 상장주관사가 발행기업과 협의해 결정한다. 기관투자자 대상 수요예측을 통해 시장 참여자들의 의사를 반영하긴 하지만, 최종적인 공모가 결정은 주관사와 발행기업이 하는 구조다. 공모가 산정 절차를 보면 일차적으로 상장주관사가 기업의 잠재적인 시가총액을 산출하고, 이를 바탕으로 주당 평가액을 뽑아낸다. 여기에 일정한 할인율(아파트 분양가를 주변 시세보다 약간 할인하는 것처럼)을 적용해서 '희망 공모가액 밴드'를 산출한다. '공모가 희망밴드'라고 부르기도 한다.

이 같은 희망 공모가액 밴드를 바탕으로 기관투자자들에게 수요예측을 진행한다. 쉽게 말하면 이 공모주를 얼마에 얼마나 살 거

카카오뱅크 시가총액 산출 내용

평가 시가총액 산출 내역

단위: 배, 억원

구분	산식	내용
PBR 거래배수	(A)	7.3
자본총계 주1)	(B)	28,495
공모자금유입액 주2)	(C)	21,599
평가 시가총액	(D) = (A)×(B)+(C)	229,610

주1) 자본총계는 2021년 1분기말 기준
주2) 공모자금유입액은 공모가 하단 기준

평가 시가총액 산출 내역

단위: 억원, 주, 원

구분	산식	내용
평가 시가총액	(A)	229,610
공모전 발행주식수 주)	(B)	412,323,037
공모주식 수	(C)	65,450,000
공모후 발행주식 수	(D) = (B) + (C)	477,773,037
주당 평가가액	(E) = (A) / (D)	48,058

주) 증권신고서 작성 기준일 현재 보통주식 수 409,650,237주와 미행사 주식매수선택권 2,672,800주 합계

출처: 카카오뱅크 증권신고서

카카오뱅크 희망공모가액 산출 내용

희망공모가액

구분	내용
주당 평가가액	48,058
평가액 대비 할인율	18.8% ~ 31.3%
희망 공모가액 밴드	33,000원 ~ 39,000원
희망 시가총액 밴드	156,783억원 ~ 185,289억원

주) 확정 공모가액은 수요예측 결과를 반영하여 최종 확정될 예정입니다.

출처: 카카오뱅크 증권신고서

냐고 묻는 작업이다. 이때 기관투자자들은 상장주관사에 자신들이 생각하는 적정 공모가액을 써낸다. 기관들이 써내는 가격은 공모가액 밴드 이내에 있을 수도 있고, 밴드 하단에 못 미치거나 상단을 초과할 수도 있다. 말 그대로 기관투자자 마음이다.

공모주는 수요예측에서 높은 가격을 써낸 기관에 1주라도 더 돌아간다. 공모주 펀드를 운용하는 기관투자자 입장에서는 공모주를 1주라도 더 배정받기 위해 더 높은 가격을 써내야 하는 구조다. 그래서 수요예측에 큰 관심이 몰리면 실제 공모가격은 희망 공모가액 밴드 상단을 초과해 결정되기도 한다.

이 같은 절차를 거치긴 하지만, 앞서 설명한 것처럼 공모가를 최종 결정하는 주체는 발행기업과 상장주관사다. 발행기업이 공모금액을 최대한 많이 끌어오길 바랄 경우, 수요예측 결과가 그리 뜨겁지 않았어도 공모가를 희망밴드 최상단으로 결정하기도 한다.

공모가 결정은 금융당국이나 한국거래소가 관여하지 않는다. 1주 가격이 1만 원이 되든 100만 원이 되든, PER 10배를 받건 100배를 받건 금융당국은 관여하지 않는다. 자본주의에서 가격은 시장이 결정하는 것이기 때문이다(다만 이는 이론적인 얘기일 뿐이다. 공모가 거품이 크다는 여론이 높아질 경우 금융감독원은 발행기업의 증권신고서를 더욱 까다롭게 심사하면서 계속 '기재정정'을 요구한다. 자연스럽게 기업가치를 낮추도록 유도하는 것이다. 현실적으로 금융당국이 시장 가

SK아이이테크놀로지 수요예측 신청가격 분포도

구분	국내 기관투자자								외국 기관투자자				합계	
	운용사(집합)		투자매매, 중개업자		연기금, 운용사(고유), 은행, 보험		기타		거래실적 유*		거래실적 무			
	건수	수량	건수	수량	건수	수량	건수	수량	건수	수량	건수	수량	건수	수량
밴드 상단 초과	168	2,414,342,000	11	161,420,000	201	2,794,305,000	499	7,428,247,000	–	–	210	3,200,208,000	1,089	15,998,522,000
밴드 상위 75% 초과 ~ 100% 이하	57	712,836,000	13	186,157,000	63	893,306,000	130	1,726,856,000	7	37,057,838	20	77,056,000	290	3,633,268,838
밴드 상위 50% 초과 ~75% 이하	–	–	–	–	–	–	–	–	–	–	–	–	–	–
밴드 상위 25% 초과 ~50% 이하	–	–	–	–	–	–	–	–	–	–	–	–	–	–
밴드 중간값초과 ~ 상위 25% 이하	–	–	–	–	–	–	–	–	–	–	–	–	–	–
밴드 중간값	–	–	–	–	–	–	–	–	–	–	–	–	–	–
밴드 중간값 미만 ~ 하위 25% 이상	–	–	–	–	–	–	–	–	–	–	–	–	–	–
밴드 하위 25% 미만 ~ 50% 이상	–	–	–	–	–	–	–	–	–	–	–	–	–	–
밴드 하위 50% 미만 ~ 75% 이상	–	–	–	–	–	–	–	–	–	–	–	–	–	–
밴드 하위 75% 미만 ~ 100% 이상	–	–	–	–	–	–	–	–	–	–	–	–	–	–
밴드 하단 미만	–	–	–	–	–	–	–	–	–	–	–	–	–	–
미제시	26	282,078,000	3	43,848,000	12	156,312,000	37	309,989,000	269	1,598,831,471	8	128,336,000	355	2,519,393,471
합계	251	3,409,256,000	27	391,425,000	276	3,843,923,000	666	9,465,091,000	276	1,635,889,309	238	3,405,600,000	1,734	22,151,184,309

*인수인(해외현지법인 및 해외지점을 포함한다)과 거래관계가 있거나 인수인이 실재성을 인지하고 있는 외국기관투자자

** 「증권 인수업무 등에 관한 규정」 제9조의2에 의거 관계인수인으로 구분되는 기관의 참여내역은 금번 수요예측 참여시 가격을 제시하지 않았습니다.

출처: SK아이이테크놀로지 증권신고서

격을 통제하는 방법은 많이 있다).

어찌 됐든 기업가치 즉, 공모가를 어떤 이유에서 얼마나 받겠다는 것인지 그 논리적 근거와 합당한 설명을 달도록 한다. 그것이 바로 증권신고서다. 투자자들이 스스로 판단할 수 있도록 사업의 내용과 각종 위험요인 등을 빠짐없이 기재하도록 하는 것이다. 또한 공모가 산정에 적용된 밸류에이션 기준이 무엇인지 밝히는 것은 물론, 경우에 따라서는 다른 밸류에이션 지표를 적용했을 때 기업가치가 어떻게 달라지는지도 밝혀 적도록 한다. EV/Sales (시가총액/매출) 방식 즉, 매출액과 비교해 기업가치를 산정한 쏘카의 경우 PER(주가수익비율) 방식과 PBR(주가순자산비율) 방식으로 계산한 기업가치는 얼마에 그치는지 투자자들이 비교해볼 수 있도록 기재하기도 했다. 제도적으로 적자기업도 상장할 수 있도록 문을 열어주는 대신 투자자들이 제대로 비교해보고 판단할 수 있도록 한 것이다.

공모가가 너무 비싸다면 이 또한 시장 원리에 따르는 결론을 시장이 보여준다. 바로 공모주 청약 단계에서 미달 사태가 나는 것이다. 시장 참가자들이 판단하기에 공모가가 지나치게 높아 보인다면 공모주를 청약하지 않을 것이다. 아파트로 따지자면 미분양이 나는 것이다. 시장의 반응은 공모주 청약 직전 진행되는 수요예측 단계에서 대략 짐작할 수 있다. 이 때문에 공모주 흥행이 어려울 것 같다면 수요예측 이후 공모가를 낮추게 된다.

이 과정에서 상장주관사는 욕심 많은 발행기업을 설득하느라 진을 빼기도 한다. 발행사가 공모가를 한 푼이라도 더 높이 받겠다고 고집을 피우면 그 리스크를 주관사가 떠안아야 하기 때문이다. 공모주 청약이 미달되면 미달된 주식을 모두 주관사가 인수해야 한다. 이른바 '총액인수 방식'으로, 상장 주관사가 공모주를 받아다가 시장에 파는 중간상인 역할을 하기 때문이다. 청약에서 미달이 되면 투자자들이 사지 않는 비싼 주식을 상장 주관사가 자기 돈으로 매입해야 하는 것이다. 아파트 미분양이 나면 미분양분을 건설사가 떠안는 것과 마찬가지다. 증시 분위기가 좋을 때는 이런 일이 거의 일어나지 않지만, 시장 상황이 좋지 않을 때는 공모주 청약 미달이 종종 벌어진다. 주관사 입장에서는 상장주관 수수료보다 더 많은 금액을 손해 볼 수도 있는 뼈아픈 경우다.

IPO, 소송과 투서가 난무하다

"기업공개IPO를 할 때면 창업자의 인생을 송두리째 되돌아보게 된다"라는 우스갯소리가 있다. 온갖 시기 질투와 마타도어가 난무하기 때문이다. IPO를 배 아파하는 경쟁사부터 채권 채무 관계에 있던 협력사들, 금전 관계로 얽혀 있는 지인들까지 상장을 전후로 여러 곳에서 잡음이 만들어진다.

한국거래소의 상장예비심사는 보통 2개월 정도 걸린다. 심사 결과는 한국거래소 규정상 45영업일 이내에 결정되는데, 보완 서류가 필요할 경우 다소 지연될 수도 있다. 이 기간에 기업의 재무 상황부터 사업 내용, 영업의 안정성, 지속 가능성 등을 종합적으로 따져본다. 최대주주와 경영진의 면면을 면밀히 살펴보는 것도 매우 중요한 절차다. 사실상 기업을 좌지우지하는 사람들이기 때문이다. 따라서 이들의 범죄 여부는 물론이고, 회사와의 금전적 관계, 나아가 업계 평판까지 들여다보게 된다. 의외로 이 과정을 쉽게 통과하지 못하는 사람들이 적지 않다.

상장 절차를 밟으려 할 때 각종 소송에 휘말리는 경우가 적지 않다. 경쟁사 특허를 침해했다거나 공사 입찰에서 불공정 행위가 있었다거나 각종 배임 행위가 있다는 등의 소송이 터진다. 한국거래소가 보기에 간단치 않은 소송이거나, 기업 영속성과 경영 안정성에 큰 영향을 미칠 사안이라 판단되면 상장예비심사 절차를 중단하기도 한다. 소송이 끝날 때까지 상장이 중단되는 것이다. 이때 한국거래소가 미승인 결정을 내리기도 하고, IPO 예정기업이 스스로 상장예심을 철회하기도 한다. 거래소에 의해 탈락되는 것보다 스스로 철회하는 것이 대외적으로 덜 나쁘게 보이기 때문이다.

단순히 서류 몇 장으로 확인할 수 있는 법률상 내용은 그나마 심플한 편이다. 문제는 진실을 확인하기 어려운 각종 투서와 제보다. 상장을 앞둔 기업을, 창업주를, CEO를, 최대주주를 가로막으려는 다양한 시도가 장외에서 펼쳐지는 것이다. 한국거래소, 금융감독원 등 유관기관에 투서가 들어가고 언론을 통해 각종 제보가 쏟아진다.

과거에 누가 회삿돈을 가져다 썼다거나, 개인의 금전적 문제로 회사에 손실을 끼쳤다거나, 창업 초기 받았던 투자금을 돌려주지 않았다거나 매우 다양한 종류의 투서와 제보가 쏟아진다. 심지어 고등학교 동창에게 20여 년 전 받았던 금전적 도움 때문에 송사까지 간 경우도 있었다. 이 중 몇 가지만이라도 언론에 기사화되면 적지 않은 타격을 입게 된다. 명예가 손상되는 것은 물론, 심각할 경우 상장예심이 중단될 수도 있다. 그래서 잡음이 생기려 할 때 초반에 틀어막기도 한다. 주변 사람들과의 채무관계를 모두 청산하는 것은 물론이다. 한 상장사 CEO는 "상장 절차는 우리 회사뿐 아니라 내 인생을 송두리째 돌아보는 계기가 됐다"라고 소회를 밝히기도 했다.

각종 송사가 이어지는 상황에서도 상장이라는 목표를 달성하려면 어떻게 해야 할까? 대수롭지 않은 이슈라면 그냥 얻어맞고 지나갈 수 있겠지만, 그것이 상장을 좌초시킬 수 있는 이슈라면 적극 대응할 수밖에 없다. 가장 대표적인 것이 최대주주 혹은 대표이사가 보증하는 것이다. 만일 특정 소송에서 패소하더라도 회사가 손해입지 않도록 하겠다는 확약을 하는 것이다. 소송에서 패소해 손해배상을 물어야 할 경우 회삿돈이 아닌 최대주주 혹은 대표이사 개인 돈으로 막겠다는 약속이다.

한국거래소가 상장예심에서 가장 중요시 하는 것은 기업의 안정성, 영속성이다. 만일 상장 전에 벌어진 일 때문에 상장 직후 심각한 문제가 생긴다면, 그 비난의 화살은 거래소를 향할 수밖에 없다. 그리고 IPO 예정 기업에 지대한 문제가 있다면 아예 상장예심에서 떨어뜨리는 것이고, 심각한 이슈는 아니어도 불확실성이 크다면 최대주주의 보증과 같은 최소한의 안전장치를 마련해두는 것이다.

또한 과거에 상장기업을 매각한 전력이 있는 경우에도 상장예심 통과가 쉽지 않다. 상장사를 홀랑 팔아먹고 개인적 이득만 취하고 떠났다는 비난에서 자유로울 수 없기 때문이다. 그런 사람이 다시 새로운 껍데기(기업)를 가져와 상장을 하려 한다면 한국거래소 입장에서 달가울 리 없다. 당시의 M&AMerger & Acquisition(기업의 매수·합병)가 불가피했다는 것을 어찌어찌 소명하더라도 도의적 책임과 금전적 책임을 이행하는 성의를 보여야 한다. 과거 기업 매각 당시 취했던 금전적 이득을 토해내는 것이다. 실제로 과거 기업 매각으로 인해 벌어들였던 금액만큼을 신규상장 회사에 증여하거나 현물 출자해서 상장예심을 통과한 사례도 있다.

상장폐지 전력자라면 말할 것도 없다. 만일 횡령이나 회계 조작(분식회계) 등 범법 행위로 인해 상장폐지를 맞은 사람이라면 신규상장을 꿈도 꾸지 않는 것이 좋다. 거래소가 검색 몇 번만으로 다 찾아내기 때문이다. 전력자 본인이 직접 최대주주 혹은 대표이사로서 기업을 상장시키는 것은 불가능에 가깝다. 심지어 등기이사로만 등재되어 있어도 상장에 방해 요소가 된다. 상장예심을 청구할 때 이사회 멤버 모두의 이력을 써넣어야 한다. 만일 상장폐지 전력자가 발견되면 예심 절차는 모두 중단된다. 대부분 상장 주관사가 상장예심 청구 전에 걸러내는데, 그 작업에서 실수가 있을 경우 예심 절차에 치명적이다. 늦게라도 발견되면 즉시 사임시키고 가는 수밖에 없다. 그 이후에도 찜찜함은 남는다.

엑시트를 위한 IPO

기업을 증시에 상장한다는 것은 매우 영광스러운 일이다. 코스피 코스닥을 합쳐 대한민국 상장사는 현재 2500여 개뿐이다. 상장한다는 것은 기업을 공개한다는 의미다. 시장에서 대중에게 자본금을 유치하기 위해 회사의 세부적인 사항을 모두 공개하는 기업이 된다는 뜻이다. 또한 시장이 호응만 한다면 언제든지 자본을 추가로 조달할 수 있는 신용도 높은 기업이 된다는 의미이기도 하다. 자본조달을 통해 생산설비를 증설하고 훌륭한 인재를 유치해 더욱 큰 기업으로 성장해 나갈 수 있는 토대가 되기도 한다. 상장을 하면 기업의 대출 이자가 낮아진다. 신용도가 높아지기 때문이다. 또한 상장사 임직원들의 직장인 신용대출 금리도 내려간다. 그만큼 상장사가 된다는 것은 신용도 높은 기업으로 인정받는다는 의미다. 물론 그 바탕에는 지속적인 성장을 위해 상장한다는 시장과의 약속이 있다.

그런데 사실 지속 성장보다는 매각을 위해서 상장하는 경우가 의외로 많다. 당장 비상장사 상태에서 매각하는 것보다 상장사가 되어서 지분을 매각하는 것이 더욱 유리하기 때문이다. 현실적으로 상장사가 되면 기업 매각 여건이 매우 좋아진다. 주식거래가 원활해지는 것은 물론, 상장됐다는 것 자체만으로도 프리미엄을 받기 때문이다. 시장 상황에 따라 달라지긴 하지만 일단 코스닥에 상장하기만 하면 최대주주 지분가치는 100억 원을 받고 시작하는 것이나 다름없다는 말도 있다. 향후 5년 안에 은퇴를 꿈꾸거나 고가에 기업을 매각하려는 기업인들은 상장을 추진하는 것이 당연한 일처럼 되어버렸다.

이처럼 매각을 위한 상장은 한국거래소와 금융당국에도 골칫덩어리다. 상장 심사를 받을 때는 오랜 기간 기업을 키워나갈 것처럼 말해놓고, 상장 직후 홀라당 엑시트 하는 경우가 잦기 때문이다. 이런 일이 반복되면 주식시장의 신뢰도가 더욱 떨어질 수밖에 없다. 주식시장을 '엑시트 창구' 정도로 이용한다면 대한민국 주식시장은 엑시트 창구 그 이상도 그 이하도 아닌 시장이 되어버리기 때문이다. 그래서 금융당국은 상장 시 대주주와 임원들의 주식매도를 일정 기간 제한하고 있다. 그러나 사실상 반쪽짜리 규제일 수밖에 없다. 현행 규정상 신규상장 기업의 최대주주 지분 의무보유기간은 6개월에 불과하다. 화려한 비전을 밝히면서 상장을 하더라도 상장 직후 반년 만에 경영권을 매각해버릴 수 있다는 얘기다. 필자가 IPO 당시 취재하러 갔던 자동차 부품 제조사의 창업자는 자기 회사의 장기간 미래비전을 장황하게 설명하더니, 딱 상장 1년 만에 지분을 다 팔고 떠나버렸다. 당시 한국거래소는 이 최대주주의 상장 직후 매각이 우려돼 보호예수 기간을 6개월 더 긴 1년까지 연장하도록 했는데, 그 기간이 지나자마자 팔고 나간 것이다. 영락없이 매각을 위한 상장이었다. 그에게 6개월 더 긴 보호예수 규제는 의미 없는 시차였다.

한국거래소는 상장 심사를 할 때 최대주주의 의무보호예수 기간을 더욱 길게 설정하도록 노력한다. 의무보호예수란 정해진 기간

상장 시 의무보유 대상자 및 기간

유형	의무보유 대상자	의무보유기간 (상장일부터)	
		유가	코스닥
최대주주 등	최대주주 및 특수관계인	6개월*	6개월**
상장전 취득 (예비심사 청구 전 1년 이내)	제3자 배정 주식 등 취득자	Max [상장일부터 6월, 발행일부터 1년]	6개월**
	최대주주 등이 소유하는 주식 등 취득자	6개월	6개월**
투자자	벤처금융 또는 전문투자자 (투자기간 2년 미만인 경우)	–	1개월
	기타 (거래소가 필요하다고 인정하는 경우)		2년 이내

* 사모집합투자기구가 최대주주인 경우 1년

** 기술성장기업 또는 신속이전기업(코넥스→코스닥 이전상장) 등의 경우 1년

출처 : 한국거래소

동안 주식을 팔지 못하게 의무적으로 한국예탁결제원에 주식을 예치시켜놓도록 하는 것을 말한다. 잠겨 있다는 의미에서 '락업lock up'이라고도 한다. 코스닥의 경우 대부분 1년은 보호예수를 걸도록 유도하고 있다. 최대주주가 조금 못 미덥거나 기업의 내실이 부족할 경우 1년 6개월, 2년, 3년까지 보호예수를 걸도록 하는 경우도 있다. 법적으로는 의무보호예수 기간이 최소 6개월이지만, 필요에 따라서 자발적 보호예수를 더 길게 걸도록 하는 것이다. 법적인 기간을 너무 길게 강제할 경우 기업인들의 재산권을 과도하게 침해한다는 지적이 높아질 수 있다. 이 때문에 법으로는 6개월이지만, 실질적으로는 더 길게 걸도록 하는 것이다. 모양새를 자발적이라고 포

장하지만 이 같은 보호예수 기간 확대는 한국거래소의 몫이다. 한국거래소가 상장 여부를 결정하기 때문에 최대주주 입장에서는 말을 듣지 않을 수가 없다.

때에 따라서 너무한 거 아니냐며 반발하는 최대주주가 있는데, 그런 반응을 보면 역설적으로 이 사람이 얼마나 빨리 엑시트를 하고 싶어 하는지 가늠할 수 있다. 최대주주의 신뢰도가 낮아서 어쩔 수 없이 보호예수 기간을 2년, 3년으로 설정하게 됐는데도 기가 막히게 여론몰이를 잘하는 회사도 있다. "IPO 흥행과 투자자 보호, 책임경영을 다하기 위해 보호예수 기간을 자발적으로 3년까지 걸었다"라고 보도자료를 내는 것이다. 친분 있는 언론사들이 도움을 주기도 한다. 긍정적인 프레임을 만들어주는 것이다. 최대주주가 부실해서 반강제적으로 보호예수 기간을 늘린 게 아니라 최대주주가 도덕적이어서 자발적으로 보호예수 기간을 늘린 것이라고 프레임을 짜주는 것이다. 지난 2020년 상장 당시 보호예수를 3년 걸었던 L사는 1년 만에 적자로 돌아섰고, 주가는 2년째 공모가를 밑돌고 있다. 상장 시 최대주주 보호예수 기간이 길다고 해서 무조건 좋은 것만은 아니다. 양면을 다 따져봐야 한다.

스팩, 이상 급등의 대명사가 되다

우회상장을 정식으로 할 수 있는 제도가 있다. 바로 스팩을 활용하는 방법이다. 스팩SPAC, Special Purpose Acquisition Company이란, 인수합병을 유일한 목적으로 하는 페이퍼컴퍼니다. 쉽게 말하면 증시에 '껍데기shell 회사'를 먼저 상장시켜놓고, 나중에 '알맹이pearl 회사'를 찾아 합병하는 방식이다. 상장제도를 더욱 빠르고 유연하게 만드는 것이다. 스팩과 합병상장 한다는 것은 두 기업이 하나가 된다는 의미다. 따라서 스팩이 가진 자본을 합병법인이 함께 누리게 되기 때문에 효과적인 자금조달 수단이 된다. 또한 스팩 투자자들에게는 합병을 통한 기업가치 상승 효과가 주어지기도 한다.

모든 스팩은 공모할 때 주가를 1주당 2000원으로 맞춘다. 발행주식 수를 조절해 자본금 규모를 달리한다. 예상 시가총액 100억 원짜리 스팩이면 2000원짜리 주식을 500만 주 발행하는 방식이다. 자본금은 100억 원짜리도 있고 200억 원짜리도, 300억 원짜리도 있다. 최소 자본금은 코스피 100억 원, 코스닥 30억 원이다. 따라서 매우 작은 규모의 스팩도 상장이 가능하다.

문제는 지나친 주가 상승에서 비롯된다. 주식시장에서는 심심치 않게 '스팩 광풍'이 분다. 주로 증시가 지지부진하고 주도주가 없는 테마주 장세에서 자주 벌어지는 현상이다. 삼성그룹이 M&A를 추진한다는 소문이 나면 '삼성스팩 OO호'가 상한가를 가고, 비트코인 가격이 오르면 '한화스팩 OO호'가 급등하는 식이다. 한화증권이 코인 거래소 업비트를 운영하는 두나무에 지분 투자를 해두었다는 이유에서다. 스팩주 급등 현상을 보고 단기 시세차익을 노리려는 투자자가 불나방처럼 뛰어든다. 하루 거래대금이 스팩 시가총액의 몇 배를 웃도는 일이 심심치 않게 벌어진다. 스팩은 시총 규모가 작아서 적은 금액으로도 거래량이 폭발하고 시세를 분출하기 쉽다. 불나방들에게는 더욱 화려한 불빛이다.

그러나 이는 매우 위험한 신호다. 스팩은 역설적이게도 주가가 오를수록 합병에 실패할 가능성이 커지기 때문이다. 스팩의 시가총액이 커질수록 스팩의 기업가치가 높아진다. 스팩은 영위하는 사업이 아무것도 없는데, 주가가 올랐다고 해서 기업가치가 그냥 높아지는 것이다. 다시 말해 스팩의 기업가치가 높아질수록 합병 가능성은 떨어진다. 이대로 합병이 추진되면 합병 상대방 기업 주주들의 지분율이 희석되는 결과를 가져오기 때문이다. 쉽게 설명하면 이렇다. 시가총액 100억 원짜리 스팩과 기업가치 100억 원짜리 비상장사가 합병을 검토한다고 가정해보자. 스팩과 비상장사의 가치가 1대 1이기 때문에 서로 1주당 1주씩 합병하면 된다. 그런데 갑자기 스팩 주가가 두 배 올라서 시총이 200억이 됐다고 치자. 그럼 기업가치가 2대 1로 변하게 된다. 즉, 스팩 1주에 비상장사 주식 2주를 줘야 한다는 의미다. 비상장사 주주들이 누가 이 합병에 동의하겠는가? 스팩은 합병만을 목적으로 하는 껍데기 회사이기 때문에, 스팩 입장에서는 주가가 아무리 올라도 좋을 게 하나도 없다. 스팩 시가총액이 아무리 커져도 합병을 통해서 비상장사가 가져가는 자본금은 스팩의 자본금, 딱 그만큼이기 때문이다.

스팩의 경우 합병을 위한 기업가치를 산정할 때 1개월 평균주가, 1주일 평균주가, 최근일 주가를 평균해서 뽑게 된다. 그리고 합병은 주주총회 특별결의 사항이기 때문에 합병 당사자인 양측 법인 모두 주총 참석주주 의결권 $\frac{2}{3}$, 발행주식총수 $\frac{1}{3}$ 이상 찬성이 필요하다. 다시 말해 스팩 주가가 급등하면 합병 가능성이 낮아질 수밖에 없다는 얘기다.

합병 대상 기업을 찾고 합병 비율까지 합의가 됐어도, 그것으로 합병상장이 확정되는 것이 아니다. 한국거래소 상장예비심사를 다른 IPO 기업과 똑같이 받아야 하기 때문이다. 합병 대상인 비상장사의 여건에 따라 상장예심을 통과하지 못하는 경우도 자주 발생한다. 스팩은 합병 신고를 하게 되면 즉시 거래가 정지된 상태에서 상장예심을 받게 되는데, 심사 기간이 최소 2개월에서 길게는 4개월 정도 걸리기도 한다. 상장예심을 통과하지 못하면 거래재개 후 주가는 곤두박질할 수 있다. 스팩에는 시간 제약이 있기 때문이다. 스팩은 존속기간이 딱 3년이다. 36개월 이내에 합병하지 못할 경우 자동으로 상장폐지 된다. 합병상장 실무에 6개월 가까이 소요된다는 점을 감안하면 상장 후 2년 6개월 안에 합병 기업을 찾아와야 한다. 그렇지 못하면 상장 폐지는 시간 문제라고 보면 된다.

다만 스팩 주식은 상장폐지 된다고 해도 휴지조각이 되는 것은 아니다. 스팩의 자산이 있기 때문이다. 최초 설립 때 모은 자본금이 있고, 상장하면서 공모받은 자본금도 있다. 제도적으로 공모자금의 90% 이상을 금융기관에 예치하도록 하므로, 이를 통한 이자 수익도 발생한다. 나중에 상장 폐지가 되면 그동안 쌓아놓은 자산에서 각종 비용(스팩 임직원 인건비 등 운영비)을 제외하고 남은 자산을 주주들에게 배분하게 된다. 예를 들어 잔여 자산이 1주당 2050원이라면 스팩 주주들은 주가가 1800원이든 4000원이든 1주당 2050원을 받게 된다. 스팩을 4000원에 매수한 사람이라면 그냥 반 토막 나는 셈이다. 일부 삼성스팩의 경우 주가가 1만 원을 상회하기도 했는데, 이 주가에 사서 상장폐지 때까지 갖고 있다면 $\frac{1}{5}$ 토막이 나는 셈이다.

삼성스팩은 삼성그룹 M&A와 아무 관련이 없다. 삼성스팩은 그저 삼성증권이 만든 껍데기 회사일 뿐, 삼성그룹의 전략적 M&A와는 무관하다. 그럼에도 사람들은 '삼성'이라는, 'M&A'라는 소재에 자극을 받고 그것이 6000원이든 8000원이든 마구잡이로 뛰어든다. 필자가 〈와이스트릿〉 유튜브를 통해 삼성스팩 주가 급등을 주의해야 한다고 하자 이런 댓글이 달렸다. "삼성스팩 주주총회가 삼성전자 빌딩에서 열린 건 알고 있냐?"라고. 깜짝 놀랐다. 정말로 사람들이 삼성스팩의 주주총회가 삼성전자 빌딩에서 열렸다는 사실을 듣고 '삼성그룹 M&A'와 연관 짓는구나 개탄스러웠다. 삼성스팩 주주총회는 삼성전자 빌딩에서 열리는 게 당연하다. 삼성증권이 삼성전자 빌딩에 입주해 있기 때문이다.

따상을 기대하는 주린이,
첫날 다 까버리는 공모펀드

"따상• 성공할까?", "따상 기대주". IPO 절차가 마무리되고 거래 개시만 남겨둔 IPO주를 두고 언론이 종종 쓰는 헤드라인이다. 조금만 생각해보면, 얼마나 생각 없는 기사인지 알 수 있다. 상장 첫날 시초가가 공모가 대비 2배로 시작해 상한가까지 도달한다는 그림 같은 그림이다. '대어급 IPO'는 첫날 '따상' 갈 수 있다는 믿지 못할 믿음이 어느샌가 당연한 듯 자리하고 있는 듯하다. 아직 주관사

• '더블(따블) 상한가'의 준말로, 신규 상장하는 주식 종목의 첫 거래일 시초가가 공모가 대비 두 배로 형성된 뒤 가격제한폭인 30%까지 올라가는 것을 의미하는 주식 은어다.

선정도 안 한 비상장 기업에도 '따상 기대주, 따상 후보주'라는 말을 갖다 붙이기도 한다. 심지어 상장 첫날 급등하지 않은 신규 상장주에 "따상 실패"라고 뒤집어 씌우는 기사까지 나온다.

따상은 상장 첫날 시초가가 공모가의 2배까지 올라서 시작하고, 거기서 30% 상한가까지 추가로 내달린다는 의미다. 상장 첫날 오를 수 있는 최고치다. 한국거래소 규정에 따르면 2023년 상반기까지만 해도 상장 첫날 시초가 상단은 공모가의 200% 이내에서, 하단은 공모가의 90% 이내에서 결정됐다. 여기에 더해 개장 이후 가격제한폭은 위아래로 30%씩이었다. 이는 여타 상장주식과 같은 규정이다. 신규 상장 주식은 상장 첫날 이론적으로 공모가의 2.6배까지 오

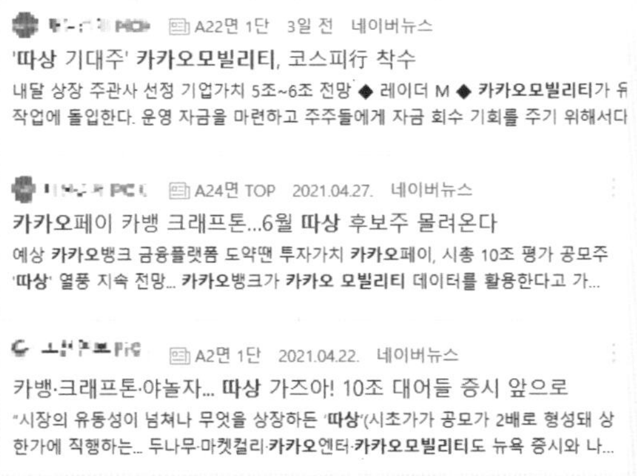

A22면 1단 3일 전 네이버뉴스
'따상 기대주' 카카오모빌리티, 코스피行 착수
내달 상장 주관사 선정 기업가치 5조~6조 전망 ◆ 레이더 M ◆ 카카오모빌리티가 유
작업에 돌입한다. 운영 자금을 마련하고 주주들에게 자금 회수 기회를 주기 위해서다

A24면 TOP 2021.04.27. 네이버뉴스
카카오페이 카뱅 크래프톤…6월 따상 후보주 몰려온다
예상 카카오뱅크 금융플랫폼 도약땐 투자가치 카카오페이, 시총 10조 평가 공모주
'따상' 열풍 지속 전망… 카카오뱅크가 카카오 모빌리티 데이터를 활용한다고 가…

A2면 1단 2021.04.22. 네이버뉴스
카뱅·크래프톤·야놀자… 따상 가즈아! 10조 대어들 증시 앞으로
"시장의 유동성이 넘쳐나 무엇을 상장하든 '따상'(시초가가 공모가 2배로 형성돼 상
한가에 직행하는… 두나무·마켓컬리·카카오엔터·카카오모빌리티도 뉴욕 증시와 나…

따상이 당연한 것처럼 언론사들이 기사 제목을 자극적으로 쓰고 있다.

출처: 네이버 뉴스 검색

를 수 있는 것이다.

이는 곧 기업가치가 하루 만에 2.6배 높아진다는 소리나 마찬가지다. 얼마나 말도 안 되는 소리인지 주가가 아니라 기업가치로 보면 삼척동자도 알 수 있을 것이다. 따상이 논리적이려면, 상장주관사가 발행사 기업가치를 적정가치의 40%도 안 되는 값으로 매겼다거나, 공모가 산정과 상장일 사이 약 열흘 남짓 기간에 기업가치가 2.6배 올랐어야 한다.

위와 같은 기사를 쓰는 기자들이 이를 모를 리 없다. 그냥 관성으로 쓰는 것이다. 문제는 정말 그런 기사를 보고 따상을 노리며 달려드는 불나방 같은 투자자(어쩌면 투기꾼)가 엄청 많다는 것이다. 시가총액이 수천억 원대인데, 상장 첫날 거래대금이 1조 원을 넘는 경우도 수두룩하다. 그런데 지나고 보면 상장 첫날 따상의 흔적은 시퍼런 피뢰침으로 남아 있는 경우가 많다. 음봉 혹은 윗꼬리 즉, 상장 첫날 높은 가격으로 갔다가 이내 고꾸라지기 시작했다는 것이다.

정말 괜찮은 공모주가 있을 때 영리한 투자자들은 마이너스 통장까지 동원해서 청약을 넣는다. 그리고 상장 첫날 공모가의 2.6배에 사줄 호구들을 기다린다. 아무리 시초가에 더블을 갔어도, 거기서 추가 상한가 가는 것을 먹으려고 덤벼들지 않는다. 자칫하면 큰 변동성의 희생양이 되기 때문이다. 공모주 펀드를 운영하는 펀드매니저들도 상장 첫날 내던질 준비를 한다. 여느 펀드가 그러하듯 공모주 펀드 역시 투자 자금이 한정적이다. 그래서 다른 공모주를 받으려면 기존 공모주를 빨리 내다 팔아야 한다. 계속해서 공모가로 공모주를 받고, 상장 초반 내다 팔아 수익률을 확정하고, 또 다른 공모주를 청약하고, 상장 첫날 되팔고, 이런 식으로 회전시키고 또 회전시키는 반복의 연속이다. 한 공모주 펀드매니저는 "우리는 무조건 첫날 다 까요"라고 대놓고 말한다. 기자들은 거기다가 "따상 성공할까?"라며 양념을 쳐준다. 여기에 입맛을 다시는 것은 불나방 같은 개미들 뿐이다.

주식 투자를 '바보게임'이라 표현하는 사람들이 있다. 나보다 더 비싼 값에 사줄 바보를 찾는 게임이라는 것이다. 이것은 투자가 아니라 투기다. 옳은 비유는 아니지만 굳이 게임에 비유하자면, 투자는 기업가치를 찾는 게임이고, 투기는 바보를 찾는 게임 정도가 될 것이다. 기자들의 바보게임 생중계가 텍스트 몇 줄이라 치부하기에는, 누군가 치러야 할 대가가 너무 크다.

이 같은 부작용을 방지하고자 정부는 2023년 6월 26일부터 상장일 가격제한폭을 확대하기로 했다. 상장 당일 첫 거래일 가격제한폭을 공모가의 60%~400%까지 확대한 것이다. 종전에는 63~260%였다. 정부는 이 같은 제도 변경을 통해 '상한가 굳히기'가 어려워질 것으로 전망했다. 다만 더욱 커진 변동폭을 보고 불나방 같은 투기가 급증할 염려는 더욱 커졌다. 어차피 투기 성향을 가진 사람들에게 260%짜리 따상보다 400%짜리 따따블이 더 맛있어 보이지 않겠는가?

시장의 검은손, 주가 조작 세력을 만나다

주가 조작은 매우 광범위한 표현이다. 주가를 움직여 이득을 보겠다는 불법적 행위를 통칭하는 말로 쓰이는데, 법적으로는 '불공정거래'라고 한다. 그 종류도 매우 다양하다. 시세조종, 미공개 중요정보 이용, 부정거래, 시장질서 교란 등이 대표적이다.

'미공개중요정보 이용'은 자본시장법 174조를 통해 금지하고 있는 행위다. 공시대상인 중요정보를 사전에 취득하고 이를 거래에 이용하거나 타인에게 이용하게 해서는 안 된다는 내용이다. 흔히들 "어디 좋은 정보 좀 없어?", "이거 너만 알고 있어"라고 오가는 내용이 여기에 해당될 수 있다. 물론 그것이 공시 대상으로, 중요정보에 해당되어야 하지만 말이다. 중요정보란 자산양수도, 최대주주 변경, 공개매수, 실적 등 공시대상 정보를 말한다.

시세조종, 좁은 의미의 주가 조작

주가 조작이라는 표현은 매우 광범위한 의미를 담고 있다. 주가 조작을 넓은 의미로 보자면 거짓된 풍문을 유포하거나, 미공개 정보를 이용하거나, 의도적으로 공시를 위반하는 것 등 셀 수 없이 많을 것이다. 그러나 직접적으로 '시세를 움직인다'는 좁은 의미로 보자면 주가 조작은 다음과 같은 형태로 압축된다.

- **주가 조작 유형**
  - **통정매매 · 가장매매 :** 특정 주식의 거래가 성황을 이루고 있는 듯 잘못 알게 하기 위해 상대방과 사전에 약속하고 주식을 매매하거나(통정매매), 불필요한 매매수수료까지 부담하면서 자기계산 계좌에서 주식을 사고파는 행위(가장매매)
  - **고가주문 :** 주가를 상승시키기 위해 매수 가능한 가격보다 높은 가격으로 주문을 내는 행위
  - **저가주문 :** 주가를 하락시키기 위하여 매도할 수 있는 가격보다 낮은 가격으로 주문을 내는 행위

- **허수주문 :** 실제 매수 또는 매도하고자 하는 의사 없이 거래가 성황을 이루고 있는 것처럼 보이기 위해 시세보다 현저히 낮은 매수주문 또는 현저히 높은 매도주문을 하는 행위
- **허위사실 유포 :** 사실과 다른 내용을 시장에 퍼뜨려 주가를 상승시키거나 하락시키는 행위

이는 말 그대로 주가를 조작하기 위한 방법들이다. 호가를 움직이고 시세를 변화시켜 자신이 원하는 방향으로 주가를 끌어가고자 하는 행위를 말한다. 좁은 의미의 '작전'이라 볼 수도 있다. 시가총액이 작고 거래량이 적은 종목의 경우 위와 같은 시세조종을 통해 얼마든지 주가를 움직일 수 있다. 시가총액 500억 원 안팎 소형주의 경우 수천만 원짜리 계좌 몇 개만 동원하면 반복적인 고가주문을 통해 시세를 들어 올릴 수 있다. 이처럼 적은 금액으로도 가능한 것은 이른바 '오징어잡이 배 효과'가 있기 때문이다. 선박에 매우 밝은 등불을 켜놓으면 오징어 떼가 몰려드는 것처럼, 호가창을 반짝반짝 만들면 개미들이 쉽게 몰려든다. 이후 거래량 증가를 수반하면서 시세에 힘이 실리기도 한다.

사실 이는 아주 고전적인 수법이다. 최근에는 소수 계좌 추적 제도와 IP(인터넷 주소) 추적 기술이 발달해서 이 같은 시세조종은 어렵지 않게 감시망에 포착된다. 서울 여의도 한국거래소 시장감시

본부에 가보면 대형 전광판에 종일 이상주문이 체크되고 있다.

시세조종 세력들은 최소 수십 개 계좌를 동원하고, 해외 서버를 이용하거나 여러 지역 PC방 등에 아르바이트생들을 위치시켜서 시세조종을 하기도 한다. 이때 아르바이트생들은 자신의 고용주가 누구인지 알 수 없다. 세력들은 퀵서비스를 통해 지시 문건을 전달하는 등 철저하게 자신들의 익명성을 지킨다. 그런데 사실 이 같은 고가주문, 허수주문, 통정매매만으로는 시세를 크게 들어올리거나 지속해서 상승시키기 어렵다. 아주 짧은 시간 급등을 만들어낼 수는 있겠지만, 어디선가 대량 매도물량이 출회되면 노력이 물거품되기 십상이다. 그래서 시세조종 세력들은 '허위사실 유포'라는 또 하나의 무기를 장착한다. 그래야만 주가가 급등했을 때 대량 거래가 터지면서 자신들 매물을 팔고 나오기 쉽기 때문이다. 아무리 상방으로 시세를 조종해도 거래량이 수반되지 않으면 그들이 먹을 수 있는 금액도 제한적일 수밖에 없다. 시세만큼 중요한 것이 거래량이다.

개미를 낚고 싶었던 300억 유튜버

흔히들 차트를 분석하면서 '세력이 매집 중', '세력이 받치고 있다',

'세력이 누르고 있다' 등의 표현을 쓴다. 그 세력이 누구인지는 알 수 없지만, 많은 사람들이 '알 수 없는 영역의 누군가'를 세력이라고 표현한다. 그 세력이 때로는 최대주주가, 회사가, 슈퍼개미가 될 수도 있고, 때로는 리딩방, 종목토론방이 될 수도 있다고 본다. 최대주주와 회사가 호재를 연거푸 쏟아내거나 일부러 악재를 흘릴 수도 있다. 주가를 부양해야 하거나 주가를 눌러야 하거나 최대주주 입맛에 맞는 선택을 하기에 공시와 뉴스는 더없이 편리한 수단이다. 물론 의도하는 대로 주가가 다 그렇게 움직이는 것은 아니지만 말이다.

반대로 개미들도 세력이 될 수 있다. 거래량 적은 종목에 일시에 개미들의 물량이 몰리면 주가가 충분히 급등락할 수 있기 때문이다. 특히 상당수 개미들을 한 방향으로 이끌 수 있는 경제방송, 리딩방, 종목토론방 등에서 이런 일이 종종 일어난다. 한날한시에 매수 추천종목이 나가면 일시적으로라도 호가가 움직이는 경우가 많다. 케이블 경제방송에서는 매일같이 여러 출연자가 추천주를 들고 나온다. 아무 뉴스도 없고, 아무 공시도 없는데 주가가 급등하는 경우, 잘 찾아보면 케이블 경제TV에서 종목 추천이 방송된 경우가 많다. 최근에는 그것이 유튜브, 카카오톡 리딩방 등으로 다양해지고 있다. 문제는 고의성을 가진 시세조종이다. 법에서 금지하는 시세조종은 다음과 같다.

법에서 금지하는 시세조종

- 매매 시기와 가격을 서로 짜고 거래하는 행위
- 실제 권리 이전을 목적으로 하지 않고 거짓으로 꾸민 매매 행위
- 매매가 성황을 이루는 것처럼 잘못 알게 하거나 그 시세를 변동시키는 행위
- 자신 또는 타인의 조작에 의해 시세가 변동한다는 말을 유포하는 행위
- 중요한 사실에 관해 거짓·오해를 유발시키는 행위

이 경우 1년 이상 징역 또는 부당이익의 3배 이상 5배 이하에 상당하는 벌금형에 처한다. 이처럼 주가를 움직이려는 시도 외에도 '시세관여'로 처벌받는 경우도 있다. '시세관여형 시장질서 교란행위'라고 하는데, 대량의 허수주문 제출, 가장·통정매매, 풍문 유포 등으로 시세에 부당한 영향을 주거나 줄 우려가 있는 경우가 여기에 해당한다. 실제로 거래를 체결하려는 목적이 아니라 대량으로 호가만 제시해 눈속임을 한다거나(허수주문), 누군가와 특정 시기에 가격을 짜놓고 주식을 주고받거나(가장·통정매매), 소문을 흘려서(풍문 유포) 투자자를 오인하도록 하는 행위도 불법이라는 것이다. 이 같은 시장질서 교란행위에는 과징금이 부과된다. 과징금은 5억 원 이하 또는 부당이득의 1.5배 이내에 이른다.

가장매매, 통정거래는 특정인이 서로 짜고 특정 계좌를 통해 주식을 사고파는 것을 말하는데, 과거에는 주가를 들어올릴 목적으

로 행하는 경우가 많았다. 시가총액이 작고 거래량이 적은 종목의 경우 다수의 계좌를 통해 반복적으로 거래를 일으키면서 주가를 급등시킬 수 있기 때문이다. 반짝이는 호가를 보고 뒤따르는 투자자들을 이용해 더 큰 효과를 볼 수도 있었다. 다만 이는 계좌 분석과 IP 추적 기술이 발달하면서 전통적인 수법이 되어버렸다. 시장 규모와 시가총액이 커지고 거래량이 많을수록 가장매매에 동원해야 하는 계좌와 금액이 커지는 한계도 있다.

최근에는 가장매매를 이용하는 사례도 등장했다. 지난 2021년 초, 가장매매 혐의로 2억 원 안팎의 과징금을 부과받은 사례다. 증권사에서 ETF 거래가 많은 고객에게 상금을 지급하는 이벤트를 벌이자 가족, 친인척 명의 계좌를 여러 개 확보해 ETF를 1인당 200만~300만 주씩 거래한 것이다. 이들은 각 증권사 ETF 이벤트에 100여 차례 참여해 1인당 2억~3억 원 수준의 상금을 획득했다고 한다.

허수주문으로 주가를 끌어 올리려 한 사례도 있었다. 거래량이 많지 않은 우선주를 가지고 개장 전 동시호가 시간에 대량의 고가 매수 주문이 많은 것처럼 보이도록 한 사례다. 거래량이 적고 변동성이 큰 우선주를 대상으로 고가의 매수주문을 넣었다가 모두 취소하는 등 약 10여만 주에 달하는 허수 주문을 반복했다고 한다. 증권선물위원회는 이 사람에게 과징금 2250만 원을 부과했다.

구독자 10여만 명을 보유한 한 유튜버도 이런 짓을 저질렀다. 그는 자신이 운영하는 유튜브 채널에서 300억 원 계좌를 인증하며 인기를 끈 인물이다. 단시간에 각종 테마주 투자로 수십억을 벌었다며 유튜브 영상을 올리고, 책을 출간하기도 했다. 허수주문을 통한 시장질서 교란행위가 적발되자 그는 "이런 일을 혼자서 한 것은 주가 조작이 아니다"라고 주장했다고 한다. 금융위원회는 그를 검찰에 고발했다.

"속여라 속을 것이다" 사기적 부정거래

'사기적 부정거래'는 말 그대로 주식시장에서 사기를 쳐서 자기의 이득을 얻는 행위를 말한다. 어렵게 말하면 '부정한 수단, 계획 또는 기교를 사용하는 행위'인데, 그냥 쉽게 말하면 '사기친다'는 뜻이다. 서류 등에 거짓을 기재하거나 풍문을 유포하거나, 위계를 사용하거나, 폭행 또는 협박하는 행위도 여기에 포함된다.

단순한 예를 들자면, A사가 삼성전자로부터 투자받는다거나 애플 협력사로 등록됐다는 풍문을 유포해 주가를 올리는 행위가 여기 포함된다. 회사가 매각된다거나 투자 유치를 통해 신규사업에 진출할 거라는 것도 부정거래에 자주 등장하는 풍문 소재다. 이 같은 풍문을 진짜 그럴듯하게 만들기 위해 세력들이 직접 풍문을 현실로 기획하는 장본인이 되기도 한다. M&A설을 흘리기 위해 자기들이 직접 그 회사 최대주주에게 인수 제안을 넣는 것이다. 최대주주 구주를 인수하겠다거나, 수백억 원 유상증자에 참여한다거나, 전환사채CB를 인수한다거나 여러 제안을 넣는다. 그리고 난 뒤 이 같은 '설'을 흘린다. M&A 제안 초기 단계부터 계획적으로 계획을 흘려 주가를 높인다.

차명 혹은 페이퍼컴퍼니Paper Company(명목회사)를 통해 유상증자 참여 계획을 공시하면서 주가를 높이는 경우도 있다. 그러나 정작 주가가 급등하면 실제 유상증자에는 참여하지 않는다. 이미 차명으로 시세차익을 충분히 얻었기 때문이다. M&A 복합 기획형 주가조작의 실제 사례는 뒷부분에 자세히 설명하겠다.

사기로 밝혀진 '마스크 1조 원 수출계약'

코로나19가 한창이던 2020년 12월 16일의 일이다. 코스닥 상장사 엘아이에스는 9817억 원(9억 달러) 규모의 KF94 마스크를 태국 제지업체 더블에이그룹에 공급하기로 했다는 내용을 공시했다. '1조 원에 가까운 엄청난 금액', '회사 연간 매출(2020년 2024억 원)의 5배

단일판매 · 공급계약체결

1. 판매·공급계약 내용		마스크 (KF94) 상품 공급계약
2. 계약내역	조건부 계약여부	미해당
	확정 계약금액	981,720,000,000
	조건부 계약금액	-
	계약금액 총액(원)	981,710,000,000
	최근 매출액(원)	145,119,083,456
	매출액 대비(%)	676.49
3. 계약 상대방		DOUBLE A GROUP
- 최근 매출액(원)		814,989,900,000
- 주요사업		용지제조, 펄프사업 등
- 회사와의 관계		없음
- 회사와 최근 3년간 동종계약 이행여부		미해당
4. 판매·공급지역		태국
5. 계약기간	시작일	2020-12-15
	종료일	2021-08-18
6. 주요 계약조건		-
7. 판매·공급방식	자체생산	미해당
	외주생산	미해당
	기타	상품매입 후 공급
8. 계약(수주)일자		2020-12-15
9. 공시유보 관련내용	유보기한	-
	유보사유	-
10. 기타 투자판단에 참고할 사항		

2020년 12월 코스닥 상장사 엘아이에스가 9817억 원 규모 마스크 수출 계약을 맺었다고 공시했다.

출처: 금융감독원 전자공시

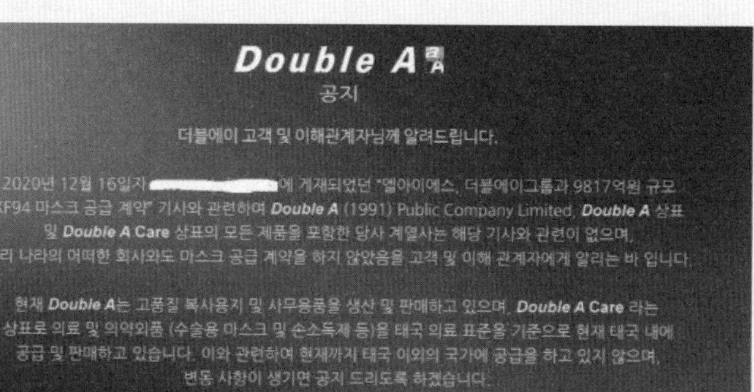

Double A

공지

더블에이 고객 및 이해관계자님께 알려드립니다.

2020년 12월 16일자 [redacted]에 게재되었던 "엘아이에스, 더블에이그룹과 9817억원 규모 KF94 마스크 공급 계약" 기사와 관련하여 ***Double A*** (1991) Public Company Limited, ***Double A*** 상표 및 ***Double A* Care** 상표의 모든 제품을 포함한 당사 계열사는 해당 기사와 관련이 없으며, 우리 나라의 어떠한 회사와도 마스크 공급 계약을 하지 않았음을 고객 및 이해 관계자에게 알리는 바 입니다.

현재 ***Double A***는 고품질 복사용지 및 사무용품을 생산 및 판매하고 있으며, ***Double A* Care** 라는 상표로 의료 및 의약외품 (수술용 마스크 및 손소독제 등)을 태국 의료 표준을 기준으로 현재 태국 내에 공급 및 판매하고 있습니다. 이와 관련하여 현재까지 태국 이외의 국가에 공급을 하고 있지 않으며, 변동 사항이 생기면 공지 드리도록 하겠습니다.

감사합니다.

배포일: 22/12/2020

계약 상대방으로 알려진 태국 더블에이 그룹은 엘아이에스의 공시 내용을 전면 부인했다.

출처: 더블에이코리아 홈페이지

가까운 규모', 'A4용지로 유명한 더블에이그룹' 같은 재료는 주가를 충분히 급등시킬 수 있었다. 이날 공시 직후 엘아이에스 주가는 장중 29.67%까지 치솟았다.

그러나 이 공시는 더블에이 측이 관련 내용을 부인하면서 허위임이 밝혀졌다. 같은 달 22일 더블에이 측은 자사 홈페이지 공지문을 통해 태국 등에 확인한 결과, 한국의 어떠한 회사와도 마스크 공급 계약을 맺은 사실이 없다고 부인했다. 공시상 계약금 입금 예정일이던 23일, 역시나 계약금(490억 원)은 입금되지 않았고, 엘아이에스는 해당 공시를 철회했다. 누군가 주가를 띄우기 위해 기획한 작품이었을 가능성이 매우 크다.

해외 현지법인이나 사무소가 없는 중소기업의 경우 대부분 수출을 현지 브로커(중개상)에게 의존한다. 현지 사정을 잘 아는 중개상에게 일정 금액 수수료를 주고 현지 영업과 유통을 맡기는 것이다. 필자도 당시 이 사안을 취재했다. 당시 엘아이에스 관계자는 "(계약서상 더블에이 측 직인을) 중개업체를 통해 받아 온 것으로 알고 있다"며, "더블에이 관계자와 연락도 중개업체를 통해 하는 것"이라고 말했다. 문제는 브로커나 제3자가 사기를 쳐도 현지를 통한 검증이 쉽지 않다는 점이다. 계약금이라도 들어오면 나은 편이다. 일단 제품을 만들 자금은 확보한 것이고, 나머지 대금은 수출 선적과 함께 순차적으로 받으면 되기 때문이다. 그러나 엘아이에스는 계약금을 한푼도 받지 않은 상황에서 공시부터 해버렸다. 이 자체가 드문 일이다.

제도적으로 계약금을 받지 않은 상황에서도 공시는 가능하다. 중요사항이 발생했을 경우 모든 시장 참여자들에게 이를 신속히 알린다는 것이 공시의 취지이기 때문이다. 계약금을 받기 전이라 하더라도 공시 서류에 '계약금 얼마를 언제 받을 예정'이라고 쓰면 된다. 공시는 그 내용의 진실성을 담보하지 않는다. 금융감독원과 한국거래소 등 그 어떤 기관도 상장사 공시의 진실 여부를 확인할 수 없다는 뜻이기도 하다. 매번 공시를 할 때마다 거래소나 금융감독원 직원이 세계 각국 거래처까지 확인해가면서 진실 여부를 확인할 수는 없다는 것이다. 공시에 필요한 부수서류를 통해 간접적으로 형식적인 사실 관계만 확인할 뿐이다. 예를 들면 거래 상대방과의 계약서, 상대 기업에 관한 사업자등록증 사본, 대표이사 확인서 등을 첨부해서 해당 공시가 적절한 절차에 의해 이뤄진다는 것을 확인시켜주는 것일 뿐이다. 이번 사례에서는 이 같은 공시상 허점을 잘 아는 세력이 이를 악용했을 것으로 추정된다. 그게 회사 측일지, 브로커일지, 아니면 이 둘을 모두 속인 제3자일지 알 수는 없다. 역대급 허위공시로 기록될 사건이지만 처벌은 미미했다. 이후 한국거래소는 해당 공시 사고를 '고의에 의한 과실'이라고 판단했지만 엘아이에스에 대한 징계는 벌점 9.5점, 제재금 3800만 원에 그쳤다.

문제는 여기서 끝나지 않는다. 미공개 정보 이용 문제까지 있었다. 당시 공시가 나오기 하루 전날 엘아이에스 주가는 이미 한 차례 상한가를 기록했다. 강보합으로 시작한 2020년 12월 15일 주가는 장후반으로 가며 급격히 상승폭을 키우다가 상한가에 도달했다. 이유 없이 상한가에 이르자 시장에서는 "무슨 테마주냐"라는 말까지 나왔다.

결국 다음 날 1조 원 가까운 대규모 수출계약 공시가 나왔다. 16일 공시 직후 상한가에 달했던 주가는 이후 차익 시현 물량이 쏟아지면서 상승폭을 대부분 반납하며 +10.53%로 마감했다. 내부자

등의 미공개 정보 이용이 의심되는 대목이다. 한국거래소와 금융감독원은 이상거래를 탐지한 것뿐만 아니라, 해당 사안을 복합·기획형 주가 조작으로 보고 조사를 벌이기도 했다.

증권사 애널리스트의 차명계좌 선행매매

지난 2019년 9월 18일 금융감독원 자본시장 특별사법경찰(특사경)이 여의도 하나금융투자(현 하나증권) 리서치센터를 압수수색했다. 금융감독원 특사경이 출범한 이후 첫 압수수색이었다. 특이한 것은 하나금융투자 본사가 여의도 금융감독원 바로 옆 건물이라는 점이다. 특사경 출범 후 첫 압수수색이 불과 5m 떨어진 옆 건물에서 진행됐다.

특사경은 특정 애널리스트의 사기적 부정거래 정황을 포착하고 압수수색을 진행했다. 알고 보니 이랬다. 이 회사 애널리스트 A씨는 자신의 보고서가 발간되기 전 친구 B씨에게 해당 종목을 알려주고 주식을 매수하게 했다. 보고서 발간 이후 주가가 오르면 매도하는 방식으로 돈을 챙겼다. 일종의 선행매매다. 서울남부지검에 따르면 애널리스트 A씨는 이런 방식으로 친구 B에게 7억 6000만 원 상당의 부당이득을 취하게 했고, A씨는 그 대가로 B에게 6억 원 상당의 금품을 수수했다. B의 체크카드를 쓰고, 현금도 받는 방식이었다고 한다.

이후 재판을 거치면서 A씨는 자신의 어머니 계좌로도 선행매매를 한 것으로 밝혀졌다. 어머니 계좌로 16억 원을 벌어들인 뒤 이 가운데 12억 원의 차액을 챙긴 것으로 드러났다. 결국 A씨는 징역 3년 실형에 벌금 5억 원을 선고받았다. 2020년 7월 1심, 2021년 1월 2심 모두 같은 형량이었다.

당시 이 사건은 여의도를 꽤 떠들썩하게 만들었다. 해당 증권사가 은행계열 대형사였기도 했고, 해당 애널리스트가 여러 차례 베스트 애널리스트로 꼽힌 인물이었기 때문이다. 특히 하나금융투자는 그 어떤 증권사보다 베스트 애널리스트 순위에 강하게 집착하는 증권사여서 충격이 더 컸다.

또한 A씨는 자신의 보고서뿐만 아니라 선후배 동료들의 보고서 발간 정보까지 친구에게 알려준 것으로 전해지면서 동료들의 배신감도 컸다고 한다. A씨 때문에 리서치센터 모든 애널리스트가 검찰에 스마트폰을 압수당하고 상당수가 직접 조사까지 받는 등 곤욕을 치렀다. 또한 당시 A씨가 서울 반포지역 최고가 아파트를 현찰로 매입한 것으로 알려지면서 더욱 화제가 되기도 했다. 업계에 따르면 국세청이 해당 부동산 매입에 관한 자금 출처를 조사하다가 A씨의 직업을 보고 금융당국에 정보를 이첩하면서 조사가 확대된 것으로 전해진다.

필자 개인적으로는 취재기자로서 아쉬움이 남는 사건이기도 하다. A씨의 발간 예정 보고서 내용이 일각에서 유통되고 있고, 일부 선행매매에 악용되는 것 같다는 정보를 2019년경 접했으나, 증거를 확보하지 못해서 기사화하지 못한 사안이기 때문이다. 친분 있는 한 펀드매니저에게 정보를 전해 들은 뒤 지인들에게 캡처 화면이라도 구할 수 있는지 요청했지만 기사 작성까지 가능한 수준의 물증은 확보할 수가 없었다.

또 다른 증권사에서는 리서치센터장이 이 같은 선행매매 혐의로 유죄 판결을 받기도 했다. 지난 2021년 4월 5일 서울남부지법 형사13부는 자본시장과 금융투자업에 관한 법률 위반 등 혐의로 기소된 DS투자증권 전 리서치센터장 C씨에게 징역 2년과 벌금 5억 원을 선고했다. C씨는 리서치센터장으로 재직하면서 이 증권사를 통해 발간되는 리포트 정보를 미리 지인에게 알려주고 해당 종목을 매수하게 한 혐의다. 선행매매 방식으로 벌어들인 돈은 4억 5000만 원 상당으로 알려졌다. C씨에게 정보를 받아 주식을 매매한 D씨에게는 징역 1년 6개월과 집행유예 3년, 벌금 2억 원이 선고됐다. 다만 이 사건은 DS투자증권이 워낙 소형 증권사이고 리서치센터 존재감도 미미한 곳이어서 하나금융투자 사례만큼 화제가 되지는 않았다.

한국에서만 벌어지는 일은 아니다. 지난 2021년 4월 20일(현지시간) 〈월스트리트저널〉에 따르면 미국 골드만삭스 애널리스트 브라이언 머과이어는 투자 의견을 중립에서 매수로 상향 조정한 2개 종목을 선행매매한 혐의로 적발됐다. 매수 금액은 85만 달러 수준으로 전해졌다.

M&A 복합 기획형 주가 조작

앞서 기술한 시세조종은 어쩌면 단순한 일로 보일 수 있다. '복합 기획형' 주가 조작 앞에서는 말이다. 허수 호가를 반복 제출하거나 계좌 몇 개로 주식을 주고받는 등의 행위는 1년 이상 기획된 주가 조작 앞에 어린애 장난 축에도 못 낄 수 있다. 현장을 취재하면서 직접 목격한 몇 개의 사례를 통해 복합 기획형 주가 조작을 전해보려 한다.

삼성전자 우량 협력사를 노린 검은 손

코스닥 상장사 A사의 이야기다. 삼성전자 1차 협력사인 A사는 오랜 업력과 기술 노하우를 가진 탄탄한 중소기업이다. 창업자는 친구와 동업으로 30년 가까이 공동경영을 해왔다. 동업이 그렇듯이 친구 사이에 갈등도 많았다. 나이도 들고 건강도 나빠지면서 은퇴를 고민하던 시점이었다. 이때 M&A 선수들이 접근한다. 삼성전자 1차 협력사, 30년에 달한 동업관계, 환갑을 바라보는 창업자들… M&A 세력에게는 더 없이 매력적인 상장사였다.

지난 2018년 7월 A사는 경영권 매각을 공시했다. 인수자는 S바이오와 S농업법인, 그리고 개인 2명이었다. 이들은 기존 최대주주 지분을 194억 원에 인수하고, 유상증자와 CB 발행 등으로 770억 원가량을 신규 투자하겠다고 했다. 이는 이 회사 시가총액보다 더 큰 금액이었다.

그런데 이상한 점이 한둘이 아니었다. 일단 M&A 공시가 나오기 전 A사 주가가 급등했다. 그해 5월 말 4800원이던 주가는 M&A 공시 전인 7월 12일 8220원까지 올랐다. 한 달여 만에 약 71% 급등한 것. 6월 월간 상승률만 55%였다. 6월 18일 장중에는 8500원까지 오르며 이 기간 상승률 77%를 기록하기도 했다.

인수 주체도 의심을 사기에 충분했다. S바이오는 사업 실체가 모호한 데다 홈페이지조차 없었다. 기자가 등기부등본을 확인해보니 자본금 1억 원 규모로 경영컨설팅, 기업구조조정업, 부동산 임대업 등을 사업 목적으로 하는 법인이었다. 특히 인수 주체로 이름을 올린 이 모 씨는 취재 결과 지난 2016년, 2017년 상장폐지 된 J사, N사 출신으로 밝혀졌다.

당시 이를 바탕으로 기자는 이 씨를 계속 취재했다. 자본은 어떻게 마련할 계획인지, A사를 인수해서 어떤 사업을 하겠다는 건지 등 이런 물음에 이 씨는 "A사를 인수해서 미세조류와 미생물 배양 사업을 할 것이고 이란에 진출할 계획"이라고 말했다. 의심을 거두지 않자 이 씨는 "상장사인 대기업 N사의 계열사와 함께 이란에 공동 진출할 계획"이라고 했다. 마침 N사 출입 경험이 있어서 취재원을 통해 알아볼 수 있었다. 그 결과 N사는 물론 N사가 속한 그룹의 어떤 계열사도 S바이오나 이 모 씨 등과 해당 사업을 논의한 적 없다는 이야기를 들을 수 있었다. 더욱이 당시 이란은 미국의 경제 제재를 받고 있는 상황이어서 이란 진출은 어불성설이라고 했다.

당시 기자는 공시 직전 주가가 급등한 점, 상장폐지 전력자의 가담, 실체 없는 사업 추진 등을 바탕으로 취재를 시작했다. 금융감독원 취재원과 정보를 주고받으며 기사를 쓰고 조사를 요청했다. 결국 이 M&A는 엎어졌다.

인수자 측에서 인수대금을 마련하지 못했다. 770억 원에 달하는 증자는 물론, 194억 원대 구주 매각도 진행되지 않았다. 인수자 측에서 내분이 벌어진 것으로 알려졌다. 인수자들은 계약금 9억 7100만 원을 날리게 됐다.

추정이지만, 이들은 계약금 9억여 원보다 더 많은 것을 얻었을 것으로 생각된다. 일단 구주 194억 원어치 인수를 위한 계약금은 19억 4200만 원이었으나, 계약 시점에 이들은 그 절반인 9억 7100만 원만 지급했다. 나머지 절반은 실사 후에 지급한다고 해놓고 거래를 깬 것이다. 그렇다면 그들은 9억여 원을 손해본 것일까? 오히려 그보다 훨씬 더 큰 돈을 챙겼을 것이라는 정황이 포착됐다. 공시 전 급등한 주가, 그것이었다.

A사에 관한 기사를 여러 번 쓰자 제보자가 등장했다. 이번 M&A에 관해 잘 알고 있다는 사람이었다. 단순한 M&A가 아니며, 경영권 인수보다는 주가 조작에 초점을 맞춘 작전이었다고 했다. 자신은 이른바 '주포'에게 돈을 맡긴 '쩐주' 중 한 명이라고 했다. 주포란, 작전을 설계하고 직접 진두지휘하는 핵심 인물을 말한다. 영화로 치면 감독과 같은 위치다. 작전에는 보통 여러 사람 이름의 계좌 수십, 수백 개가 동원된다. 매매 주문을 넣는 장소도 분산한다. IP 추적을 당하지 않기 위해서다. 제보자는 주포에게 돈과 계좌를 빌려준 사람 중 한 명이었다. 제보의 신빙성을 높이기 위해 주포의 사진을 보여주고, 주포를 도와주는 D증권사 지점장을 지목하기도 했

다. 그가 기자에게 제보 전화를 한 것은 자신이 돈을 떼일 위기에 처했기 때문이었다. 주포와 가까운 선수들은 주가가 급등할 때 먼저 치고 빠졌고, 자기와 같은 힘 없는 쩐주는 M&A가 무산되면서 급락한 주가에 같이 물려버렸다는 것이다.

다만 기사를 쓰기 위해서는 좀 더 자세한 내용이 필요했다. 제보자를 직접 만나봐야 했고, 그가 지목한 주포와 증권사 지점장을 추가 취재할 필요도 있었다. 이를 요청하자 그는 "며칠까지 돈을 돌려받기로 했는데, 그때까지 돈을 못 받게 되면 그들의 신상과 증거자료들을 다 넘겨주겠다"라고 했다. 더욱 확실한 기사를 위해서, 자료가 넘어오면 금융감독원 취재원과 함께 움직일 계획도 세워뒀다. 약속한 날이 지났다. 그의 연락은 없었다. 아마도 제보자는 본인의 돈을 돌려받았던 것 같다. 그리고 세력들에게 원한 관계를 만들면서까지 언론에 추가 제보할 필요성을 느끼지 못했을 것이다. 얼마 후 그 제보자의 전화번호도 바뀌었다.

특종은 놓쳤지만 그래도 다행인 것은 A사에 피해가 없었다는 점이다. 경영권을 넘기지 않았고, 그 이후로 본업과 자체 신규사업이 무난히 진행되면서 지금까지 건실한 중소기업으로 잘 운영되고 있다. 다만 2018년 당시 M&A 건과 주가 급등을 보고 따라붙었던 수많은 개인투자자들을 생각하면 마음이 불편하다. 주가 조작 세력이 만든 개미 지옥에 그대로 빠져버린 사람들 말이다.

금감원 고위직 출신 CEO와 보톡스

코스닥 상장사 B사의 사례다. B사는 디스플레이 제조장비 분야 강소기업으로, IT분야 대기업 쪽으로 탄탄한 협력 관계를 이어가고 있다. B사에 검은손이 드리운 계기 역시 앞선 A사의 사례와 비슷했다. 창업자가 은퇴를 고민하던 시기, M&A를 빌미로 세력들이 접근한 것이다.

지난 2016년 초 박 모 씨와 정 모 씨가 B사 창업자를 찾아왔다. 지분 대부분을 인수하고 추가 투자도 하겠다며, 보톡스(보툴리눔 톡신) 사업에 진출해 회사를 더욱 성장시키겠다고 약속했다. 본인의 은퇴와 회사의 지속 성장에 대해 고민하던 창업자는 이들의 제안을 받아들였고, 그해 3월 최대주주 변경 계약을 맺었다.

아니나 다를까 M&A 공시 직전 약 2주간 주가는 3000원대 초반에서 5000원대 후반까지 급등했다. 또한 최대주주 변경 공시 직후 약 7거래일 만에 B사 주가는 5000원대 후반에서 1만 7000원대까지 폭등했다. 약 한 달 만에 주가가 5배가량 뛴 것이다. '어디선가 사전에 주식을 매집하지 않았을까?' 하는 의심이 들 수밖에 없는 상황이었다. 그러나 이때까지는 문제가 외부에 드러나지 않았다.

이들 세력의 보톡스 사업은 큰 주목을 받았다. 당시 우리나라 차세대 먹거리 산업으로 보톡스가 크게 주목받던 시기, 이들은 기존 보톡스의 단점을 보완하는 진보된 기술을 확보했다고 소개했다. 피부 미용뿐 아니라 의료용으로도 쓰일 수 있다고 자화자찬했다. 동물실험 단계였지만, 사람의 난치병 치료와 수출 계획까지 밝히며 시장을 설레게 했다. 2016년 7월 B사 주가는 한때 2만 5000원까지 올랐다. M&A 직전 주가 3000원대에서 2만 5000원까지, 이때까지는 모든 것이 잘될 것만 같았다.

새로운 경영진의 면모도 시장의 주목을 받기에 충분했다. 박 씨는 금융감독원 부원장 출신이었다. 정 씨는 자본력이 탄탄한 전문 경영인으로 포장됐다. 금융감독원 고위급 출신 인사의 바이오 사업은 수많은 투자자를 설레게 했다. 당시 B사를 인수한 최대주주는 '투자조합'으로 구성됐다. 당시 조합 출자금이 200억 원이며, 박 씨와 정 씨가 각각 50%씩 투자했다고 공시됐다. 그러나 거짓이었다. 나중에 알고 보니 사채업자 자금으로 드러났다. 실체가 드러나기까지 상당한 시간과 수없이 많은 주가 급변동이 소요됐다.

주가가 하염없이 오를 때는 아무 문제가 없었다. 사채를 빌려준 사람도, 차명으로 공시한 사람도, 이미 몇 배나 급등한 주가에 베팅한 사람도 모두가 즐거웠다. 문제가 불거지기 시작한 것은 주가가 떨어지기 시작한 뒤였다. 2017년 어느 날 B사 자회사 사무실에 소란이 일어났다. 누군가 사무실에 찾아와서 화분과 사무집기를 집어 던지고 난동을 부린 것이다. 이들은 해당 투자조합에 투자한 사람들이었다. 조합 출자금 배분을 놓고 갈등이 벌어졌던 것으로 알려졌다. 2016년 여름 2만 5000원까지 올랐던 주가는 2017년 초 1만 원을 밑돌기 시작했다. 이 과정에서 조합 출자자들이 나타났다. 주가가 떨어지고 나니 내부 갈등이 폭발했고, 비로소 투자조합의 정체가 드러나기 시작한 것이다.

회사 안팎으로 이슈가 커지면서 기존 사업의 수주 활동도 지장을 받았다. B사 창업주는 회사를 되살리기 위해 사실상 전쟁을 선포했고, 이들 세력의 실체를 캐기 시작했다. 창업자 측의 검찰 고발을 통해 수사가 본격화됐다. 결국 이들은 처음부터 사채업자 돈으로 무자본 M&A를 기획했던 것으로 밝혀졌다. 차명으로 공시했기에 돈을 빌려준 사람과 빌린 사람 모두 자본시장법 위반이다. 또한 대여금 명목으로 회사 자금 수십억 원을 가져다가 개인 채무 변제와 주식 매수 자금으로 쓰기도 했다. 결국 박 씨와 정 씨는 유죄 판결을 받고 실형을 살았다. 사채업자 역시 처벌을 받았다.

창업주는 긴 시간 동안 법적 다툼을 포함한 힘겨운 경영권 분쟁을 벌였다. 다행히 백기사(우호적 투자자)의 도움으로 이겨낼 수 있었다. 힘들게 경영권을 지켜냈지만, 그 이후에는 감사의견이 문제였다. 박 씨와 정 씨가 회계장부를 어지럽히면서 외부감사인에게 감사의견을 받지 못한 것이다. 한마디로 이들 세력이 활개 치던 당시의 재무제표를 믿을 수 없다는 것이었다.

감사의견을 받지 못하면 상장사로서 최소한의 신뢰를 갖추지 못한 것으로 간주해 상장폐지 될 수밖에 없다. 회사는 한국거래소에 최대한 해명을 해서 개선기간을 부여받고, 모든 자회사의 회계 자료를 처음부터 다시 써 내려갔다. 수억 원을 들여 디지털 포렌식을 거치고 재감사를 받는 등 모든 노력을 쏟아부었다. 결국 거래 정지를 맞은 지 약 6개월 만에 한국거래소로부터 상장유지 즉, 거래재개 결정을 받아낼 수 있었다. 숱한 우여곡절 끝에 B사는 안정을 되찾았고, 기존의 장비 사업은 물론, 보톡스 사업도 조금씩 진전시키고 있다.

상장폐지 전력자들

필자가 기자로서 단일 사안에 대해 가장 오랫동안 취재·보도한 사안은 바로 '경남제약' 사건이었다. 거의 2년 가까이 매달렸다. 2018년 초부터 2019년 말 사이 벌어진 일만 정리해도 책 한 권은 쓸 수 있을 정도다. 여기에서는 타산지석으로 삼을 부분만 다루기로 한다.

경남제약은 1957년에 설립된 전통 있는 제약사다. 경남제약이 1983년 출시한 비타민C '레모나'는 국민 비타민이라 불릴 정도다.

이 회사의 사세가 급격히 기운 것은 역시나 최대주주의 일탈에서 시작됐다. 당시 최대주주이자 대표이사였던 이희철 전 회장이 지난 2014년 분식회계·횡령을 저지른 것으로 드러났고, 이듬해 구속됐다. 허위매출을 기록하고, 공장 설립 비용을 횡령하는 식이었다. 이때부터 회사가 흔들리기 시작했다. 구속된 이 전 회장은 자신의 지분 20.84%를 매각하려 했고, 2018년 1월 첫 번째 계약(이지앤홀딩스)을 맺게 된다. 이 계약은 이 전 회장의 무리한 요구로 한 달도 안 돼 파기됐다. 이 전 회장이 자신의 횡령·배임과 관련해 회사로부터 대규모 손해배상 청구소송을 당하자, 인수 희망자에게 자신에 대한 소송을 취하하고 주식 가압류도 풀어달라고 요구한 것이다. 자칫 인수자가 배임 혐의로 걸릴 수 있는 요구였다. 이를 들어주지 않자 이 전 회장은 해당 계약을 파기하고 새로운 인수자와 계약을 맺게 된다.

그런데 이때부터 일은 더욱 꼬여갔다. 당시 두 번째 계약 상대방(에버솔루션·텔로미어) 측에서 상장폐지 전력자가 드러나는 등 기업사냥꾼 의혹이 불거진 것이다. 마침 경남제약은 회계부정으로 인한 증권선물위원회 제재가 확정되면서 그해 3월 2일부터 주식매매 거래 정지를 맞게 됐다.

필자는 당시 취재기자로서 해당 페이퍼컴퍼니에 관해 집요하게 취재했다. 과거 상장폐지에 연루된 사람은 누구인지, 누가 어떤

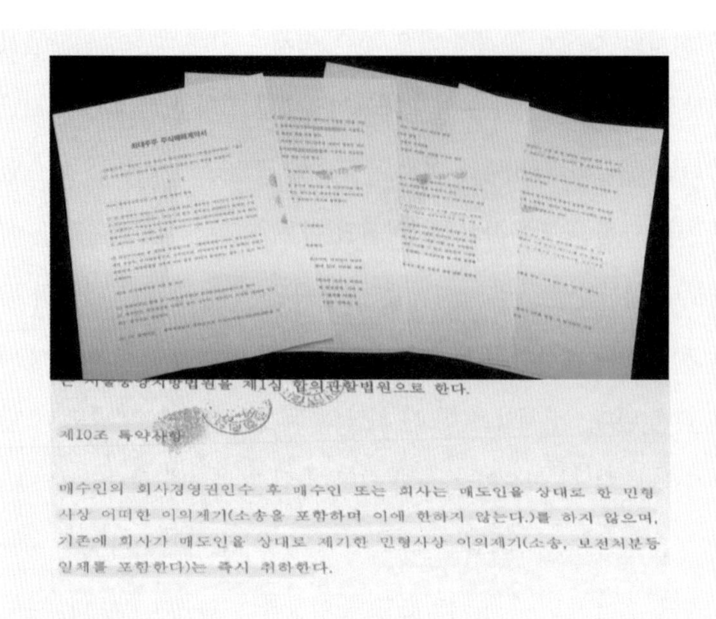
합의관할법원으로 한다.

제10조 특약사항

매수인의 회사경영권인수 후 매수인 또는 회사는 매도인을 상대로 한 민형사상 어떠한 이의제기(소송을 포함하며 이에 한하지 않는다.)를 하지 않으며, 기존에 회사가 매도인을 상대로 제기한 민형사상 이의제기(소송, 보전처분등 일체를 포함한다)는 즉시 취하한다.

2018년 1월 맺은 첫 번째 M&A 계약서. 이희철 전 회장이 매수인 측에게 기존의 모든 소송을 취하해달라고 요구한 내용이다.

M&A에 연관되었는지 많은 자료를 모아나갔다. 그리고 이 자료를 한국거래소, 금융감독원, 검찰 등과 공유하며 이들의 실체를 구체적으로 파악했다. 결국 경남제약은 상장적격성 실질심사(상장폐지심사) 대상으로 올라 거래 정지가 장기화되기 시작했다.

이후 경남제약은 공개매각을 추진하기도 했으나, 얽히고설킨 계약 관계와 각종 법정 다툼 등으로 인해 이마저도 실패했다. 당시 우선협상대상자로 선정됐던 KMH그룹이 두 손 들고 나가버린 것이다. 우여곡절 끝에 그해 11월 최대주주 변경이 이뤄졌다. 마일스톤

KN펀드라는 사모펀드가 유상증자 등을 통해 최대주주에 오른 것이다. 그런데 문제는 이 사모펀드 안에도 기존에 문제가 됐던 전력자들이 숨어 있었다는 점이다. 겉으로는 인수 주체가 바뀐 것처럼 구조를 꾸며놓았지만, 실질적으로는 애초 문제가 됐던 세력의 자금이 남아 있었다. 이들은 여전히 경남제약 인수를 포기하지 않은 것이다. 투자조합과 사모펀드는 법적으로 출자자 명단을 공개할 의무가 없다는 허점을 악용한 것이다. 그러나 금융당국에 투서가 들어가고 기자에게도 제보가 들어오면서 진실을 밝혀낼 수 있었다. M&A 과정에 얽힌 이해관계자가 많았고, 그 사이에 한이 서린 사람들도 많았기에 제보를 하고 투서를 넣는 사람이 적지 않았다.

한국거래소는 기업 사냥꾼들이 아직도 빠져나가지 않았다는 점을 간파하고 그해 12월 14일 기업심사위원회(기심위)를 통해 '상장폐지'를 때려버렸다. 최후의 통첩을 날린 셈이다. 이때가 되어서야 주류 언론에서 "경남제약 상장폐지"라며 대서특필 하기 시작했다. 아직 진짜로 상장폐지된 것은 아닌데 말이다. 기심위 상위 기구인 코스닥시장위원회에서 상장폐지 의결이 나와야 상장폐지가 확정되는 수순이었다. 즉, 기심위에서 세력들에게 마지막 경고장을 내민 것이었다. '너희들 계속 숨어서 장난치고 있지? 이번에도 손 안 떼면 진짜 상장폐지시켜 버린다' 이런 식이다. 그때서야 세력들은 진짜로 손을 떼기 시작했다. 그리고 2019년 5월 바이오제네틱스 컨소시엄

(라이브플렉스, 바이오제네틱스, 씨티젠, 위드윈인베스트먼트)에 비로소 경남제약 경영권이 완전히 넘어갔다.

이 과정에서도 숱한 분쟁과 송사가 펼쳐졌다. 앙금이 남은 인수 희망자 측에서 서로서로 고소 고발하는 등 지저분한 광경이 이어졌다. 길고 험난한 과정을 거쳐 경남제약은 그해 10월 감사의견 '적정'을 받아 과거의 회계부정 이슈를 털어냈고, 12월 4일 한국거래소 코스닥시장위원회로부터 '거래재개' 결정을 받았다. 21개월 만에 거래재개였다.

간단하게 정리했지만, 참으로 많은 이들에게 오랜 시간 고통스러운 과정이었다. 수천 명의 소액주주가 2년 가까운 시간 동안 거래 정지로 큰 고통을 겪었다. 회사가 제대로 된 경영을 하지 못한 것은 물론, 대외 이미지도 크게 훼손됐다. 참 많은 교훈을 남긴 사건이기도 하다. 2018년 M&A가 시작되던 당시 경남제약 주가는 연초 8000원에서 2월 말 1만 4000원대까지 두 달 만에 70% 이상 급등했다. 분명 회계부정으로 최대주주가 구속된 상황이었고, 회사가 금융당국의 제재 대상에 오른 시기였는데도 말이다. 당시 제약·바이오 업종 강세에 편승한 영향도 있다. 지난 2017년 4월 3000원대였던 경남제약 주가는 그해 12월 1만 원을 넘었다. 여기에 M&A 이슈까지 붙으면서 2018년 2월 1만 4000원대까지 폭등한 것이다. 10개월 사이 4배 이상 올랐다. 아이러니하게도 거래 정지는 주가가 최고점일 때 이뤄졌다.

많은 소액주주가 회사로, 한국거래소로, 금융감독원으로 찾아다니면서 집회 시위를 많이도 열었다. 당국을 질타하는 목소리도 컸고, 기업사냥꾼을 처벌해달라는 요구도 컸다. 다만 이들 투자자의 책임도 없지 않았다. 만나본 경남제약 투자자 가운데 단타 치러 들어왔다가 물린 사람이 적지 않았다. M&A 재료와 주가 급등만을 보고 뛰어들었다가 그렇게 된 것이었다. 주식을 매수한 지 일주일도 안 돼 거래 정지를 당한 사람도 있었다. 분명 불운이었다. 그러나 이미 위험 신호는 곳곳에 있었다.

지난 2018년 12월 14일 서울 여의도 한국거래소 앞에서 시위 중인 경남제약 소액주주연대.

출처 : 머니투데이방송 MTN 〈뉴스후〉

2014년부터 당시 대표이사였던 이희철 전 회장에 대한 검찰의 기소가 공시되었고, 이후에도 대표이사가 자주 변경되었으며, 경영권 분쟁 소송이 잇따랐다. 기업가치(펀더멘털) 측면에서는 분명 마이너스 요인이었다. 그러나 일각에서는 경영권 분쟁을 주가 상승의 호재로 받아들였다. 주가가 오르면 그저 그것이 최고였다. 주식 매매거래 정지를 맞은 2018년에도 마찬가지였다. 최대주주의 횡령 혐의로 인한 제재가 마무리되지 않았음에도 이런 위험을 체크한 투자자는 많지 않았다. M&A 과정에서도 인수 희망자는 하나같이 페이퍼컴퍼니였고, 그 인수자금의 출처와 성격도 알 수 없었다. 나중에 상장폐지 전력자들이 드러났을 때는 이미 거래 정지가 되고 난 뒤였다. 폭탄이 터지기 전까지는 아무도 자기 손에서 폭탄이 터지리라 생각하지 않았다.

기업사냥꾼과 무자본 M&A

돈을 한 푼도 들이지 않고 기업을 인수하는 방법이 있다. 시가총액이 작으면 작을수록 더 쉽다. 약 100만 원으로 시총 500억 원 기업을 인수하는 것은 그리 어려운 일이 아니다. 빚을 내서 남의 돈으로 인수하면 된다. 이른바 '차입매수LBO, Leverage Buy Out'라고 하는데 무자본 M&A의 전형적인 그림이다. 차입매수가 다 불법인 것은 아니다. 자기자본이 별로 없어도 은행 대출을 최대한 끌어와서 집을 사는 것과 마찬가지다. 이때 담보는 집이다. 그런데 아직 '내 집이 되지 않은 집'을 담보로 은행에서 대출을 받아 그 집을 산다. 기업 M&A에서도 마찬가지다. 아직 인수하지 않은 기업의 주식을 담보로 대출을 받고 그 돈으로 기업을 인수하는 것이 가능하다.

이러한 M&A용 주식담보대출은 은행권에서는 받을 수가 없다. 아예 관련 대출 제도도, 상품도 없기 때문이다. 은행에서도 '인수금융'이라는 대출이 있긴 하지만 이는 수천억 원, 조 단위 대기업 M&A를 위한 것이지, 작은 코스닥 M&A용은 아니다. 작은 M&A용 대출은 저축은행에서 가능하다. 주식 양수도 계약서를 바탕으로 저축은행에서 돈을 빌리기로 하고, 저축은행 돈으로 그 주식을 양수하는 동시에 이 주식을 저축은행에 담보로 맡기는 방식이다. 주택담보대출과 거의 흡사하다. 예전에는 이 같은 M&A용 주식담보대출이 주로 사채시장에서 이뤄졌다. 그러다가 2018년경부터 특정 저축은행에서 주식담보대출 영업을 공격적으로 하면서 사채시장 수요가 해당 저축은행으로 몰렸다. 증권사 신용융자 대신 이를 이용하는 일반투자자들도 많았지만, 무자본 M&A를 행하려는 기업 사냥꾼들도 그 저축은행에 몰려들었다.

문제가 커지기 시작한 것은 2019년경부터였다. 저축은행에서 돈을 빌려 M&A를 한 기업사냥꾼들이 사고를 치기 시작하면서다. M&A 이후 머지않아 횡령 사고가 터지고 주식거래가 정지되고, 상장폐지에 이르는 기업이 줄을 이었다. 무자본 M&A로 최대주주에 오른 기업사냥꾼들이 돈을 갚지 못해 담보주식을 압류당하기도 했다. 반대매매가 나올 때면 저축은행 이름으로 공시가 나왔다. 해당 주식의 주인이 돈을 갚지 못한 기업사냥꾼에서 저축은행으로 바뀌었기 때문이다. 시장에서는 해당 저축은행에 대한 성토가 이어졌다. 주가 급락, 거래 정지를 불러오는 기업사냥꾼들의 뒷배경 아니냐는 논란이었다. 이 때문에 해당 저축은행은 금융당국의 각종 조사를 받게 됐고, 최대주주는 구속을 당하고, 장기간 법정 다툼을 벌이는 처지가 됐다. 이후 저축은행들은 M&A용 주식담보대출 영업을 사실상 중단했다. 금융당국의 칼을 피하기 위해서다. 그 이후 무자본 M&A를 위한 주식담보대출 수요는 다시 사채시장으로 흘러갔다고 한다. 다시 기업사냥꾼들의 자본 출처가 음지로 바뀐 것이다.

이 같은 M&A로 기업을 인수하는 목적은 두 가지다. 첫 번째, 정상적 M&A인 경우인데, 기업의 경영권을 인수하고 경영을 정상화하고 실적을 높인 다음에 기업가치를 높여 되팔고자 하는 경우다. 대기업이나 사모펀드에서 진행하는 M&A에서도 차입매수는 자주 눈에 띈다. 아무리 대기업이라고 해도 기업 인수에 수천억, 수조 원을 한방에 투입하는 것은 부담스럽기 때문에 앞서 설명한 '인수금융'을 이용한다. 말 그대로 기업을 인수하는 데 들어가는 돈을 빌리는 것이다. 인수금융이 너무 크면 은행들은 리스크를 나눠서 지기 위해 '신디케이트론syndicated loan'으로 진행하기도 한다. 신디케이트론이란, 여러 은행이 대출금을 나눠서 부담하는 것을 말한다. 인수금융 3조 원을 대출할 경우 3개 은행이 1조 원씩 대출해주는 식이다. M&A 규모와 자기자본 비중에 따라 달라지겠지만, 대기업이나 사모펀드가 이처럼 레버리지를 쓴다고 해서 이를 무자본 M&A라고 지적하지는 않는다. 무자본 M&A로 인한 문제와 비판은 과정이라기보다는 결과다. 똑같이 '영끌' 해서 아파트를 샀어도 누구는 대출금을 잘 갚는 반면, 누구는 원리금 상환에 실패해 집이 경매로 넘어가는 것처럼 말이다.

무자본으로 M&A를 하는 목적 그 두 번째, 비정상적인 M&A에 대해 이야기해보자. 왜 '기업사냥꾼'이라 부르는지 알게 될 것이다. 이들이 대출금으로 경영권을 인수한 다음에 시작하는 일이 바로 '돈 빼 나가기'다. 작게는 법인카드 사용과 최고급 차량 렌트부터 시작해 회사 자금 대여, 자산 양수도 등을 통해 돈을 빼 나간다. 대여금 명목으로 회삿돈을 가져다 쓰는 것은 일도 아니다. 회사에서 10억, 20억 원 정도는 어렵지 않게 빌릴 수 있다. 자기가 경영권을 갖고 있기 때문이다. 아주 낮은 금리로 약정서를 쓰고 회삿돈을 빌린다. 뒷부분에 기술하겠지만, 이런 자금은 대부분 주식 매입 특히, 주가 조작 용도로 쓰이는 경우가 많다.

돈을 본격적으로 빼가는 방법은 원재료 매입과 자산 양수도다. 제품을 만드는 데 필요한 원재료를 어디선가 비싸게 사오기 시작한다. 물론 거래 상대방은 기업사냥꾼들과 이해관계가 있는 회사다. 물품을 비싸게 들여오는 만큼 자신들의 수익이 되는 길을 만드는 것이다. 재벌들이 하듯이 관계기업을 만들어 통행세를 받기도 한다. 협력사에서 직접 납품받던 물건을 '중간 회사'를 통해 납품하라고 하는 것이다. 중간에 있는 회사는 역시 기업사냥꾼 자신들이 세운 회사이고, 별다른 역할 없이 마진을 먹는다. 회삿돈을 한방에 가장 크게 빼나가는 것은 자산 양수도다. 회사 자산을 아주 싸게 매각하고, 필요 없는 자산을 비싸게 매입한다. 거래 상대방은 역시 자신들의 이해관계자다. 싸게 매각하고 비싸게 매입할수록 자신들에게 이득이 되는 구조를 만들어 놓는 것이다.

또한 해외 기업이나 특정 프로젝트에 투자한다면서 큰 규모의 자금을 집행하고 이를 빼가기도 한다. 예를 들어 동남아지역 A사에 100억 원을 투자한다고 하면서 돈을 송금하고, 얼마 뒤 A사가 파산했다면서 이 돈을 손실로 처리하는 것이다. A사를 누가 왜 만들었는지는 말 안 해도 짐작 가능할 것이다.

애초 정상적인 기업 경영은 관심도 없었기에 회사는 갈수록 기울어져 간다. 어느 순간 횡령, 배임이 드러나 거래 정지를 맞기도 하고, 5년 연속 적자로 인해 상장폐지를 당하기도 한다. 그러나 이미 이들 세력은 돈을 두둑하게 챙긴 뒤다. 기업은 망해도 세력들은 배를 채운다. 그래서 이들을 기업사냥꾼이라고 부른다.

무자본 M&A는 주가 조작과 한 세트

무자본 M&A를 기획하는 기업사냥꾼들은 주가 조작까지 한 세트로 준비한다. 한쪽에서는 회삿돈을 빼먹고, 한쪽에서는 주가를 띄워서 해먹고 양쪽으로 발라먹는 것이다. M&A를 추진하면서 이들은 물밑에서 소문을 흘린다. 'A사가 곧 M&A 된다'는 것부터 '바이오, 신재생에너지, 자원개발과 같은 미래 유망사업에 신규 진출한다'는 것까지 시장에서 혹할만한 재료들을 계획적으로 흘린다. 물론 주식을 미리 매집한 뒤다. 주식 매집은 수많은 계좌를 통해 이뤄진다. 기업을 인수하는 사람들과 관련이 없는, 차명계좌를 다수 동원한다. 대포통장을 활용하기도 하고, 증권사 영업직원을 동원해 그 영업직원의 관리계좌 수십 개를 활용하기도 한다. 여러 계좌로 주식을 매매할 때는 각기 다른 위치에서 주문을 돌린다. 인터넷 IP 주소를 추적당할 수 있기 때문이다. 주가 조작을 할 때는 여러 PC

방에 아르바이트생을 두고 이들에게 주문을 시키기도 한다. 이들에게 지령을 내릴 때는 대포폰을 쓰거나 아예 전화를 쓰지 않고 퀵서비스를 이용하기도 한다.

주가 조작 세계에 몇 가지 은어가 있다. 가장 대표적인 것이 '주포'다. 주포란 총괄 기획자를 말하는데, 한 마디로 총감독이라고 보면 된다. 가장 중요한 것은 '쩐주'다. 실제 돈의 주인이라는 의미다. 역설적이게도 M&A와 주가 조작 세력에서 가장 힘이 센 존재이기도 하고, 가장 힘이 없는 존재이기도 하다. 쩐주가 어떤 사람이냐에 따라 다르다. 악명 높은 사채업자처럼 조직을 거느린 쩐주라면 모든 관계자를 쥐락펴락하는 절대적인 존재다. 반면, 쉽게 큰돈 벌 수 있다는 말에 혹해 순진하게 돈만 빌려준 사람이라면 호구가 되기에 십상이다. 나중에 엑시트를 할 때 호구 쩐주가 가장 후순위로 돈을 돌려 받는 경우도 있다. '화가'라는 표현도 있다. 화가는 차트를 그리는 사람이라는 뜻이다. 즉, 그림을 그리듯이 주가 움직임을 미리 구상하는 역할이다. 매집 시기와 보도자료 배포 일정, 차익실현 일정 등을 예정해둔다.

이밖에 바지사장을 뜻하는 '바지'와, 매매를 실행하는 '기술자', 언론에 호재를 뿌리는 '바람잡이' 등도 한 팀이다. 바지사장은 전과나 상장폐지 전력이 없는 깨끗한 사람을 쓴다. 껍데기 사장이지만 대외적으로 매우 중요한 역할을 해야 한다(상장폐지 전력이 있는 사람을 바지사장으로 썼다가 금융당국에 걸린 예도 있었다). 기술자는 시장 심리를 매우 잘 아는 노련한 사람이 맡는다. 바람잡이는 애널리스트가 될 수도 있고, 언론사 기자가 될 수도 있다. 바람잡이들은 세력과 한통속인 경우도, 아예 자신이 이용당한다는 사실조차 모르는 경우도 있다. 메일함에 들어온 보도자료를 아무 생각 없이 기사화해주는 기자들이 대표적이다.

세력들은 계획된 시기가 되면 M&A 관련 호재를 흘리면서 주가를 띄운다. 언론사에 보도자료를 배포하기도 하고, 주식토론방에 글을 쓰기도 하고 업계 빅마우스들에게 떠벌리면서 그것이 주가에 반영되기를 기다린다. 직접 M&A를 행하는 세력이기 때문에 M&A 관련 진행 상황은 물론, 언제 어떤 공시 어떤 뉴스가 나오리라는 것을 모두 알고 있다. 차익을 챙기는 방식은 경우에 따라 다르다. 주가가 급등할 때마다 조금씩 챙겨 나오는 경우도, 큰 거래량이 터질 때 한 번에 털고 나오는 경우도 있다. 상대적으로 대량의 주식을 매집한 세력일 경우 한 번에 빠져나오기가 쉽지 않다. 그래서 거래량이 대거 터질 때를 이용한다. 거래량을 폭발시키는 것은 생각보다 어렵지 않다. 그 시절에 가장 유망한 재료를 활용하면 개인투자자들이 득달같이 달려들어 거래를 폭발시켜 주기 때문이다. 예를 들면 신약개발, 자원개발, 신재생에너지, 로봇사업 진출, 또 다른 M&A 추진 등등 다양하다. 이들에게 개미들은 그저 '설거지(주식에서 개미들을 꼬신 후 고가에 물량을 털어내는 행위)' 대상일 뿐이다.

무자본 M&A와 연계된 주가 조작은 크게 두 가지 유형으로 나눠볼 수 있다. '인수대금 완납형'과 '인수대금 미납형'이다. 인수대금 완납형은 100억이든 500억이든, 경영권을 확보하기 위한 최대주주 지분을 실제로 인수하는 경우다. 앞서 설명한 내용처럼 기업 경영권을 실제로 확보하고 돈을 빼 나가는 경우다. 이 경우 신규 경영진을 통해 돈을 빼 나가는 데는 수개월에서 수년이 걸리지만, 회사 밖에서 주가 조작으로 돈을 챙기는 것은 1~2개월 만에 끝나기도 한다. 일부 세력의 자금은 계속 시장에 남아서 해당 기업이 보도자료를 낼 때마다 한탕씩 해먹기도 한다.

'인수대금 미납형'은 애초부터 M&A를 일종의 재료로 이용할 뿐, 실제로 경영권을 확보할 생각은 없던 경우다. 그래서 최대주주 지분 인수 계약만 해놓고, 잔금은 치르지 않는다. 이들은 M&A 재료가 나오기 전에 미리 주식을 매집해놓고, 'M&A 된다더라', '신규 사업 진출한다더라' 정도의 재료를 뿌리면서 주가를 띄운 뒤 유유히 주식을 팔고 떠난다. 기존 최대주주에게 주식 양수도 계약금으로 10억 원을 주었더라도 주가 조작으로 100억 원을 벌면 충분히 남는 장사다. 이들에게 계약금 10억 원은 일종의 투자금이다.

때로는 주가 조작 세력이 와해되기도 한다. 서로가 먼저 투자금을 빼 나가려다가 사달이 나는 것이다. 일반적으로 주가 조작을 위한 자금은 개별 계좌 여러 개로 이뤄지는 반면, 기업 인수자금은 투자조합으로 묶어서 관리한다. 기술자가 시장에서 주식을 사고파는 돈은 쉽게 엑시트를 할 수 있지만, 투자조합 자금은 그렇지 못하다. 투자조합이 보유한 기업 최대주주 지분은 그 금액이 크기 때문에 마음먹는다고 바로 팔 수 있는 것이 아니다.

게다가 지난 2018년 금융당국은 투자조합이나 명목회사(페이퍼 컴퍼니)를 통해 기업을 인수하는 경우 1년 동안 주식을 팔지 못하도록 보호예수 제도를 강화했다. 이런 상황에서 세력 내 특정인이 먼저 장내에서 주식을 팔아치우기 시작하고, 어떤 이유에서든지 주가가 빠지기 시작하면 세력들이 와해될 수밖에 없는 것이다. 영화에서 범죄 조직의 와해가 조직원의 배신에서 시작되는 것처럼 말이다. 특히 주가가 급격히 하락하고, 세력들도 이를 막아내지 못할 정도가 되면 정도가 더욱 심화된다. 약속을 깨고 먼저 엑시트한 사람에 대한 성토가 이어지고, 세력 내에서 투자조합 해산과 현물분배를 요구하는 목소리가 커진다. 현물분배란, 조합에 낸 자금을 돌려받는 것을 말한다. 한마디로 "이미 파투 났다! M&A는 됐고, 내 돈 내놔!"다. 이러한 다툼 과정에서 이것이 M&A형 주가 조작이었다는 사실이 밝혀진 일도 있다.

기업사냥꾼들은 자신들 스스로 "우리는 교도소 담장 위를 걷는 사람들"이라 말한다. 삐끗하면 교도소 쪽으로 떨어진다는 얘기다.

보통 바지사장들은 신분이 깨끗한 사람들이지만, 이들조차도 교도소 담장 위를 걷는다고 말한다. 그만큼 이 일이 위험함을 잘 알고 있는 것이다. 무자본 M&A에서 가장 중요한 쩐주는 철저히 베일에 가려져 있다. 일반적으로 사채업자 돈을 많이 쓰는데, 일반적으로 사채업자들의 경우 돈을 빌리는 사람에게도 실명을 알려주지 않는다. '명동 김 사장', '부산 최 사장' 등으로 불릴 뿐이다. 실제 기업 인수자금은 이들의 돈이지만, 공시에는 바지사장의 이름이 나간다. 공시 위반이다. 만약 해당 M&A가 잘못되거나 바지사장이 횡령·배임으로 구속되면 그때서야 실제 쩐주에 대한 실체가 밝혀지기 시작한다. 그전까지 쩐주의 존재는 거의 드러나지 않는다.

점 3개로 위험기업을 피하는 방법

부실기업에서는 분명한 위험 신호가 보인다. 아주 쉽게 '노란불'이 켜져 있다는 것을 알 수 있다. 투자자들이 그것을 보지 않을 뿐이다. 보지 못하는 게 아니라 보지 않는 것이다. 가치투자를 할 때 재무제표를 보고 안정성, 수익성, 성장성을 평가하는 것은 어렵다고 쳐도, 이것이 '손을 타는 기업인지' 정도는 몇 초 만에 알 수 있다. 그 방법을 알려드리려 한다.

금융감독원 전자공시시스템 DART에 들어가서 기업 이름을 검색하고, 그 기업 이름을 클릭하면 '기업 개황 정보'가 뜬다. 이 화면에서 회사 이름 옆과 대표자명 옆에 '점 3개'가 보일 것이다. '점점점'을 각각 클릭하면 회사 이름 변경 내역과 대표이사 변경 내역이 뜬다. 이를 통해 이 기업의 사명이 얼마나 많이 바뀌었는지, 대표이사는 얼마나 자주 변경되었는지 알 수 있다. 일반적으로 금융당국과 한국거래소에서는 최대주주, 회사 이름, 대표이사가 자주 변경될수록 부실기업의 징후가 짙은 것으로 보고 있다. 한 예로, 휴먼엔은 지난 1986년 설립된 철 스크랩 기업인데, 잦은 공시 위반으로 여러 차례 불성실공시법인으로 지정되었으며, 각종 경영권 분쟁 소송이 이어진 바 있다. 2022년 7월 현재 법정관리에 들어간 회사이다.

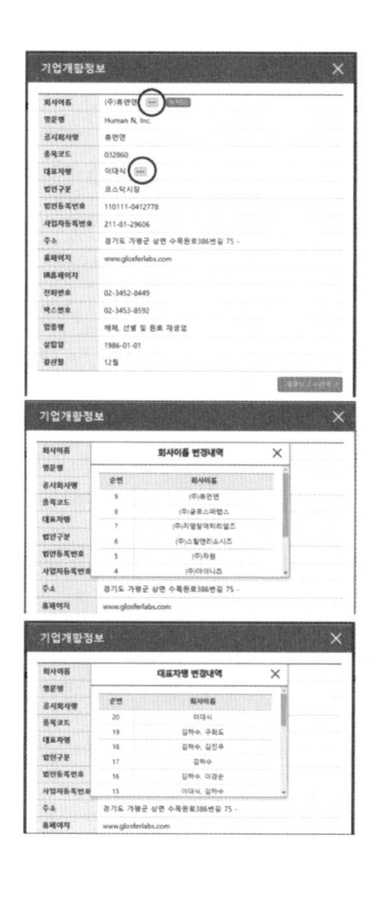

이 회사는 최대주주 역시 자주 변동됐다. 최대주주가 자주 바

휴먼엔 최대주주 변동 내역

단위: 주, %

변경 후 최대주주명	최대주주 변동일 / 지분 변동일	소유주식수	지분율(주1)	비고
(주)실보 외 2인	2013.10.30 / 2013.10.30	27,503,760	43.81%	–
강진수 외 7인	2014.12.24 / 2014.12.24	17,075,835	22.72%	–
한국수출입은행	2015.06.26 / 2015.06.26	9,565,878	14.15%	–
(주)지엠알코리아	2019.12.09 / 2019.12.09	15,800,000	21.48%	–
커넥티드얼라이언스펀드	2021.04.26 / 2021.04.26	2,259,887	12.60%	–

출처 : 금융감독원 전자공시시스템

뀌었다는 것은 투자자들이 매우 중요하게 살펴봐야 할 요소다. 앞서 설명한 것처럼 자주 바뀌어서 좋을 것 없는 세 가지가 바로 최대주주, 대표이사, 회사 이름이다. 그중에서도 최대주주는 실질적인 영향력이 가장 큰 주체다. 최대주주가 자주 바뀐 기업을 두고 '손을 많이 탔다'라고 이야기한다. 중고차와 비슷하다. 소유자 변경이 잦았던 중고차일수록 차량 가격이 낮아지는 이치와 같다고 보면 된다. 그만큼 관리가 제대로 되지 않았을 가능성이 크다는 말이다. 특히 현재 최대주주가 누구인지를 파악하는 것이 무엇보다 중요하다. 그런데 최대주주가 사모펀드나 투자조합으로 되어 있을 경우 그 펀드나 조합의 최대출자자만 명기하게 되어 있을 뿐, 공시를 통해 그 이상의 정보는 알기 어렵다. 최대출자자 역시 페이퍼컴퍼니일 경우 최대주주에 관한 정보는 더욱 알기 어려워진다. 따라서 주식 투자를 할 때는 해당 기업의 최대주주가 투자조합, 사모펀드,

페이퍼컴퍼니 형태라면 긴장감을 가지고 더욱 주의 깊게 살펴봐야 한다.

의도적인 경영권 분쟁

기업 경영권은 매우 값진 보물이다. 경영권이 있으면 그 기업이 가진 자산(기술, 인력, 생산설비 등)을 활용해 직접 이윤을 창출할 수 있고, 자원을 자기 뜻대로 재분배할 수 있다. 기업의 목적인 이윤 창출과 고용 증대, 사회적 가치를 달성하는 것은 물론, 최대주주와 경영자 개인적으로도 큰 부를 축적할 수 있는 수단이 된다. 대표적인 것이 높은 보수와 배당이다. 그러한 의사결정을 내릴 수 있는 권한이 바로 경영권이다. 그래서 많은 기업인이 경영권을 방어하는 데 힘을 쏟고 있으며, 많은 자본이 기업 경영권을 인수하기 위해 높은 프리미엄을 지급한다.

상장사의 경우 경영권 프리미엄이 더욱 크다. 최근 주가 수준보다 최소 30%는 붙여주는 것이 '국룰(보편적으로 통용되는 규칙)'로 통할 정도다. 주가가 1주에 1만 원이라면 경영권을 넘겨 받을 수 있는 최대주주 지분은 1만 3000원을 쳐준다는 얘기다. 그런데 이는 '최소한'이다. 경영권 프리미엄은 양수도 상대방 즉, 사고파는 사람끼리 정하는 것이어서 때로는 50%, 때로는 100%를 넘기기도 한다. 코스닥에 상장만 되면 최대주주 지분에는 프리미엄이 일단 100억부터 붙는다는 얘기도 있다. 물론 코스닥 상장 문턱이 낮아질수록 프리미엄도 내려갈 수 있다.

종종 '경영권 분쟁'이 터진다. 최대주주와 2대주주가 지분 다툼을 벌이거나 아예 기업 외부에서 최대주주보다 더 높은 지분율을 확보하기 위해 경쟁 같은 분쟁을 벌이기도 한다. 진짜 경영권을 확보하기 위한 분쟁일 수도 있겠지만, 간혹 경영권보다 잿밥을 염두에 둔 경영권 분쟁도 벌어진다. 바로 '주식 시세차익'을 노린 경영권 분쟁이다. 외부에서 지분을 모아가다 지분율이 5%를 넘기면 지분 공시를 하고, 지분보유 목적으로 '경영 참여'를 적는다. 그때부터 언론을 통해 경영권 분쟁이 기사화되고 주가는 급등한다. 시장에는 분쟁 당사자들이 지분을 경쟁적으로 추가 매입하면서 주가가 오를 것이라는 기대가 생긴다.

사실 실제로 경영권을 빼앗을 목적이라면 '공개매수'를 부르는 방법이 가장 빠르다. 예를 들어 현재 주가가 1만 원이라면 '내가 1만 5000원에 지분율 30%까지 매입하겠다'는 식으로 공개매수 공시를 하는 것이다. 대표적인 적대적 M&A 방식이다. 기존 최대주주의 지분율이 낮을수록, 인수 희망자 측의 자금이 풍부할수록 성공 가능성이 크다. 지난 1994년 한솔제지가 동해투금에 대해 이러한 적대적 공개매수를 선언하고 지분율을 9.9%에서 단번에 25%까지 끌어올리면서 적대적 M&A에 성공한 바 있다.

그러나 주가 시세차익이 목적인 분쟁 당사자는 공개매수를 부를 이유가 없다. 주식에 프리미엄을 잔뜩 붙여 매수하고 오랜 시간 회사에 눌러앉을 생각이 없기 때문이다. 빠르게 주가를 올리고, 치고 빠지는 것이 유일한 목적이다. 일종의 주가 조작이기도 하다. 이들이 만일 5% 지분공시를 한 상태라면 또 다른 차명계좌와 페이퍼컴퍼니를 이용해 해당 기업의 주식을 몰래 매집한다. 지분공시가 된 주식은 단기간 내에 되팔기 어렵지만, 차명으로 몰래 사 둔 주식은 주가가 뜨면 언제든지 되팔 수 있기 때문이다. 원하는 만큼 매집해놓으면 이들은 경영권 분쟁 뉴스가 뜨도록 유도한다. '경영참여 목적의 지분공시'가 그중 하나다. 지분공시를 하지 않더라도 외부에서 보도자료를 돌리거나, 각종 온라인 커뮤니티에 '카더라' 소문을 흘리는 것도 방법이다. 아예 바지사장을 내세워서 "우리가 A사를 인수해서 현재 경영진보다 훨씬 더 높은 경영성과를 올리겠습니다"라고 인터뷰를 시키는 것도 방법이다. 이럴 땐 꼭 바이오, 자원개발, 게임, 신재생에너지 등 당대에 가장 핫한 사업 아이템이 등장한다.

최근에도 가짜 경영권 분쟁으로 부당이득을 챙긴 일당들이 붙잡혔다. 지난 2021년 4월 증권선물위원회는 차명으로 지분을 대량

매집한 뒤 의도적인 지분 경쟁을 야기하고, 주가가 크게 오르자 블록딜(시간외 대량매매) 방식으로 주식을 매각해 부당이득을 올린 일당을 적발했다고 밝혔다. 이들이 주식을 매집하는 데 쓰인 돈도 주식담보대출을 통해 조달한 것으로 드러났다. 실제 자신들의 돈은

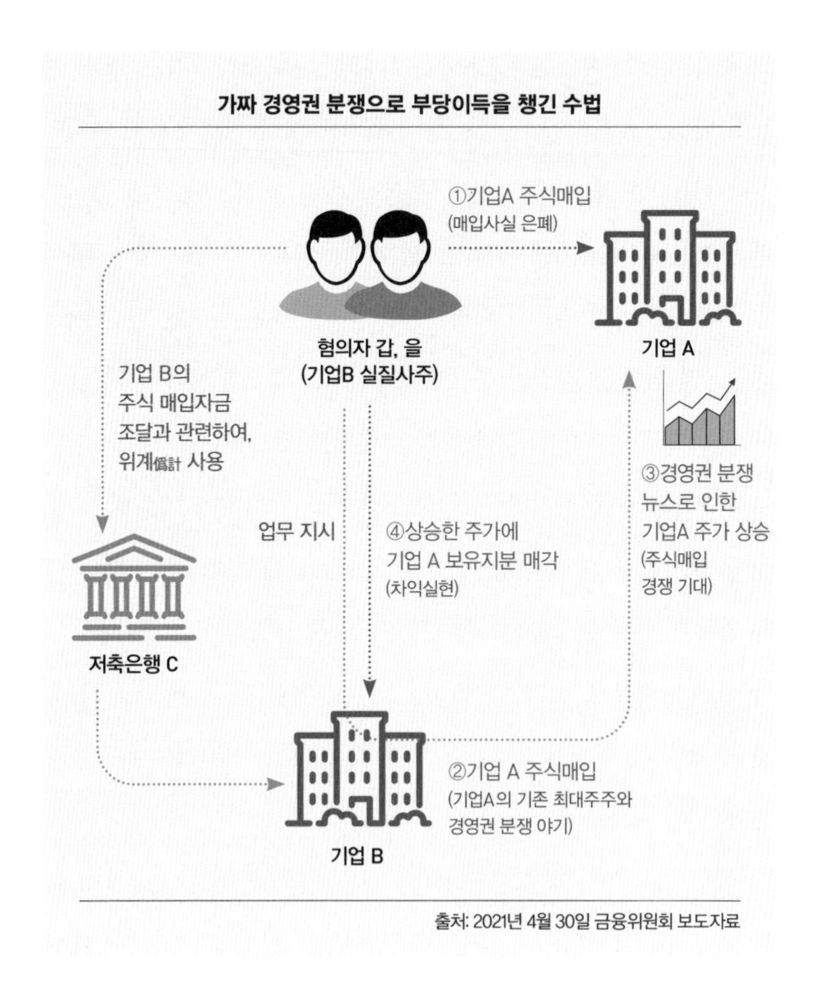

거의 들이지 않고, 시장에서 개미를 꼬이게 만드는 방법으로 한몫 크게 챙겨가는 전형적인 수법이다. 증시에서 경영권 분쟁은 주가를 크게 움직인다는 점에서 매우 핫한 이슈다. 그만큼 개미도 많이 꼬인다. 그러나 실질적으로 개인투자자들이 경영권 분쟁의 진의와 전모, 진행 상황을 알기 힘들다는 점에서 이런 이슈를 활용한 투자는 반드시 지양해야 할 것이다. 그 기업의 경영권 분쟁 상황에 대해서 당신이 더 많이 알겠는가, 세력이 더 많이 알겠는가!

경영권 분쟁 시 호황인 용역업체들

경영권 분쟁이 실제로 발생하면 분쟁을 벌이는 양측은 사활을 걸고 싸운다. 경영권 분쟁에서 지게 되면 회사에서 쫓겨나는 것은 물론이다. 높은 연봉과 명예, 절대적인 의사결정권 모두를 내려놓아야 한다. 경영권 분쟁에서 진다고 해서 지분을 빼앗기는 것은 아니다. 지분은 지분대로 유지할 수 있다. 다만 2대주주로 밀려나면 나중에 매각할 때 '경영권 프리미엄'을 받을 수 없게 되기 때문에 자산으로서 가치가 뚝 떨어지게 된다.

이유야 어찌 됐든, 분쟁 당사자들은 우호지분을 높이기 위해 각고의 노력을 다한다. 주주총회에서 자신을 지지해줄 아군을 포섭

하는 것이다. 이때 등장하는 것이 의결권 대행사다. 일종의 용역업체인데, 대주주는 물론, 소액주주까지 전국 어디든 찾아다니면서 주총 표결 시 우리 편이 되어달라고 섭외하는 역할이다. 정확히 말하면 주총 의결권 위임장을 받는 행위다. 의결권 위임을 받으면 해당 주주의 의결권을 자신들이 유리한 방향대로 행사할 수 있다. 분쟁 당사자들의 지분율이 팽팽할수록 한 표 한 표가 소중하다. 그럴수록 의결권 대행사들의 중요도 역시 높아진다. 대행사 직원들은 주주들을 찾아갈 때 빈손으로 가지 않는다. 박카스 한 상자, 수박 한 통 등을 사 들고 지극히 한국적인 영업 방식으로 다가간다. 표결 내용도 중요하지만, 심정적으로 읍소하는 전략도 우리나라에서는 중요하다. 의결권 대행사는 계약 내용에 따라 성과보수를 받을 수 있다. 자신들의 의뢰인이 승리하면 수익도 높아지는 구조다. 그리고 승률이 높아야 향후 영업에도 도움이 된다.

문제도 많다. 대표적인 것이 개인정보 유출이다. 회사가 주주의 이름과 주소 등 개인정보를 의결권 대행사에 넘기기 때문이다. 주주명부는 회사만 가진 정보다. 이것이 유출되면 주주 개개인의 인적정보는 물론 재산정보까지 흘러나가게 된다. 회사 직원이 주주의 집으로 직접 찾아오는 것도 꺼려지는 일인데, 대행사 용역직원이 우리 집을 찾아온다면 그것이 반가울 사람은 그리 많지 않을 것이다. 어떤 소액주주의 경우 주식 투자를 가족 몰래 하고 있었는데, 누군가가 의결권 위임을 부탁하며 집으로 찾아오는 탓에 주식 투자 사실을 아내에게 들켜버렸다는 경우도 있었다. 극히 일부겠지만 의결권 대행사 직원이 마치 회사 직원인 것처럼 속이는 사례도 있다.

주주 개인정보를 두고 형평성 문제가 벌어지는 아이러니한 일도 자주 벌어진다. 기존 최대주주와 경영진은 회사가 보유한 주주명부를 십분 활용할 수 있다. 그냥 직원들 시켜서 열람하면 된다. 가장 최근 주주명부는 한국예탁결제원에 가서 받아오면 된다. 그러나 회사 밖에 있는 분쟁 당사자는 주주명부를 볼 수가 없다. 회사에 요청해도 보여주지 않는다. '우리 회장님께 대적하는 사람'에게 최고의 무기를 건네줄 리 만무하다. 그래서 상대방 측은 '주주명부 열람 및 등사 가처분신청'을 법원에 낸다. 법적으로 정당하게 판결을 받고 주주명부를 입수하는 것이다. 가처분소송이 인용되면 분쟁 상대방 측도 주주 개인정보를 활용해 전국을 뛰어다닌다. 상대방 측 역시 또 다른 의결권 대행사를 섭외해 주주 개인정보를 넘겨주기 일쑤다.

의결권 대행사가 과거에는 용역업체로 불렸다. 의뢰인이 원하는, 시키는 일을 해주기 때문이다. 드문 일이기는 하지만, 주총장에 '깍두기'들을 부르는 일도 한다. 좋게 말하면 '경호 직원'인데, 워낙 덩치 크고 험상궂은 친구들이 동원되기 때문에 딱 보면 깡패 느낌이 난다. 이들의 임무는 장내 질서 유지다. 소액주주들이 들고일어나거나 분쟁 상대방 측과 물리적 마찰이 우려될 경우 중간에서 이를 제지하는 역할이다. 그래서 덩치가 좋은 젊은 친구들이 많이 동원된다. 정직원도 있지만 아르바이트생도 많다. 체대생들이 아르바이트 하러 종종 오기도 한다. 생긴 게 아무리 깡패처럼 생겨도 이 친구들이 먼저 사람을 때리는 일은 거의 없다. 그건 바로 폭행 현행범이 되기 때문이다. 주총장에는 검증을 위한 캠코더가 배치되고 검사인 역할을 하는 변호사도 참여하기 때문에 폭행 사건이 벌어지면 증거와 증인이 넘쳐난다.

그런데 어찌어찌하다 사람을 치는 일이 생기기도 한다. 주총장이 아수라장이 되고 흥분한 주주들이 뒤엉킬 경우, 사람들을 막고 떼어내고 밀치는 과정에서 의도치 않은 불상사가 생길 수 있다. 의장에게 다가오는 소액주주를 밀쳤는데 그 사람이 확 밀려 넘어질 수도 있는 것이다. 용역직원도 사람인지라 흥분할 수 있다. 이 과정에서 예기치 못한 사고가 벌어지기도 한다. 그래서 업체에서는 이들 직원에게 절대 흥분하지 말라고 교육한다. 사람을 밀더라도 손바닥이 아닌 손등으로 밀어야 하고, 멱살을 잡아서는 안 되며, 욕을 해서도 안 된다고 교육한다. 문제는 사람이 흥분하면 이를 모두 잊어버린다는 사실이다. 흥분한 소액주주와 분쟁 상대방 측, 경호직원 등등이 뒤엉키면서 아수라장이 된 주총장을 많이 봐왔다. 한번은 소액주주 측에서 가스총을 준비해온 사례도 있었다. 하도 용역직원에게 힘으로 밀리다 보니 자신을 방어하기 위한 수단을 준비한 것인데, 이것이 문제가 되면서 주총장에서 또 한 번 소란이 벌어지기도 했다.

가치 아닌 가격을 보는 사람들

액면가를 잊지 말자

"이 기자, 우리 경쟁회사 주가는 5000~6000원 하는데, 우리는 2000원대면 너무 저평가된 거 아닌가?" "주식병합을 해서 주가 좀 높여놓아야겠어." 한 코스닥 상장사 CEO의 말이다. 주가의 표면적인 가치는 그다지 의미 없다는 것을 알만한 분이지만, 내심 경쟁사보다 주가가 낮아 보이는 현상(어쩌면 착시)은 참을 수가 없던 모양이다. 게다가 이 회사는 스팩 합병을 통해 상장된 회사였다. 우리나라 스팩은 주가를 주당 2000원으로 맞춰서 상장한다. 비상장사와 합병을 할 때도 대부분 주당 2000원에 맞춰 합병비율을 계산한다. 즉, 비상장사가 스팩 합병을 통해 상장하게 되면 이론적인 주가가 2000원이라는 뜻이다. 주당 2000원에 합병 상장한 회사의 CEO가 5000원대 경쟁사 주가를 보면서 '우리가 너무 저평가 돼 있다'고 말한 것이다.

"100만 원짜리 주식은 너무 비싸요." "좀 싼 주식을 사야죠." 주린이들이 흔히 범하는 실수다. 사실 100만 원짜리 주식 1주를 사나, 5만 원짜리 주식 20주를 사나 똑같은 값인데 말이다. 지갑에 만 원짜리 지폐 1장과 천 원짜리 지폐 10장이 같은 가치인 것과 같다. 액면가는 사실 주식 투자가 아니라 실생활에서도 충분히 알 수 있는 개념이다. 100원짜리 하나의 액면가격과 500원짜리 하나의 액면가격이 다르다는 것쯤은 "엄마 나 100원만" 하던 시절부터 누구나 알던 것이니까.

액면가는 주식이나 채권의 표면에 표시된 가격을 말한다. 가치를 말하는 것이 아닌, 그저 표면적인 가격을 의미한다. 액면가는 자본금을 규정하기 위한 도구일 뿐이다. '액면가 × 주식 수 = 자본금'이다. 즉, 액면가 5000원짜리 주식 200주를 발행하면 자본금 100만 원짜리 회사가 된다.

액면가는 주로 100원, 200원, 500원, 1000원, 2500원, 5000원 등으로 구분되는데, 이는 회사가 선택할 수 있다. 똑같이 자본금

100만 원짜리 회사인 A사와 B사가 있다. A사는 액면가 5000원을 택해 주식 200주를 발행했고, B사는 액면가 500원을 택해 주식 2000주를 발행했다. 즉, 액면가에 따라 A사 주가는 5000원, B사 주가는 500원이 됐다. 이 두 회사는 방금 설립됐고, 아직 아무 일도 하지 않았다. 자본금 100만 원도 각각 그대로다. 그럼에도 누군가는 B사의 주가가 싸다고 말할지도 모른다. 그런 사람에게 이렇게 말해주자. "주가를 비교하려면 액면가를 같은 단위로 환산하셔야죠!"

앞서 액면가는 자본금을 규정하기 위한 도구라고 설명했다. 그리고 자본금과 자본잉여금을 구분하는 기준이 되기도 한다. 즉, 액면가로 발행된 금액이 자본금, 이를 초과해 발행된 금액이 자본잉여금(주식발행초과금)이 되는 구조다. 예를 들어 A사가 주식을 발행해 100만 원을 조달한다고 가정해보자. 액면가 5000원이라면 200주를 발행해야 한다. 그런데 만약 투자자들에게 더 높은 가치를 인정받아 주당 5만 원에 주식을 발행하게 됐다고 치자. 이 경우 주식은 20주만 발행하게 된다. 이때 자본금은 '액면가 5000원 × 20주'인 10만 원이 되고, 나머지 90만 원은 자본잉여금으로 들어간다. 이는 재무제표 중 재무상태표를 통해 볼 수 있다.

단위 : 백만 원

자본	
지배기업 소유주지분	267,670,331
자본금	897,514
우선주 자본금	119,467
보통주 자본금	778,047
주식발행 초과금	4,403,893
이익잉여금(결손금)	271,068,211
기타자본항목	(8,687,155)
매각예정분류 기타자본항목	(12,132)

삼성전자 주식발행초과금. 자본잉여금과 같은 말이다.

액면가가 없는 주식도 있다. 지난 2011년 4월 상법이 개정되면서 이른바 '무액면주no-par stock' 발행이 허용됐다. 다른 말로 비례주, 부분주라고도 한다. 무액면 주식은 말 그대로 액면가격이 없는 주식이다. 1주당 금액을 회사가 자유롭게 선택하는 것이다. 그럼 무액면 주식의 경우 자본금을 어떻게 계상할까? 무액면주를 도입한 회사는 이사회에서 정한 금액을 자본금으로 계상하게 된다. 다만, 상법에 따라 발행가액의 $\frac{1}{2}$ 이상을 자본금으로 잡아야 한다. 즉, 액면가 없이 100만 원어치 주식을 (10주든 1000주든) 발행했다면 50만 원 이상을 자본금으로 계상해야 한다는 것이다.

무액면주는 왜 태어났을까? 상장회사의 경우 주가가 액면가 밑으로 떨어지면 현실적으로 자본 조달이 어려운 한계에 부딪힌다.

상법에서는 기본적으로 액면가 이하 주식 발행을 금지하고 있다. 예를 들어 액면가 5000원인 A사의 현재 주가가 3000원일 경우, 증자를 한다면 법에 따라 5000원 이상으로 주식을 발행해야 한다는 얘기다. 이걸 누가 사겠나? 그래서 액면가 자체가 사실상 주식발행가액의 하한선으로 작용해왔다.

이를 개선해야 한다는 기업들의 요구에 따라 지난 2011년 4월 상법 개정을 통해 무액면주식 제도가 도입됐다. 이미 외국에서는 무액면주식 발행이 흔한 일이다. 그런데 제도 도입 10년이 지났어도 우리나라에서는 무액면 주식을 발행하는 경우가 거의 없다고 한다. 제도를 도입해달라고 할 땐 언제고, 정작 도입해놓으니 제도를 활용하지 않는 형국이다.

상법에서 원칙적으로 액면 미달 발행을 금지하고 있지만, 예외 규정도 있기 때문이다. 주주총회 결의와 법원의 인가를 받으면 액면가에 못 미치는 가격으로 주식을 발행할 수 있다. 주가가 액면가보다 낮은 기업은 일반적으로 재무상태가 한계에 부딪힌 상황이라는 점을 감안하면, 주주들도 추가 자본조달을 통한 회생을 지원할 가능성이 높다. 법원은 회사의 제반 사정을 참작해 액면가에도 못 미치는 주식 발행을 인가할 수 있다. 다만 경영진이 횡령을 일삼거나 계속기업으로서 가치가 없는 회사라면 경우가 달라질 수 있다. 한편, 무액면주의 경우 회사의 재무상황에 대한 투자자의 오해가 있을 수 있고, 발행가액 결정을 놓고 공정성 시비가 붙을 수 있다는 단점도 있다.

액면분할과 액면병합, 쪼개고 합치는 눈속임

액면가 고려 없이 주가 저평가를 하소연하던 CEO는 결국 액면병합을 택했다. 2000원짜리 주가가 액면병합을 통해 1만 원이 됐다. 액면병합이란 말 그대로 액면가를 올리기 위해 주식을 합친다는 뜻이다. 1주당 2000원짜리 주식 5개를 합쳐 1주당 1만 원짜리 주식 1주로 만드는 것이다. 슈퍼마켓에서 1000원짜리 다섯 장을 5000원짜리 한 장으로 바꾸는 것과 같다.

액면병합을 실시하는 이유는 크게 두 가지다. 첫 번째는 착시효과를 개선하려는 아니, 착시효과를 노리려는 이유에서다. 대부분 저가주의 경우가 그렇다. 특히 동전주가 심하다. 1주당 가격이 몇백 원에 지나지 않을 경우 펀더멘털fundamental•과 상관없이 '잡주' 취급

• 한 나라 경제가 얼마나 건강하고 튼튼한지를 나타내는 경제의 기초요건을 말한다. 보통 경제성장률, 물가상승률, 재정수지, 경상수지, 외환보유고 등과 같은 거시 경제지표들을 의미한다.

을 받는다. 액면가 100원이고 현재 주가가 500원이라면 액면가보다 5배 높은 수준임에도 말이다. 이럴 경우 액면병합을 하면 뭔가 그럴듯해 보이는 그림이 나온다.

액면가 100원, 현재 주가 500원인 주식을 액면가 500원짜리로 5배 병합할 경우 주가는 2500원이 된다. 뭔가 튼실해 보이려나? 극단적으로 액면가 5000원짜리로 50배 병합하면 2만 5000원이 된다. 좀 그럴싸해진 것 같다. 그러나 이같이 극단적인 액면병합은 주식 수를 크게 감소시켜 주식 유동성(거래량)이 나빠진다는 단점이 있다.

액면병합을 하는 또 하나의 이유는 주식 물량을 감소시키기 위함이다. 유통 주식 수가 너무 많을 경우 적절한 가치를 받기 어렵다는 논리인데, 사실 잘 이해되지 않는다. 유통 주식이 거의 없는 이른바 '품절주'를 만들어 주가를 밀어 올리겠다는 건지…. 유통 주식 수가 적으면 품절주로 분류돼 높은 가치를 받을 수도 있겠지만, 반대로 현금화가 어려워 약세장에서는 극단적인 저평가를 받을 수도 있다. 경험상 액면병합은 동전주와 같은 저가주 이미지를 벗어나기 위해 실행하는 선택지로 보인다.

반대로 액면을 나누는 경우도 있다. 액면분할이다. 방식도 목적도 액면병합의 반대라고 생각하면 쉽다. 액면분할은 주식의 액면가를 낮춰서 주식 수를 늘리는 방식이다. 액면가 5000원짜리를 액면가 500원짜리로 분할하면 주식 수가 10배 늘어나는 것이다. 이는 유통 주식 수가 너무 적거나 주가가 너무 고가주여서 거래가 용이하지 않을 때 주로 행한다. 주가가 100만 원을 넘는 이른바 '황제주'의 경우 개인투자자 접근성이 좋지 않다는 지적을 받기도 한다. 사실, 1000만 원을 투자한다면 100만 원짜리 10주를 사나 10만 원짜리 100주를 사나 똑같은 일이지만, 심리적 허들이 높은 것도 사실이다. 또한 시간적 리스크 분산을 위한 적립식 투자가 쉽지 않다는 한계도 있다. 10만 원짜리 주식이라면 매월 1주씩 사서 모으는 것이 가능하지만, 100만 원짜리라면 아무래도 접근성이 떨어질 수밖에 없다.

대표적 황제주였던 삼성전자가 지난 2018년 5월 4일 50대 1 액면분할을 실시했다. 당시 1주당 250만 원이던 가격이 5만 원으로 나뉘었다. 기존에는 꿈도 꾸기 어려웠던 '월급날마다 삼성전자 1주씩 사기'가 누구에게나 가능해진 것이다. 롯데칠성도 지난 2019년 약 160만 원이던 주가를 16만 원으로 10대 1 액면분할 했다. 카카오, 아모레퍼시픽, 삼성생명, SK텔레콤, 삼성화재, 현대글로비스 등 많은 기업이 이 같은 액면분할을 실시한 바 있다. 일본에서는 1주를 1000주로 나누는 1000대 1 액면분할도 몇 차례 있었다고 한다.

액면가가 없는 미국이나 일본의 경우 액면분할이 아닌 주식분할, 정확히는 권면분할이라 부른다. 금융 선진국답게 기업들도 투자자들을 위해 주식분할 필요성에 적극 공감하고 있다. 잘 나가는 기업은 자의 반 타의 반 정기적으로 주식분할을 실시하기도 한다. 가만 놔두면 주가가 너무 높아져버리는 참 아름다운 현상이 계속되고 있기 때문이다.

애플은 지난 2020년 8월 4대 1 주식분할을 결정했다. 당시 400달러 안팎이던 주가가 100달러대로 낮아졌다. 지금까지 애플은 액면분할을 5번이나 실시했다. 지난 1980년 나스닥에 상장한 이후 애플은 1987년 2대 1, 2000년 2대 1, 2005년 2대 1, 2014년 7대 1, 그리고 2020년 4대 1 주식분할을 실시했다. 사상 최대 실적을 기록하면서 사상 최고 주가를 경신하고, 1주당 가격이 수백 달러 수준으로 높아지면 주식을 또 분할해서 가격을 낮추는 방식이다. 투자자의 접근성을 높이는, 그야말로 행복의 무한 루프다. 전 세계 시가총액 1위 기업으로서 '경영은 이런 것이다', '주가 관리는 이런 것이다'를 몸소 보여주고 있다.

황제주 중 황제주는 워런 버핏의 버크셔해서웨이다. A주, B주가 있는데 특히 A주(class A)의 경우 1주당 45만 달러에 육박한다(2023년 4월 말 기준). 우리 돈으로 6억 5000만 원 수준이다. 1주 가격이 집값 수준이다. 워런 버핏은 단 한 번도 A주를 분할하지 않았다. 마치 박물관에 걸린 미술품처럼 버크셔해서웨이 주식을 보존하려는 게 아닌가 싶을 정도다. 워런 버핏이 지난 1962년 이 회사를 처음 사들일 때 주가는 7.5달러였다.

워런 버핏은 버크셔해서웨이 투자를 원하는 일반인들을 위해 조금 다른 방식을 택했다. 지난 1996년 기존 주식(A주)의 1/30 가격에 B주를 발행한 것. B주의 가격도 많이 오르자 2010년에는 B주를 50대 1로 분할하기도 했다. 확실히 A주와 B주를 대하는 생각이 많이 다른 것 같다. A주는 박물관에, B주는 운동장에 있는 느낌이랄까.

구글을 운영하는 알파벳도 지난 2022년 7월 20대 1 주식분할을 진행했다. 알파벳 1주를 가졌다면 19주를 추가로 받아 20주를 보유하게 된다는 뜻이다(물론 전체 금액은 동일하다). 이를 발표한 2월 1일 알파벳 주가는 7% 넘게 급등했다. 그 직전 주가는 클래스A 기준으로 2752.88달러였다. 우리 돈으로 약 330만 원 수준이다. 1주당 가격이 이렇게 높다 보니 누구나 쉽게 사 모으기가 쉽지 않은 주식이었다. 루스 포랫 알파벳 CFO는 당시 주식분할을 발표하며 "더 많은 사람이 알파벳 주식에 접근할 수 있도록 하기 위해 이사회에서 주식분할을 결의했다"라고 밝혔다.

참고로, 알파벳 주식은 의결권 유무 등에 따라 총 3종류로 나뉜다. 클래스A는 1주당 1표 의결권을 지닌 가장 일반적인 주식이다. 클래스B는 창업자와 초기 투자자들만 보유한 주식으로 비상장 상태이며 의결권이 1주당 10표다. 그리고 클래스C는 나스닥에 상장돼 있으나 의결권이 없는 주식이다. 클래스C의 경우 의결권이 없기 때문에 클래스A보다 저렴한 것이 정상이겠지만, A주와 C주는 사실상 가격 차이가 거의 없다. 우리나라로 따지면 의결권 없는 우선주 개념이지만, 투자자들은 '의결권이 있건 없건 알파벳은 알파벳'이라고 생각하는 듯하다. 달리 말하면 '내가 의결권을 행사하지 않아도 알아서 잘 경영해주는 기업'이라 생각하는 것일 수도 있겠다. 우리나라 우선주의 경우 의결권이 없는 대신 배당금을 더 주지만, 알파벳은 아예 배당을 하지 않는 기업(2021년말 기준)이다. C주가 A주와 비슷한 값을 받는 이유는 '구글이기 때문에'라는 말로 설명하는 것이 가장 함축적일 듯하다.

기업들의 진흙탕 싸움

경쟁사 흑색선전

선거 때면 중상모략, 흑색선전이 난무한다. 의혹을 받는 어떤 정치인들은 "그건 마타도어"라며 억울함을 표한다. 마타도어는 스페인어에서 유래된 말이라고 한다. 투우사라는 뜻의 스페인어 'Matador(마따도르)'가 그것이다. 흑색선전, 모략이라는 표현에 왜 투우사가 등장하는지 짐작할 수 있다. 붉은 천을 흔들어 소를 유인한 뒤 창을 찌르기 때문 아닐까. 기업 간 관계에서도 투우사의 속임수 같은 일이 즐비하다. 경쟁사를 깎아내리는 일이다. 선거판에서 당선되기 위한 정치인 못지않게, 시장점유율을 높이려는 기업 간 경쟁이 치열하다. 그 사이에서 마타도어를 실행하는 기업도 적지 않다.

해당 산업계 출입 기자에게 경쟁사 정보를 흘려주고 기사를 쓰도록 하는 일은 비일비재하다. 앞서 이야기한 대기업 수주전이나 M&A 사례는 물론이고, 나아가 경쟁사 내부에서 벌어지는 사건 사고를 언론에 친절히 알려주는 경우도 많다. 경쟁사 이미지가 나빠질수록 득을 보는 곳이 어디겠는가? 동종업계에서는 항상 경쟁사에 레이더를 돌리고 있으니, 그곳에서 벌어지는 사건 사고를 누구보다 먼저 알 수 있다. 이처럼 사건 사고를 파악해서 출입기자에게 알려주는 것이 경쟁사 홍보팀의 업무일 때도 있다.

임플란트 업계가 대표적이었다. 경쟁이 너무 심한 나머지 경쟁사 일거수일투족이 언론에 생중계되다시피 한 적도 있다. 2017년 이야기다. 제품에 대한 공격은 물론, 경쟁사 회계처리에 관한 제보도 넘쳐났다. 한 임플란트 회사가 IPO를 추진하던 시기였다. 경쟁사가 금융당국에 투서를 넣으며 IPO 절차가 전체 중단되기도 했다. 그리고 세부적인 내용이 기사를 통해 세밀하게 보도됐다. 프레임은 분식회계로 짜였다. 물론 소스는 경쟁사였다. 그런데 결과적으로 그 누구도 웃지 못했다. 경쟁사끼리의 폭로전이 결국 호랑이를 집으로 불러온 격이었다. 임플란트 업계 전반에 대한 국세청 세무조사가 시작됐고, 결국 업계 전체가 수백억 원대 세금을 추징당했다. 으르렁대기만 하던 임플란트 업계는 지난 2020년 처음으로 한국임플란트제조산업협의회를 구성해 제대로 소통하기 시작했다.

레깅스 업계에서도 심각한 마타도어가 있었다. 경쟁사 브랜드 이미지를 깎아내리는 방식이 도를 넘은 사건이었다. 접대부들이 레깅스를 입고 나오는 유흥업소에서 벌어진 일이다. 여성 접대부들이 입고 나온 타사 레깅스를 몰래 사진 찍어 유포하려 한 행위였다. A 레깅스 업체 임원이 자신의 운전기사에게 경쟁사 B사 레깅스를 입은 여성 접대부들의 사진을 찍어오라고 시켰다는 것이다. 미션은 B사 브랜드가 부각되어야 한다는 것이었다. 이를 어떻게 악용할지는 불 보듯 뻔한 일이었다. 다만 해당 작업은 실현되지 못했다. 양심의 가책을 느낀 운전기사가 불법촬영 혐의로 경찰에 자수하고, 이를 언론사에 제보했기 때문이다.

이 사건은 운전기사에 대한 갑질과 불법촬영 사주 사건으로 비화되었다. 이후에는 역으로 A사 측에서 악의적 왜곡보도가 이어지고 있다며 그 배후로 레깅스 경쟁사인 B사를 의심하기도 했다. A사는 진실을 밝히겠다며 신고 포상금을 내걸기도 했다.

입찰에서 떨어진 경쟁사는 모든 것을 알고 있다

경쟁사를 곤란에 빠지게 하려고 언론을 활용하는 사례는 매우 다양하다. 위에서 언급한 부정적 이슈 제보뿐 아니라, 긍정적인 이슈를 제보하는 것도 여기에 포함된다. 대표적인 것이 바로 경쟁입찰 사례다. 예를 들어 대기업 A사에서 발주한 500억 원짜리 장비 공급 프로젝트를 따내기 위해 B사와 C사가 경쟁 붙었다고 치자. 결과적으로 B사가 입찰에서 승리했고, C사는 떨어졌다. 얼마 후 이런 기사가 나온다. 「A사 500억 규모 프로젝트, B사가 공급한다!」

기사 내용을 보면 어떤 대기업이 어느 나라, 어느 지역, 어느 공장에 증설하는 얼마짜리 프로젝트에 어떤 사양의 장비들이 어떻게 들어가는지 매우 상세하게 나온다. 도저히 내부자가 아니고서는 알 수 없는 내용이다. 이런 기사가 나가면 공급사로 선정된 B사가 가장 난처해진다. 대부분 공급계약이 '경영상 비밀 유지'를 전제로 하기 때문이다. 특히 반도체, 2차전지, 디스플레이, 스마트폰 등 첨단산업의 경우 증설, 장비 도입과 같은 투자 관련 사안은 매우 민감한 영업비밀에 해당한다. 이 같은 내용이 B사에서 유출될 경우 자칫 B사는 계약을 파기 당할 수 있고, 천문학적인 손해배상금을 물어야 할 수도 있다. 이런 비밀 유지 조항은 계약서를 작성할 때 어느 기업이나 필히 담는 내용이다. 이를 NDA Non-Disclosure

Agreement(비밀유지계약)라고 하는데, 경우에 따라서 손해배상 규모가 계약금의 몇 배에 달하는 경우도 있다. 그래서 필자의 경우 특정 프로젝트 수주와 관련한 사실을 취재해놓고도 기사화하지 못한 경우가 많다. B사의 공급계약 소식을 B사에서 들었는데, 이를 기사화했다가 B사에 천문학적인 손해를 입힐 수도 있었기 때문이다.

앞선 단독보도를 보면 이같이 첨예한 사안을 B사가 직접 기사화되도록 언론에 뿌렸을 리가 없다. 잘못하면 계약도 깨지고 회사가 망할 수 있는 판이다. 그렇다면 이처럼 세부적인 정보를 언론사에 흘려준 사람은 누굴까? 바로 경쟁입찰에서 떨어진 C사의 관계자일 가능성이 매우 크다. 입찰 내용을 누구보다 잘 알고 있고, A사와 B사의 계약이 파기되면 가장 수혜를 보는 것이 바로 C사 아니겠는가. 이런 생리를 잘 아는 베테랑 기자들은 경쟁사를 찾아다니며 상대방 경쟁사에 관한 기삿거리 얻기를 생활화하고 있다. 특정 산업의 공급망을 꿰뚫으면서 이런 식으로 취재를 하면 '업계 빠꼼이', '전문기자' 칭호를 받을 수 있다.

실제로 필자가 취재하던 D기업에서도 이런 일이 종종 일어났다. 특정 산업 전문지(인터넷 매체) 기자가 경쟁사에서 소스를 얻어 민감한 사안을 계속 써댄 것이다. 수백억 원대 장비 공급 계약을 따냈는데, 머지않아 자꾸 특정 언론사에서 상세한 보도가 나오는 것이다. 경쟁사 E사가 배후에 있을 것으로 강력히 의심되는 상황이다.

D사는 대기업 A사에 매번 해명하느라 진땀을 흘렸고, “입찰에서 떨어진 E사 측에서 자꾸 여론몰이를 하는 것 같다”라며 읍소하기도 했다.

입찰에서 떨어진 E사는 왜 자꾸 이런 지저분한 언론 플레이를 할까? 그 대기업이 언론 플레이의 배후로 E사를 의심하게 되면 E사는 향후 입찰에서 더욱 불리해질 수 있는데 왜 자꾸 이런 정보를 흘리는 걸까? 추측하건대 E사 입장에서는 어차피 대기업 A사와 향후에도 거래할 일이 없다고 생각하는 것 같다. 따지고 보면, 첨단산업의 생산라인은 한번 장비 공급업체가 정해지면 협력사를 바꾸기가 쉽지 않다. 생산·관리 효율성을 위해서라도 장비의 통일성이 중요하기 때문이다. 나중에 정말 혁신적인 장비가 개발되면 모를까, 생산라인에 들어가는 장비를 여기저기서 뒤죽박죽으로 가져다 쓰는 경우는 거의 없다. 이를 아는 E사 입장에서는 ‘내가 못 먹는 밥상에 재라도 뿌리자’ 하고 못된 심보를 부리는 것일 수도 있겠다.

M&A 못먹는 감 찔러나 보는 이유

경영권 매각이 진행되는 M&A 때도 기업들은 매우 민감해진다. 각종 기밀사항이 유출될 수 있기 때문이다. A사 경영권 매각을 위한 경쟁입찰에 경쟁사인 B사가 참여해 A사의 속살을 들여다보는 것도 가능하다. M&A를 경쟁입찰 방식으로 진행할 경우 보통 '매각공고–예비입찰–본입찰–우선협상대상자 선정–가격 협상–계약 체결–대금납입 및 주식 양수도' 등의 절차를 거친다. B사가 진짜 A사 인수에 진심이라면 마지막까지 완주하겠지만, A사의 경영·기술·영업 기밀을 획득하는 것이 목적이라면 완주할 필요가 없다. 본입찰 전에 '실사'에만 참여하면 되기 때문이다. M&A 과정에서 실사는 데이터 실사, 경영진 PT 및 면담, 현장 방문 등으로 진행되는데, 이때 상당한 정보를 획득할 수 있다. 인수자 측 입장에서는 최소 수백억, 수천억 원을 들여 기업을 인수하는 과정이니 매각자 측이 그에 상응하는 상세 정보를 오픈하는 것이 당연하다. 반면, B사는 경쟁사의 각종 정보를 취득하고 본입찰에는 참여하지 않을 수도 있다. 인수자 측 마음이다. 만약 본입찰까지 가더라도 본입찰에서 일부러 떨어질만한 가격을 제시하면 된다.

만약 B사의 흑심이 의심될 경우 A사 최대주주 측이 입찰 과정에서 B사를 배제해버릴 수도 있다. 정보 유출 가능성을 사전에 차단하는 것이다. 그러나 A사 최대주주가 누구에게든 가장 비싼 값으로 팔고 나가면 그만이라는 생각을 하고 있을 경우, 경쟁사를 배제하지 않을 수도 있다. 최대주주 입장에서는 '나는 어차피 떠날 사람'이라는 생각에서다. 강조하건대, 최대주주와 기업은 평소에는 한 몸이지만 매각을 하고 나면 '남남'이 되는 사이다. 냉정하게 말하면, 지분과 경영권을 매각할 최대주주 입장에서는 가격이 최우선이다. 또한 경쟁사에 인수되는 것이 업계 Đ위로 도약하는 길이라면 그것을 택할 가능성도 있다.

자신이 키워 온 기업의 미래를 위해 인수 희망자의 자금력과 미래 비전, 경영 철학, 그리고 임직원 고용안정과 복지 계획에 높은 점수를 주려는 최대주주도 간혹 있긴 하다. M&A가 될 때 그동안 고생한 임직원들에게 특별 상여금을 주거나 주식 일부를 증여하는 사람도 있다. 아예 인수자 측과 매각 조건으로 '몇 년간 구조조정 금지, 임직원 특별 상여금 지급' 등을 내거는 사람도 있다. 정말 존경하지 않을 수 없는 모습이다. 기업을 팔아서 막대한 부를 거두는 대주주들 가운데 이런 모습을 보이는 사람이 많아지길 바라는 마음이다.

재미로 보는 유출샷, 당한 기업은?

갤럭시 신제품, 신형 맥북과 아이폰, 그리고 자동차 차기 모델까지, 온라인에서 드물지 않게 '유출샷(제품이 공식적으로 공개되기 전 누군가 몰래 찍어 유포한 사진)'이 화제가 된다. 전 세계 소비자들이 관심을 가지는 제품일수록 유출샷에 대한 관심 역시 높다. 지구 반대편 어느 블로거가 올린 유출샷 하나가 전 세계 언론에 퍼진다. 아이폰과 갤럭시 스마트폰 유출샷 기사는 언론사에도 클릭 수가 꽤 높게 나오는 장사 잘 되는 아이템 중 하나다.

그렇다면 이런 유출샷은 도대체 누가 찍고 누가 유포하는 것일까? 먼저 유출샷은 사실 여부를 확인해야 한다. 그것이 실제 제품 이미지인지, 상상도인지부터 살펴봐야 한다는 얘기다. 특히 상상도의 경우 '렌더링 이미지'라는 이름으로 다양하게 만들어진다. 개인 블로거부터 IT 매거진, 스마트폰 유통사에 이르기까지 자신들의 상상력을 동원해 멋진 이미지를 그려내는 식이다. 아예 상상만으로 그리기도 하고, 업계에서 떠도는 제품 정보를 바탕으로 이미지를 만들어내기도 한다. 예를 들면 후면 카메라가 3개 장착된다는 발표가 나오면 카메라 3개를 일렬로 배치한 이미지를 만들거나 삼각형으로 배치한 이미지를 만드는 식이다. 만약 카메라 부품이나 케이스 공급업체를 통해 카메라 정렬 방식이 확인되면 그것을 구체화해서 렌더링 이미지를 새로 그리게 된다. 이런 방식을 통해 상상도가 더욱 구체화되며 실제 제품에 가까워진다. 또한 각종 부품 공급사를 통해 조각조각 퍼즐 맞추듯이 부위별로 그림을 그려나가기도 한다. 카메라 부품 공급사를 통해 카메라 부분 사양과 이미지를, 디스플레이 관련 부품 공급사를 통해 노치, 펀치홀 등과 같은 전면 디스플레이 모양을 추정하는 식이다.

그런데 추정이 아니라 실제 이미지가 노출되는 경우도 많다. 실제로 만들어진 제품의 이미지가 외부로 새어나가는 것이다. 이게 진짜 유출샷이다. 필자가 취재한 사례 중에도 있었다. 애플 아이폰 부품 2차 협력사(간접 공급)인 A사에서 당시 신형 아이폰의 특정 부분 이미지가 유출된 것이다. 아이폰의 전체 디자인은 아니었지만, 새롭게 달라지는 주요 부위여서 파장이 컸다. 알고 보니 A사 직원이 아니라 잠시 생산라인 보수를 위해 공장에 들어왔던 협력사 직원이 사진을 몰래 찍어갔던 것으로 밝혀졌다.

A사와 같은 부품 공급사들은 평소에도 보안 관리를 매우 철저히 한다. 고객사의 기술 및 디자인 정보가 잘못 새어나갈 경우 공급사 지위를 박탈당할 수 있기 때문이다. 게다가 천문학적인 손해배상금을 물어낼 수도 있다. 부품 공급사들은 고객사의 요청으로 인해 항상 기밀유지협약을 맺는다. 고객사 기밀을 누설하면 어떤 조건에 따라 얼마 상당의 손해배상금을 물어내야 한다는 매우 구체적인 내용을 계약서에 담는 것이다. 애플과 거래하는 B사 CEO의 경우 필자에게 “애플 측 손해배상 수준은 자칫 잘못하면 우리 회사가 망할 수도 있는 정도”라며 “애플은 NDA가 특히 까다롭기로 유명하다”라고 혀를 내둘렀다. 앞서 사진이 유출된 A사는 다행히 애플 측이 크게 문제 삼지 않기로 했다고 한다. 사진을 몰래 찍은 사

람이 자사 직원이 아니라는 점이 소명됐고, 사진이 많이 유포되기 전에 각종 인터넷 사이트에서 삭제 조치를 했기 때문이었다. 특히 A사 CEO가 백방으로 뛰어다니면서 다양한 인맥을 통해 애플 측에 읍소한 것도 주효했다.

누군가 호기심으로 찍어 유포하는 사진 한 장이, 누군가 솔깃해서 찾아보고 재배포하는 사진 한 장이 누군가에게는 생사여탈生死與奪 문제가 된다. 실제로 보안이 잘 지켜지지 않는 2차, 3차 공급사의 경우 1차 협력사가 알아서 걸러버리는 일도 있다. 애플에 문제 되기 전에 아예 1차 협력사 선에서 관리하는 것이다.

제조 이후 과정에서 유출되는 사진은 매우 구체적으로 문제가 된다. 진짜 신제품 실물이 그대로 유출되기 때문이다. 제조 이후에는 더 많은 이해관계자의 손을 탄다. 패키징(박스 포장) 기업부터 스마트폰 케이스 제조 유통사, 마케팅 회사, 광고 영상 제작사, 홍보 대행사 등을 통해 다양한 루트로 유출될 수 있다.

패키징 외주 기업은 아예 실물을 대거 받아서 박스 포장을 담당하기에 신제품에 관한 모든 정보를 갖고 있다고 봐도 과언이 아니다. 스마트폰 케이스 제조사의 경우 신제품이 나오기 전에 스마트폰 제조사 측에서 구체적인 신제품 사이즈를 알아 올 수가 있다. 또한 실물과 같은 사이즈의 모형을 받아 오기도 한다. 금형 즉, 케이스를 본뜰 틀을 미리 준비해놔야 하기 때문이다. 스마트폰 제조사 입장에서는 신제품 출시와 동시에 케이스 등 각종 액세서리가 시장에 유통되어야 스마트폰 판매에 도움받을 수 있기에 잘 협조해주는 편이다.

또한 스마트폰 제조사는 정식 공개일 이전에 광고 영상을 찍어두어야 한다. 그래야 공개와 동시에 대대적인 마케팅을 벌일 수 있다. 사전에 광고 영상을 준비하는 과정만 수개월이 걸리기도 한다. 광고 기획부터 CG 완성까지 간단한 일이 아니다. 광고 모델이 출연하면서 손에 쥐고, 사용하는 장면도 찍어야 한다. 광고 모델 역시 NDA 계약 대상이다. 특히 요즘에는 유튜버를 통한 마케팅이 강화되고 있어서 사전 유출 우려가 더욱 크다. 미리 유튜버들에게 '언박싱 영상'을 만들도록 하고, 공식 공개 시점과 동시에 영상을 올리도록 하는 것이다. 예전에는 언론사 기자들에게 먼저 보도자료를 주고 공개 시점에 맞춰 '엠바고(특정 시점 보도 유예)'를 걸도록 했다면, 이제는 유튜버들에게도 일종의 엠바고를 설정하는 셈이다.

문제는 일부 유튜버들이 고의 혹은 실수로 영상을 먼저 게재하거나 실물 사진을 유출한다는 점이다. 실제로 몇 년 전 특정 유튜버가 영상 업로드 시간을 잘못 설정해서 신제품 공개 시점보다 영상이 먼저 오픈된 적이 있다. 유튜브에서는 영상을 미리 업로드 해놓고 특정 시점에 공개되도록 예약할 수 있는 기능이 있는데, 이 시간을 잘못 누른 것이다. 이 사고 때문에 많은 언론사 기자들이 "왜 신제품을 언론사보다 유튜버한테 먼저 주느냐" 항의하기도 했다. 그런데 제조사 입장에서는 조회 수 더 높은 유튜버가 인기 없는 언론사보다 더 효자이긴 하다.

더 큰 문제는 실물을 먼저 받은 관계자들이 도덕적이지 못한 일을 벌일 수 있다는 점이다. 실물을 본인이 직접 유출하면 NDA 위반이지만, 몰래 지인에게 넘겨주고 지인을 통해 유포되도록 하면 본인은 NDA에서 자유로울 수 있다. 정밀한 조사가 이뤄지지 않는다면 말이다. 사실 누구를 통해, 어디에서 최초로 유출된 것인지 색출하는 작업은 매우 어렵다. 수백 명에게 신제품이 전달된 상황에서 다양하게 유포된 루트를 역추적하기 간단한 일이 아니다. 이를 악용해 신제품을 간접적으로 전달받아 자신의 SNS를 홍보하는 사람들도 꽤 있는 것으로 알려졌다. 이들에게는 돈이 되는 일이기 때문이다.

공포의 CR "특명! 돈을 써라!"

제조업, 특히 협력사 주식은 증시에서 높은 밸류에이션을 받기 어렵다. 고객사 요구에 따라 언제든지 단가 인하가 이뤄지기 때문이다. 단가 인하는 'CR Cost Reduction'이라 불린다. 제조사들이 가장 무서워하는 알파벳이 CR이라는 말이 있을 정도다. 반복되는 CR은 곧 영업이익률 하락으로 이어져 가만히 있으면 경쟁력이 떨어지는 기업이 된다. 처음에 개당 1만 원에 공급하던 부품이 다음해에는 7000원, 그 다음해에는 5000원이 된다. 이렇게 해야 고객사는 완제품의 가격을 낮추고 판매량을 늘릴 수 있다. 좋게 말하면 '기술의 대중화, 원가 경쟁력 강화'지만, 나쁘게 보면 '협력사 피 빨아먹기'다.

협력사 입장에서는 단가 인하를 당하는 만큼, 원가를 빠르게 낮추지 않으면 그대로 손해가 되어버린다. 제조원가 7000원인 부품을 1만 원에 공급하면 큰 이익이겠지만, 7000원 이하로 공급하게 되면 팔수록 손해가 된다. 다음해에 납품가격이 7000원으로 떨어질 것 같다면 제조원가를 그 이하로 낮춰야만 한다. 원재료를 싸게 사오든지, 자동화 설비를 도입해 생산 속도를 더욱 높이고 인건비를 낮추든지 어떻게 해서든 원가를 낮춰야 한다. 심지어 스마트폰 부품 가운데는 부품 단가가 100원도 되지 않는 부품이 많다. 말 그대로 10원짜리다. 처음 공급할 때는 1000원이었지만 몇 년 지나 반값, 반의 반값, 반의 반의 반값이 되기 일쑤다.

계속해서 기술개발에 매진하고 원가 절감 노력을 기울이지 않으면, 신기술 개발 이듬해부터 그 신기술로 인해 적자를 볼 수도 있는 것이 IT 부품산업이다. 그래서 제조업체 공장에 가보면 '안전 제일'

만큼이나 많이 쓰여 있는 문구가 '원가 절감'이다. 진짜 절실한 문구다. 안전이 노동자의 생명을 좌우한다면, 원가는 기업의 생명을 좌우한다.

이윤율이 높은 회사 즉, 원가 경쟁력이 높은 제조사를 우리는 '좋은 기업'이라 부른다. 그러나 위대한 기업이 되기는 힘들다. 이런 회사를 찾는 것은 매우 어려운 일이다. 신기술 개발 후 1년까지는 영업이익률이 20~30%에 달하더라도 그 다음해부터 10%대로 뚝 떨어질 수 있다. 고객사에서 "당신네 너무 남겨 먹는 거 아닙니까?" 이 한마디면 끝이다. CR이 들어오는 순간부터 지옥이 시작된다. 협력사 생산 여건을 감안하지 않고 무조건 1년에 30%씩 깎는다는 경우도 있다. 1000원짜리 부품은 다음해에 무조건 700원이 된다는 뜻이다.

그래서 협력사들은 영업이익률이 높게 찍히는 것을 꺼린다. 자신들이 훌륭한 기술을 개발하고 영업을 잘해서 이익을 잘 남겨도 고객사 눈치를 볼 수밖에 없는 것이다. 그래서 어떻게 해서든 이익률이 낮아 보이게끔 분식회계 아닌 분식을 하게 된다. 일반적으로 분식회계는 화장하듯이 회계장부를 예쁘게 꾸미는 것을 말하는데, CR을 피하기 위한 분식은 정반대다. 실적이 잘 안 나오는 것처럼 못생기게 꾸미는 것이다. 모난 돌이 정 맞듯이, 이익률 좋은 협력사가 정을 맞게 되어 있다.

방법은 다양하다. 관계사를 통해 원재료를 비싸게 매입하고, 이익을 관계사로 돌려버리는 것도 방법이다. 다만 이 경우에는 경영진이 회계부정, 배임 혐의를 받을 수 있다. 특히 관계사가 최대주주 특수관계인일 경우 일감 몰아주기 혐의도 받을 수 있다. 이외에도 단순히 원재료 매입 가격을 조정하거나 종속기업(자회사) 이익을 조정해서 이익을 낮추는 것도 가능하다. 이론적인 것 같지만, 실제로 이런 일을 저지른 기업이 있었다. 그것도 굴지의 자동차 부품회사에서 '역분식회계'가 벌어진 것이다. 역분식회계란 회계장부에 영업이익을 과소하게 적어 넣었다가 적발되었다는 뜻으로, 매우 희귀한 사건이었다.

지난 2020년 5월 코스피 상장사 에스엘이 증권선물위원회로부터 회계처리 기준 위반을 지적받았다. 담당임원 해임권고와 직무정지 6개월, 검찰통보, 감사인 지정 등의 조치가 이뤄졌다. 에스엘 주식은 2개월 가까이 거래 정지를 맞기도 했다. 에스엘은 당시 공시를 통해 "매출처의 단가 인하 압력을 우려하여" 종속기업의 영업이익을 과소계상 했다고 밝혔다. 당시 증권가에서는 매우 큰 충격을 받았다. 2~3차 협력사도 아니고, 1차 협력사, 세계 각국에 현지법인을 둔 글로벌기업, 매출 2조~3조 원대 기업조차 완성차 업체로부터 CR을 피하고자 분식회계를 저질렀다는 데서 큰 충격을 받았다. 그만큼 CR이 협력사들에게 무서운 존재임을 다시 한번 떠올리게

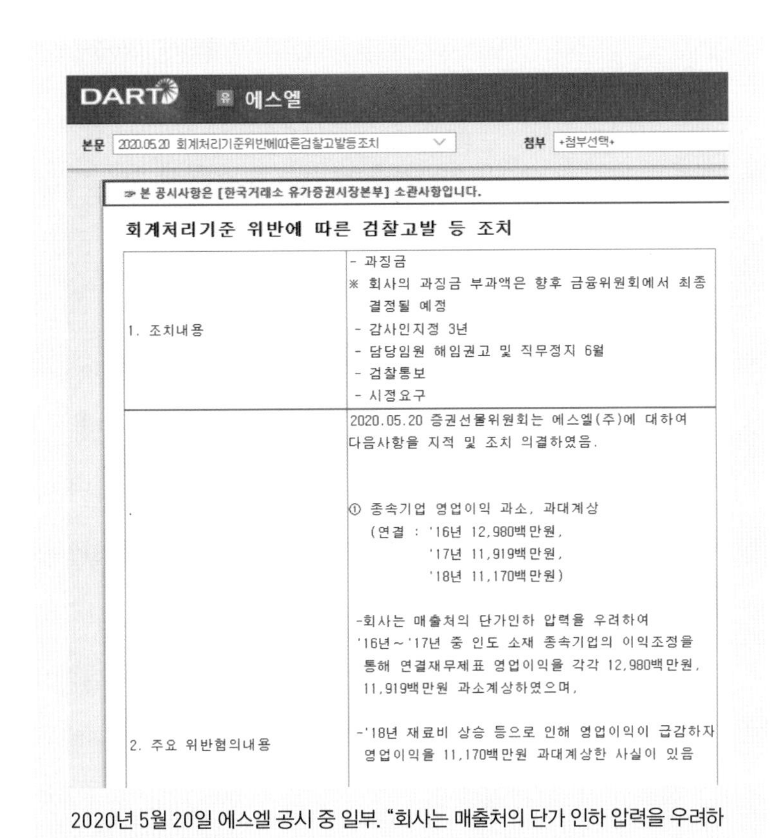
DART 유 에스엘

본문 2020.05.20 회계처리기준위반에따른검찰고발등조치 첨부 +첨부선택+

☞ 본 공시사항은 [한국거래소 유가증권시장본부] 소관사항입니다.

회계처리기준 위반에 따른 검찰고발 등 조치

1. 조치내용	- 과징금 ※ 회사의 과징금 부과액은 향후 금융위원회에서 최종 결정될 예정 - 감사인지정 3년 - 담당임원 해임권고 및 직무정지 6월 - 검찰통보 - 시정요구
. 2. 주요 위반혐의내용	2020.05.20 증권선물위원회는 에스엘(주)에 대하여 다음사항을 지적 및 조치 의결하였음. ① 종속기업 영업이익 과소, 과대계상 (연결 : '16년 12,980백만원, '17년 11,919백만원, '18년 11,170백만원) -회사는 매출처의 단가인하 압력을 우려하여 '16년~'17년 중 인도 소재 종속기업의 이익조정을 통해 연결재무제표 영업이익을 각각 12,980백만원, 11,919백만원 과소계상하였으며, -'18년 재료비 상승 등으로 인해 영업이익이 급감하자 영업이익을 11,170백만원 과대계상한 사실이 있음

2020년 5월 20일 에스엘 공시 중 일부. "회사는 매출처의 단가 인하 압력을 우려하여…"라고 밝히고 있다.

한 사건이었다.

법을 위반하지 않는 또 다른 방법도 있다. 비용 지출을 늘리는 것이다. 임직원들에게 성과급을 많이 주고, 마케팅비나 접대비 등 판매관리비를 많이 쓰는 것이다. 이렇게 하면 고생하는 임직원들을 잘 챙겨주는 효과와 함께 하도급 공급망 관련 기업들에도 인심을 쓸 수 있게 된다. 한 코스닥 상장사 CEO는 "어차피 내년에 CR 당할 게 뻔한데, 돈이라도 실컷 써봐야 하지 않겠느냐"라고 말하기도 했다. 이런 경우 기업은 이익률을 낮추는 효과를 볼 수 있지만, 주주들에게는 최악의 결과가 된다. 업황도 좋고, 기술력도 좋고, 매출도 좋지만, 이익은 좋지 않은, 그래서 투자자들에게는 돌아올 것이 없는 결과물이 되기 때문이다. 그래서 서두에 밝힌 것처럼 제조업, 특히 협력사 주식은 증시에서 높은 가치평가를 받기 어렵다.

제조사, 협력사들이 이렇게까지 할 수밖에 없는 현실을 알면 더욱 기가 차다. 고객사에서 협력사가 얼마를 남기는지까지 일일이 확인한다는 것이다. 고객사가 협력사에 기업 손익계산서를 요구하는 경우는 그나마 양반에 속한다. 부품별 제조원가부터 세부적인 원재료 조달 구조, 인건비 등 각종 원가 및 비용 구조를 요구하는 경우도 있다고 한다. 대패로 나무를 깎듯이 납품단가를 깎아내겠다는 것이다. 그래서 협력사들은 특정 고객사에 치중하지 않고 전 세계 다양한 기업에 제품을 공급하기 위해 노력한다. 고객사를 다변화해야만 매출도 늘리고 이익도 지켜낼 수 있기 때문이다. 다만 그만큼 기술 경쟁력, 제품 경쟁력, 가격 경쟁력이 뛰어나야 한다. 갑 같은 을이 되어야 한다는 말이다. 그러나 이는 정말로 쉽지 않은 일이다.

특정 고객사에 목매는 제조사는 CR에 더 취약할 수밖에 없다.

증시에서도 이런 기업은 더 낮은 평가를 받을 수밖에 없다. 반면, 상대적으로 고객사가 다변화되어 있고 특허 등 기술 우위, 원가 경쟁력 등을 갖춘 기업은 증시에서 상대적으로 더 높은 평가를 받을 수 있다. 투자자라면 내가 투자하는 기업이 어떤 회사에 어떤 제품을 공급하는지, 어떤 회사가 이 기업의 목줄을 잡고 있는지, 얼마나 목매고 있는지 정도는 반드시 알아야 한다.

다만 단가 인하는 우리나라만의 이야기가 아니다. 납품단가를 깎아서 가격 경쟁력을 높이려는 것은 전 세계 어느 기업이든 마찬가지이기 때문이다. 그 정도를 보면 한국 대기업들이 좀 더 심한 편이라는 것이 업계의 중론이다. 한 코스닥 상장사 CEO는 이렇게 말했다. “이 기자, CR 때릴 때 우리나라 대기업이랑 외국기업이랑 차이점이 뭔지 알아? 외국기업은 그냥 손익계산서만 보여주면 되고, 한국 대기업은 세부 항목까지 제출하라고 한다는 거야.”

언론 오보 대잔치

안 되는 크로스 체크, 안 하는 크로스 체크

투자자에게 또 하나의 적이 있다. 바로 잘못된 정보다. 투자投資라는 것이 '자본을 던지다'라는 의미인데, 그릇된 정보를 따라 투자하는 것은 그야말로 잘못된 곳에 돈을 던져 넣는 것과 같다. 그중에서도 잘못된 기사 '오보誤報'는 치명적이다. 공신력 있는 매체라 뉴스를 믿고 투자 판단을 내렸는데, 그 뉴스 자체가 오보였다면 투자 판단의 근거 자체가 무너지는 것이기 때문이다.

그렇다면 오보는 왜 발생할까? 근본적으로는 잘못된 취재 관행에 기인한다. 아주 기본적인 '크로스 체크'를 게을리할 때 오보가 발생할 수밖에 없다. 크로스 체크는 복수複數의 취재원을 통해 교차 확인한다는 뜻이다. 3중, 4중으로 다양하게 확인한다면 신빙성이 매우 높아진다. 특히 주변인뿐만 아니라 당사자를 통한 확인이 절대적이다. 예를 들어 A라는 기업이 B라는 기업을 인수한다는 기사를 쓴다고 치자. 당연히 A사뿐만 아니라 B사에 대해서도 취재가 이뤄져야 한다. 이 두 기업의 이사회, 실무자를 통해 확인한다면 확실할 것이다. 적어도 해당 M&A를 중개하는 회계법인이나 IB(투자은행)를 통한 취재는 해야 할 것이다. 이러한 루트를 통해 다중으로 확인이 됐다면 비로소 크로스 체크가 됐다고 말할 수 있을 것이다.

그러나 크로스 체크가 쉽지만은 않다. M&A의 경우 기사가 먼저 나가게 되면 주가가 움직여 인수가격(기업가치) 산정에 어려움을 겪을 수 있다. 가격이 맞지 않게 되면 인수합병 협상이 깨질 수도 있다. 그래서 확인 취재가 들어오면 해당 기업 측은 취재에 제대로 응할 수가 없다. 확인도 부정도 하지 않는 경우가 많다. 이를 두고 취재기자는 '아니라고는 안 했으니 맞겠지'라는 생각을 하게 된다. 그리고 지른다. '지른다'라는 표현은 언론 바닥에서 100% 확인되지 않은 기사를 밀어붙인다는 뜻으로 쓰이는 은어다. 특히 M&A의 경우 최대주주와 같은 당사자가 아니면 그 내용을 알기 어렵다. 이런 이유로 마지막까지 철저히 비밀에 부쳐지는 경우가 많다. 심지어 이사회 등기이사조차도 자기네 회사가 매각된다는 사실을 알지 못하는 경우도 있다. 이처럼 민감한 사안을, 내부자에게도 비밀에 부치는 사안을 취재기자가 2중, 3중으로 확인한다는 건 쉽지 않은 일이다. 우연이라도 관계자에게 '카더라' 정도를 건너 들었다면 '어차피 확인도 안 되는데 지르고 보자' 하고 욕심이 나는 것이다.

기업 영업비밀에 속하는 사안도 마찬가지다. 신기술 개발, 신공정 투자 등 민감한 사안은 기자에게 확인해줄 수가 없다. 수많은 경쟁사가 눈을 부릅뜨고 지켜보고 있는데, 영업비밀 공개를 스스로 인정할 수는 없는 노릇이다. 심지어 기사가 나가고 그 내용이 사실이라 하더라도 NCND Neither Confirm Nor Deny(긍정도 부정도 하지 않는 것)로 일관하는 경우도 있다. 인정하자니 민감한 사안이고, 부정하자니 추진 혹은 검토를 하는 상황이고, 말 그대로 애매모호한 상황에서 택하는 전략이다.

넘쳐나는 단독보도, 도대체 기준이 뭐야?

단독보도가 넘쳐난다. 하루에도 수십 개씩, 언론사마다 이것저것 단독기사라고 올려댄다. 잘 보면 그다지 중요하지 않은 내용도, 극히 지엽적인 내용도 '단독'이라는 타이틀을 달고 올라온다. 심지어 'A사가 OO사업부문에 B상무를 영입했다'는 것도 단독이고, 'C사 CEO가 해외출장 간다'는 것도 단독이다. '~하게 되나', '~하나' 등과 같은 새로운 사실 하나 없는 전망 수준의 기사에도 '단독'이 붙는다. 단독보도 홍수 시대다. 오죽하면 "그냥 혼자 쓰면 단독보도냐?" 하는 자조까지 나올 정도다.

사실 단독을 붙일 수 있는 기준이 따로 있는 것은 아니다. 정부나 언론 단체에서 가이드라인을 정해놓은 것도 없다. 그냥 기자가 단독이라고 발제하고, 데스크가 단독보도로 내보내면 단독이 되는 것이다. 새로운 사실을 전하는 기사일 경우, 앞서 타사에서 보도된 적이 있는지 포털사이트를 통해 검색해보는 것이 기본이지만, 그조차 하지 않는 경우도 있다. 이미 1~2주 전에 타사에서 쓴 내용을 뒤늦게 자신들이 단독이라고 쓰는 경우도 많다. 타사 보도 후 몇 달 지난 내용을 약간 각색하고 최신판으로 업데이트해 새롭게 단독으로 포장하는 경우도 적지 않다. 이 경우에는 기존 보도가 잊혔다는 것이 단독을 다는 이유가 되기도 한다. 요지경이다.

언론계에서는 단독보도의 정의를 "내 기사 좀 봐주세요"라는 뜻이라 정의하기도 한다. 더 많은 독자, 시청자의 눈에 띄고 싶다는 것이다. 제품으로 따지면 더 많이 판매하고 싶은 마음일 것이다. 어렵게 취재해서 쓴 내용이니 제목도 있어 보이게 달고 싶어 하는 건 인지상정이다. 다만 이것이 과대포장이 된다면 분리수거 해야 할 쓰레기만 많아지는 꼴이 될 수 있다. 기사에는 포장지가 없다. 택배처럼 박스 포장도 안 된다. 포털사이트에 걸리는 제목이 곧 포장지이고 배송 상자다. 그만큼 제목에 큰 비중을 둘 수밖에 없다. 클릭을 유발하는 것 자체가 제목에서 시작되기 때문이다. 오죽하면 "기사는 제목이 반이다"라는 말도 있다. 포털사이트로 배송되는 뉴스 기사에서 제목이 유일한 포장지라면, '단독'이라는 문구는 리본과도 같다. 때로는 너무 큰 리본이 포장과 상품까지 망친다는 것을 잊지 말아야 한다.

섹시한 야마로 낚아라

"가계부채 또 사상 최대", "OO년 만에 최악", "OO년 만에 최소" 같은 제목의 기사를 참 자주 보게 된다. 언론이 매우 좋아하는 헤드라인이다. '사상 최대', '사상 최악' 등 독자들의 시선을 끌기 좋은 제목을 뽑는다. 보도자료가 나오면 기자들은 출입처 담당자들에게 관성적으로 "이거 얼마 만에 최고/최저인가요?"라고 묻는다. 기획재정부, 한국은행, 통계청 등 국가의 주요 통계를 관리하는 기관의 기자실에서 공통적으로 벌어지는 풍경이다.

이른바 '야마'를 잘 잡아야 하기 때문이다. 눈에 잘 띄는 헤드라인을 달아야 한다는 의미다. 야마는 언론에서 많이 쓰이는 일본 속어다. 실제 일본어 뜻은 '산'이라고 한다. 산과 같이 솟구쳐 오르는, 눈에 잘 띄는 기사를 만들어야 한다는 의미에서 기사의 주제를 '야마'라고 부르는 것 같다. 좋은 취재를 해놓고도 야마를 잘 못 잡으면 데스크(부서장)에게 혼이 난다. 좋은 제품이어도 포장을 잘하지 못한 것과 같기 때문이다.

언론의 포장 욕심에 기사 제목이 점점 자극적으로 변질되고 있다. 경제 기사도 마찬가지다. 숫자로 표현되는, 어려운 통계가 많은 경제 기사를 잘 포장하는 방법은 '얼마 만에 최악', '얼마 만에 최대' 등을 찾는 것이다. "소비자심리지수 전년동월 대비 3포인트 하락"보다 "소비자심리 5년 만에 최악"이 더 임팩트 있는 법이다. 문제는 이런 자극적인 숫자 뽑기 제목이 진실을 호도하고 왜곡할 수 있다는 점이다.

가계부채를 예로 들어보자. 가계부채는 정확히 말해 '가계신용'이다. 이는 가계가 금융기관에서 직접 빌린 돈과 신용판매회사 등을 통해 외상으로 구입한 금액을 합한 것을 말한다. 쉽게 말해 대출과 신용카드 사용액의 합이다. 가계신용 통계는 한국은행을 통해 분기에 한 번씩 발표되는데, 사실 이는 경제가 성장할수록 사상 최대를 기록하는 것이 당연한 일이다. 경제가 성장할수록 자금 수요가 커지고, 집도 구입하고, 소비 규모도 커지기 때문이다. 한 번 '사상 최대'를 기록한 상황에서는 단 1원만 증가해도 또 '사상 최대'가 된다.

경제 규모가 커질수록 부채의 규모도, 증가 금액도 커지는 것이 당연한 흐름이다. 가계부채가 500조 원일 때 1% 증가하면 5조 원이지만, 1000조 원일 때 1% 증가하면 10조 원이다. 1800조 원일 때 1% 증가하면 18조 원이다. 중요한 것은 금액의 절대적 수준이 아니라 증가율, 즉, 부채가 증가하는 속도라는 점이다. 또한 GDP(국내총생산)와 같은 경제성장률과 비교한 부채 증가 속도 또한 중요하다. 그래서 정책 당국의 초점도 부채 증가 속도에 맞춰져 있다. 가계부채의 절대적인 수준과 증가 속도 모두 걱정스러운 수준인 것은 맞다. 또한 이를 표현하는 언론 행태 역시 걱정스러운 수준이다.

오늘도 언론은 매월, 매분기, 매년 어떤 통계가 나올 때마다 "이번에는 몇 개월 만에 최악인가요?"를 묻고 있다. 해당 통계를 발표하는 기관의 담당자는 아예 '몇 년 만에 최대' 등등의 통계를 미리 뽑아놓기도 한다. 매월, 매분기 반복되는 기자들의 질문에 익숙해졌기 때문이다. 오히려 그런 통계가 준비되지 않았을 때 홍보담당관에게 핀잔을 주는 기자도 있다.

뉴스 통신사 야마가 전 언론사 야마

뉴스는 각 언론사, 각 기자들의 취재 활동을 통해 만들어지거나 각 출입처의 보도자료를 통해 생성되는 것이 일반적이다. 전자는 '알아내고자 함'이 크고, 후자는 '알리고자 함'이 더 크다. 취재기자는 정부나 기업이 알리고 싶어 하지 않는 것을 알아내는 것이 일이고, 정부부처나 기업들은 자신들에게 유리한 내용을 널리 알리는 것이 일이다.

뉴스가 취재나 보도자료를 통하지 않고 만들어지는 경우도 있다. 바로 뉴스 통신사에서 작성한 기사다. 통신사란 일종의 '뉴스 도매상'이라고 볼 수 있다. 모든 언론사가 정치, 사회, 경제, 문화, 스포츠 등 모든 분야에 독자적인 취재 인력을 두기 어려우니, 일종의 도매상을 통해 구입해서 쓰는 것이다. 대표적인 통신사는 연합뉴스, 뉴시스, 뉴스1 등이 있다. 연합뉴스는 정부에서 매년 300억원 이상의 예산을 지원받는 국가기간 통신사다. 뉴시스, 뉴스1은 민간 통신사로 연합뉴스와 경쟁하고 있다.

이 같은 통신사들에게 제휴를 맺고 즉, 비용을 지불하고 각 언론사가 통신사 기사와 사진을 가져와 쓴다. 이를 전재라고 한다. A통신사와 제휴한 언론사가 100곳이라면 100곳 모두 A통신사 기사를 그대로 받아쓸 수 있는 것이다. 이 과정에서 통신사가 잡은 야마 즉, 기사 주제가 똑같이 100곳에 뿌려지는 효과가 나타난다. 뉴스 통신사가 "가계부채 또 사상 최대"라고 제목을 잡으면 100개 언론사에서 똑같이 "가계부채 또 사상 최대"라고 재생산하는 것이다. 일부는 "가계부채 사상 최대 또 경신" 등으로 약간씩 제목을 바꾸기도 하지만 큰 의미는 없다. 이미 프레임frame이 되어버린 뒤다. 프레임은 '틀, 테두리'라는 뜻이다. 즉, 언론에서 주제를 잡은 방향으로 독자들의 시선과 생각을 프레임 안에 가둔다는 의미를 담고 있다.

이렇게 수십 개 언론사에서 뿌린 유사한 제목의 기사가 그 주제의 프레임이 되었고, 그날의 헤드라인 뉴스가 되어버렸다. 이런 상황에서 B언론사가 "가계부채 증가 속도는 둔화", C언론사가 "완만해진 가계빚 증가세" 라는 야마를 뽑아도 묻혀버리기 마련이다. 오히려 해당 취재기자는 데스크에게 "왜 다들 저렇게 썼는데 너만 이렇게 썼느냐"며 혼날 수도 있다. 같은 물결 속에서 혼자만 다른 프레임을 건다는 것은 매우 어렵고 불편한 일이다. 급기야 A통신사가 야마 뽑는 것을 지켜본 뒤 자기 기사의 야마를 잡는 기자도 있다. 타성에 젖다 못해 능동적 판단력을 잃어버린 것이다.

한통속인가, 이용당하는 것인가

기자들이 이용당하는 경우도 적지 않다. 특히 홍보성 기사를 흘려서 주가를 띄워야 하는 세력들에게 기자들도 당하기에 십상이다. 경영상 막다른 골목에 다다른 한계기업에서 이러한 주가 띄우기가 자주 목격된다.

실제 사례 몇 가지를 이야기하자면 이렇다. A기업의 경우 M&A로 돈을 버는 세력들이 최대주주였다. 투자금을 엑시트 하기 위해 주가를 띄울 방안이 필요했다. 마땅한 실체는 없었다. 그저 검토하는 몇 가지 신규사업이 있을 뿐이었다. 어쩌면 주가를 띄우기 위한 아이템이었을 수 있다. 이걸 그럴듯하게 포장해서 특정 기자에게 흘려줬다. "이번에 OO기술 특허를 사온다"거나 "OO기술을 보고 중동에서 100억 원을 투자해주기로 했다"라는 식이다. 이같이 실체 없는 몇 마디가 기사화되고, 단기간 주가가 급등한 사례가 셀 수 없이 많다. 그 회사가 얼마 지나지 않아 상장폐지 되는 사례도 여럿 지켜봤다.

일반 개인투자자들이 회사의 호재성 소식을 언론에 먼저 알리는 경우도 많다. 자신이 투자한 회사에서 어떤 기술을 개발했는데 그 회사가 홍보 IR을 적극적으로 하지 않을 경우 너무 답답한 나머지 기자들에게 이를 직접 알리고 나서는 것이다. "A기업에서 OO

기술을 완성했는데 아직 기사화 안 됐다. 먼저 쓰면 단독이다"라는 식으로 흘리는 것이다. 평소 친분 있는 기자가 있다면 더욱 쉽다. 미완성 퍼즐까지 맞출 수 있다. "내가 알아보니까 OO기술 다 완성했다는데 이 회사가 발표를 안 하네. 한번 확인만 좀 해줘봐. 혹시 알아? 단독보도 할 수도 있잖아!" 이런 식이다.

과대포장 하는 경우도 많다. A사가 개발한 기술이 세계 최초라는 둥, 애플이나 삼성에 공급될 수 있다는 둥, 4차산업의 핵심 기술이라는 둥 크게 살을 붙인다. 이해관계자의 과대포장인데 경험이 많지 않은 기자라면 그들의 의도대로 이용당하기 쉽다. 게다가 이 같은 과대포장을 해당 기업에서도 마다하지 않을 상황이라면 더욱 그렇다. 누이 좋고 매부 좋은 판에 밥상 차려주는 꼴이다. 이 기사를 보고 뛰어드는 투자자들은 이른바 설거지 당하기 십상이다.

기자가 정말 속은 것인지, 속아준 것인지는 알 수 없다. 극히 일부 사례이긴 하지만, 기자가 돈을 받고 허위기사를 작성해 처벌받은 사례도 있다. 보도자료가 가짜인 것을 알면서도, 세력들의 의도적인 주가 부양임을 알면서도 동조한 사례였다. 이 정도 되면 주가 조작 사건에 직·간접적으로 한몫했다고 봐야 한다. 순진하게 속는 경우도 많다. 특히 경험 많지 않은 기자들이 걸려들 가능성이 크다. 당장 단독보도 하나에 눈이 머는 것이다. 이를 방지하기 위해서라도 취재원을 판별하는 방법과 취재원에게 이용당하지 않는 방법에 대한 철저한 교육이 이뤄져야 한다. 물론 교육만으로는 한계가 있고 경험이 가장 중요하다. 연차 낮은 기자에게 검증되지 않은 취재원이 고급 정보를 흘려준다면 한 번쯤 의심해보는 것이 좋다. 선임 기자에게 도움을 청하는 것도 방법이다. 필자가 취재했던 경남제약 사건도 처음에는 후배 여기자가 혼자서 시작했던 아이템이었다.

오버를 부르는 개인 성과평가와 연봉제

기자도 샐러리맨이다. 회사(언론사)에서 주는 월급을 가지고 살아가는 생활인이다. 입사 시험의 내용과 형식이 일반 기업과 조금 다를 뿐이다. '언론고시'도 사실 회사 입사시험의 한 종류일 뿐이다. 기자가 되기 위해 특별한 자격증이 필요한 것도 아니다. 기자라는 직업이 국가공인도 아니고, 민간기구 승인 사항도 아니다. 그저 언론사에 기자로 입사해서 기자 명함을 받으면 그날부터 기자다.

입사 이후 연봉을 책정하는 방식도 호봉제 또는 연봉제로, 여느 기업과 다를 바 없다. 언론인도 직장인이고 생활인이다. 최근 언론계는 호봉제보다 연봉제를 더 많이 도입하는 흐름이다. 아주 오래된 미디어의 경우 아직 호봉제를 적용하는 곳이 많지만, 설립 20년 이내인 미디어 사이에서는 연봉제를 도입하는 경우가 늘고 있다(전통 매체의 경우 노조의 반발 때문에 연봉제를 도입하지 못하는 곳도 있다). 인터넷 언론사 등 상대적 후발주자들은 성과평가를 통해 기자들의 취재력을 향상시키고, 더 나은 콘텐츠를 만들 수 있도록 경쟁을 강화한다. 일반 기업처럼 인사고과에 따라 등급을 매기고, 매년 연봉 협상을 한다. 연봉제 순기능이 그러하듯, 언론사에서도 기자들의 성과 향상으로 이어진다. 즉, 더 높은 연봉을 받기 위한 노력이 더해지며 다양한 특종기사가 발굴되는 것이다.

그러나 부작용도 만만치 않다. 과도한 성과주의가 과잉 취재, 과잉 보도로 이어지는 것이다. 언론사 사이의 경쟁, 기자 개개인의 경쟁이 더해지고 또 더해진다. 월급쟁이 기자 입장에서는 반기, 연간 평가에서 높은 점수를 받아야만 다음해 연봉을 조금이라도 더 올릴 수 있다. 그러려면 더 많은 특종이 필요하고, 더 높은 조회 수가 필요하다. 취재 과정이 성급해지고 과열되며, 기사는 과대포장되기 십상이다. 그래서 오보가 양산되고 불필요한 단독기사들이 넘쳐난다.

기자가 셀러리맨인 것처럼 언론사도 기업이다. 즉, 언론사 설립 목적 중 이윤 추구를 빼놓을 수 없다는 것이다. 언론사의 경우 공익적 측면을 감안해야 하지만, 결국 돈을 벌지 못하면 살아남을 수 없는 민영기업이다.

IR클럽 "좋을 거라고, 좋아질 거라고"

언론의 수익 사업 중 기업의 IR 활동을 지원하는 유료 프로그램인 'IR클럽'이 있다. 매체마다 가격은 다르지만 1년짜리 계약에 1000만~2000만 원을 호가한다. 기업 규모에 따라, 지원하는 범위에 따라 달라진다. 대기업은 그보다 훨씬 더 큰 금액으로 가입하기도 한다.

언론이 기업을 지원할 수 있는 IR 활동은 역시 뉴스 기사다. 기업의 공시 내용부터 실적 전망, 수주 활동, 업계 동향 등 다양한 내용을 기사로 실어준다. 기업 입장에서는 공시로 나가는 단순한 내용에 '살'을 붙일 수 있으니 좋다. 즉, 숫자에 의미를 부여할 수 있다는 뜻이다. 주기적으로 CEO 인터뷰를 실어주기도 하고, 업계 기술 동향을 전할 때 해당 기업을 중심에 두기도 한다. 투자자와 고객들의 주목을 더 받을 수 있는 것이다.

기업이 직접 보도자료를 일괄적으로 배포하는 것도 방법이지만, 조금 더 세부적인 내용을 언론사와 협의하며 대중에게 전달할 수 있어 IR클럽 나름대로 장점이 있다. IR클럽 회원사이니 해당 언론사와 취재기자에게 기사 방향과 문구까지 자신들이 희망하는 내용을 요구할 수도 있다. IR클럽이 아니라면 상상하기 힘든 일이다.

IR 클럽에 가입하면 해당 언론사가 해당 기업에 우호적일 수밖에 없다. 취재원이면서도 고객사가 되기 때문이다. 이제 팔은 안으로 굽기 시작한다. 회원사에 비판적인 기사는 사실상 사라진다. 고객사를 비판하면 다음해 IR클럽 계약을 연장하지 못할 수 있기 때문이다.

일상적인 산업계 동향은 물론, 경쟁사와의 관계에 관한 기사에서도 회원사를 우대한다. 경쟁사와의 갈등 국면에서 아예 회원사 편에 설 가능성도 커진다. 정책과 관련된 기사에서도 마찬가지다. 역시 팔은 안으로 굽는다. 사실 그래서 큰돈 주고 IR클럽에 가입하는 것이다. 평소에는 물론, 어려울 때 언론사 도움을 받기 위해서다.

앞서 이야기한 것처럼 구조적으로 IR클럽 회원사에 관한 기사는 우호적으로 흐를 수밖에 없다. 최근 회원사의 실적이 부진했다고 가정해보자. 언론사가 이와 관련한 기사를 쓸 때 그저 부정적인 면만 부각하겠는가? 회원사라면 최근 실적이 부진했던 이유뿐만 아니라 장래 계획까지 상세하게 실어준다. 실적 부진을 타개하려는 회사 측의 계획과 전망을 담아서 말이다. 물론 회사 측이 제시한 방향이 기사의 주를 이룰 테고, 이는 투자자에게 그대로 전달된다. 객관적인 분석과 치밀한 검증보다는 회원사의 계획을 회원사 입맛에 맞게 그대로 전달하게 된다. 이 과정에서 필요 이상으로 희망적인 내용과 다소 과장된 내용이 투자자에게 여과 없이 전달될 수도 있다.

필자는 그래서 언론사가 독자에게 해당 기사가 IR클럽 유료회원사 기사임을 알려야 한다고 생각한다. 그래야만 독자, 투자자가 기사 내용과 방향, 이해관계를 감안해 스스로 판단할 수 있도록 할 수 있기 때문이다. 만일 투자자가 IR클럽 기사 내용을 무조건적으로, 무비판적으로 믿고 수용한다면 중요한 투자 의사 결정에 치명적으로 방해될 수 있다. 투자 판단에 과장된 긍정론만 주는 것은 옳지 않다. 설사 언론사 수익을 위해 IR클럽을 운영할 수밖에 없다 하더라도 독자가 이를 인지하고 판단하도록 해야 한다.

이처럼 이해관계를 밝히는 것은 이미 온라인 쇼핑에서도 적용하고 있는 방식이다. 네이버 쇼핑이나 G마켓, 11번가, 쿠팡 등 온라인 쇼핑 사이트 최상단에 노출된 상품은 대부분 유료 광고다. 상품의 품질이나 판매량, 리뷰가 좋아서 최상단에 오른 것이 아니다. 해당 사이트에 돈을 지불하고 최상단에 노출되도록 하는 것이다. 이를 알아채지 못하도록 해 구매자를 속인다면 이는 공정거래법 위반으로 제재를 받게 된다. 몇 년 전부터 공정위는 '광고' 표기를 하지 않은 광고 상품에 대한 적발과 제재를 강화하고 있다. 수년 전에는 쇼핑 사이트들이 광고 표기를 제대로 하지 않아 적발되는 일이 비일비재 했다. 그러나 지금은 광고 표기가 매우 자연스러워졌고, 이용자들도 이러한 이해관계를 인지한 상황에서 구매 여부를 판단하게 되었다.

네이버 블로그와 유튜브 역시 마찬가지다. 과거에는 블로그와 유튜브에 '뒷광고'가 많았다. 협찬받은 제품을 리뷰하면서 광고협찬 사실을 숨긴 것이다. 이런 뒷광고 사실이 들춰진 연예인과 유명 인플루언서들이 여론의 뭇매를 맞기도 했다. 이후 공정거래 당국이 광고협찬 콘텐츠의 경우 그 사실을 반드시 밝히도록 규제를 강화하면서 이제는 뒷광고가 줄어드는 추세다. 자칫 뒷광고 사실이 밝혀지면 해당 연예인과 인플루언서는 이미지가 추락하기 때문에 이들도 뒷광고를 지양하는 추세다. 광고협찬을 받았으면 받았다고 '유료광고 포함' 사실을 적시한다.

이렇게 온라인 쇼핑몰과 유튜브, 블로그 운영자도 하고 있는 광고협찬 표기를 언론사는 하지 않는다. 분명 이해관계가 있는 기사인데 독자들은 이를 알지 못한 채, 매우 중요한 투자 결정을 하게 된다. 물론, IR클럽 자체가 나쁜 것은 아니다. 앞서 기술한 것처럼 시장과의 소통을 더욱 원활하고 상세하게 지원한다는 점에서 순기능이 분명 있다. 다만 구조적으로 팔이 안으로 굽을 수밖에 없고, 그 과정에서 일부 사안이 지나친 긍정론으로 흐를 수 있다는 점에서 이해관계, 즉 IR클럽 여부를 독자가 알도록 표기해야 한다고 생각한다.

민감한 기사 소스, 도대체 어디서 나올까

취재 소스와 취재원을 분류해보자면 둘 중 하나다. 기사 내용이 해당 취재원과 이해관계가 있거나, 이해관계가 없거나! 우선 이해관계가 있는 경우 자신에게 유리한 기사가 나가게 하려고 소스를 흘려주는 경우가 일반적이다. 아이러니한 건 이해관계가 없는 경우에도 알고 보면 이해관계가 있을 수 있다는 것이다.

우선 이해관계가 있는 경우를 보자. 언젠가는 오픈될 내용을 조금이라도 자신들 유리한 방향으로 이끌기 위함이다. 이를 '프레임 만들기'라고 한다. 예를 들어 A기업이 빌딩을 산다고 치자. 생산 혹은 영업활동과 관계없는 자본 지출에 비판이 나올 수 있다. 대주주가 한눈을 판다거나, 기술 투자를 게을리하고 부동산이나 산다는 비난을 사기 쉽다. 이럴 때 미리 "통합사옥을 활용한 사업부문 결합 시너지"라든지, "임차료 절감을 통한 경영 효율성 제고" 등의 기사가 나가도록 작업하는 것이다. 프레임은 참 무섭다. 처음 나간 기사 방향대로 인지하는 대중이 많기 때문이다. 타사 기자들도 처음 나간 기사의 방향을 참고하는 경우가 많다.

유상증자를 하는 경우에도 뭔가 그럴듯한 내용으로 보이기 위해 공시를 전후로 '약을 치는' 경우가 있다. 유상증자를 달가워하는 주주들은 거의 없다. 증자를 하면 그만큼 주식 수가 늘어나 주가가 희석되기 때문이다. 주주들의 반발을 잠재우기 위해 “신성장 동력 확보를 위한 투자금 유치”, “재무구조 안정을 통한 경영 안정성 강화” 등과 같은 프레임 작업을 하기도 한다.

이해관계가 없는 경우를 보자. 아니, 이해관계가 없는 듯 보이지만 사실은 이해관계가 있는 경우다. 제보 아닌 제보다. 예를 들어 대기업 A사로부터 대규모 수주경쟁이 펼쳐지는 경우다. A사의 신기술 공정 투자다. 그만큼 높은 기술 수준이 요구되고, 대외적으로도 보안에 신경 쓰고 있는 작업이다. 협력사 B사, C사, D사가 경쟁입찰에 맞붙었다. 가격뿐 아니라 기술에 대한 검증도 철저히 이뤄졌다. 공급사로 선정된 것은 B사로 결정됐다. 그리고 얼마 지나지 않아 해당 내용이 언론에 보도됐다. 이 기사는 누가 흘려줬을까?

공급사로 선정된 B사가 스스로 홍보했을까? 그럴 가능성은 매우 낮다. 앞으로 고객사와 민감한 기술협력을 지속해야 하는 상황에서 B사가 스스로 A사의 심기를 건드릴 이유가 없다. 보안 사안을 외부로 발설한 것이 B사로 밝혀질 경우 계약이 파기될 위험도 있다. NDA(비밀유지 계약)를 어길 경우 공급계약 파기는 물론, 천문학적인 배상금을 물어내야 할 수도 있다. 해당 기사가 B사에서 발설됐을 가능성이 낮은 이유다. 이미 공급자로 손잡은 B사가 고객사 심기를 건드릴 이유가 없다.

그렇다면 고객사인 A사에서 흘러나왔을까? 가능성은 반반이다. NDA가 있긴 하지만, 이는 '을'의 문제다. '갑'이 흘렸을 때는 별 문제가 안 된다. 말 그대로 갑이니까. 어느 정도 정보보안 레벨이 낮아지고 대외적인 홍보가 필요한 시점이 된다면 A사는 정보보안의 뚜껑을 열 수 있다. B사는 여전히 홍보·IR에 꿈도 못 꿀 시기여도 말이다. 다만 정말로 보안이 중요한 사안이라면 A사에서도 단속을 강하게 했을 것이다. 홍보성으로 일부러 흘렸을 가능성은 낮다는 뜻이다. 정말 A사에서 흘러나간 것이라면 해당 업무에 관련된 임직원이 말실수했거나, 해당 임직원의 지인을 통해 새어나갔을 수도 있다.

위와 같은 사례에서 종종 목격되는 발설자는 C사, D사일 확률이 높다. 즉, 협력사로 선정되지 않은 곳이다. A사의 민감한 기술공정 협력사로 B사가 선정됐다는 내용이 기사화되어도 전혀 불이익이 없는 주체다. 궁금해하는 기자에게 입찰 과정과 공정기술에 대해 친절하게 설명해줄 수도 있다. 해당 보도가 B사를 통해 공개된 것으로 A사 즉, 고객사가 오해한다면 더할 나위 없이 좋은 일이다. B사 계약이 파기된다면 누구에게 좋은 일이 될까? 당연히 C사, D사와 같은 경쟁사다. 즉, 기사의 출처와 이해관계가 없는 것으로 보이지만, 사실은 이해관계가 있는 경우가 이 같은 사례다.

필자와 친한 기업 몇 곳이 B사와 같은 일을 당했었다. 고객사에 "우리가 흘린 거 아니다"라고 해명하는 데 진땀을 뺐다고 한다. 계약 파기 위기까지 갔던 경우도 있었다. 그런데 해당 기사를 쓴 기자한테는 취재 과정에서 확인 전화 한 통 오지 않았단다. 보도 내용이 매우 상세했다는 점을 감안하면 경쟁사 말고는 기자에게 그 정도까지 알려줄 곳은 없었다는 판단이다. 이 경우에도 해당 기자는 크로스 체크 없이 기사를 썼다. 내용이 맞았으니 망정이지, 오보였다면 수많은 투자자에게 피해를 줄 수도 있었다.

M&A 경우에도 이런 일이 종종 있다. 이 역시 이해관계가 얽히고설킨다. 앞에서 말한 것처럼 M&A는 인수 주체가 확정되는 순간까지 비밀에 부쳐지는 경우가 대부분이다. 주가 변동에 따라 M&A가 깨질 수도 있기 때문이다. 그럼에도 M&A 관련 기사가 많이 양산된다. 어디서 새어나가는 걸까? 이 역시 인수전에서 탈락한 주체가 유력한 용의자다. 인수희망자, 혹은 원매자(사려는 사람)라고 부르는데, 어차피 인수전에서 탈락한 거 고춧가루나 뿌리자는 심산이다. 판이 깨지면 더 좋다. 다시 처음부터 시작한다면 인수 기회가 생기는 것이니 말이다.

인수전에 참여한 매각 주관사 즉, 회계법인이나 IB(증권사와 같은 투자은행) 관계자가 흘리는 경우도 많다. 딜이 성사된 것을 은근히 자랑하고 싶을 때다. 100% 확정되지는 않았지만, 이쯤에서 기사가 나가면 좋은 분위기가 무르익을 수 있을 때 기자에게 흘려준다. 평소 정보 교류에서 도움을 주고받는 M&A업계 출입기자에게 이 같은 소스 하나를 하나 주면 후한 점수를 딸 수 있다. 좋은 기사는 훗날 좋은 정보, 좋은 홍보성 기사로 이어지니 일종의 상생과도 같은 작업이다.

확정되지 않은 M&A 사안이 이해관계 때문에 기사화되는 경우도 있다. 일례로, 해당 M&A를 흥행시켜야 할 때가 그렇다. A기업 인수에 관심을 보이는 기업이 3~4곳 있다 치자. 매각 주관사 입장에서는 A사의 몸값을 최대한 높여야 한다. 그래야 자신들에게 떨어지는 수수료 몫도 커진다. 판을 키우고 싶을 때 은근히 원매자들의 동향을 흘리는 경우가 있다. 인수전에 참여한 주체들이 서로를 더욱 신경 쓰게 만들고, 이를 통해 인수가격을 더욱 높이 쓰도록 유도하는 것이다. 원매자들은 A사 몸값으로 8000억~9000억 원을 예상하고 있는데, 신문에는 "1조 원을 무난히 넘길 것으로 예상된다"는 기사가 나온다. 인수후보군인 B사는 "뭐지? 돈 많은 C사가 그럼 1조 원 이상을 써낸다는 건가?" 생각하게 된다. 정보에 민감한 M&A판에서 이런 언론 플레이는 꽤 큰 효과를 내기도 한다.

진짜 A사를 인수하고 싶은 원매자라면 A사 몸값 올라가는 기사를 달가워할 리 없다. 그만큼이 추가로 지불해야 하는 돈이기 때문이다. 오히려 몸값 더 뛰지 않도록 대외적으로 표정 관리를 해야 한다. 원매자 성향에 따라서 잠재 인수후보군이 아예 넘보지도 못하도록 언론 플레이를 하는 경우도 있다. "우리는 1조 원 이상에도 충분히 인수할 의향이 있다"라고 인터뷰를 하는 식이다. 반대로 매물의 가격을 낮추기 위한 언론 플레이도 있다. "A사에 잠재 부실이 많다"거나 "인수희망자가 별로 없다"는 식으로 좋지 않은 정보를 흘리는 것이다. 이같이 부정적인 내용을 매각 당사자나 매각 주관사가 흘릴 리 없다. A사를 싸게 인수하기 위한 원매자들의 작업으로 보는 게 타당하다.

단편적인 사례 몇 가지를 들었다. 사실 언론 기사라는 것이 프레임을 만들기도 하지만, 프레임에 갇히기도 한다. 취재원의 이해관계와 그 소스가 가고자 하는 방향에 따라서 보도의 프레임이 만들어진다. 일반인이 특정 보도의 취재원까지 알 수는 없겠지만, 그 기사가 무엇을 지향하는지, 그 기사를 통해 누가 유리해지고 누가 불리해지는지 짐작해보는 것도 필요하다. 그래야 속지 않는다. 아니, 속을 가능성을 조금이라도 낮출 수 있다.

미공개정보 많을수록 취재 잘하는 기자

민감한 정보를 취재하는 기자들은 해당 사안을 최초 보도하는 것에 최고의 자부심을 느낀다. 기사 제목에 '단독'을 거는 것이 취재기자로서 성과다. 외부에 알려지지 않은 이야기, 시장에 영향력 있는 기사를 처음으로 알리는 것이기 때문이다. 그만큼 미공개 정보도 많다. 어찌 보면 미공개 정보를 많이 취재하고, 이를 최초 보도하는 기자일수록 능력 있는 기자일 것이다. 미공개 정보 없이, 이미 나온 내용만 매번 받아쓰는 기자는 셀 수 없이 많다. 기자의 능력 차이가 바로 취재력에 있고, 그 결과물이 바로 미공개 정보 보도라고 볼 수 있다.

만나는 취재원이 고위급일수록 정보도 고급 정보가 나온다. CEO, CFO 등 고위직일수록 회사에 관한 민감한 정보를 많이 갖고 있는 것은 당연한 이치다. 혹은 기업 구매 담당을 통해서도 중요 정보를 얻을 수 있다. 발주를 주는 주체이기 때문에 협력사들의 수주 정보가 여기서 나올 수도 있다. 중소기업의 경우 기술을 담당하거나 고객사 영업을 담당하는 직원을 통해서도 민감한 정보를 얻을 수 있다. 실제 일의 진행 과정을 누구보다 잘 알고 있기 때문이다. 또한 제품의 가격동향도 매일 확인 가능하다. 기자라면 인맥을 통해서 이러한 실무 직원을 알게 될 수도 있고, 공식 인터뷰나 행사 등을 통해서 CEO를 사귈 수도 있다. 어떤 취재원을 갖고 있느냐, 얼마나 친분이 있느냐가 곧 기자의 취재력이고 정보력이 된다.

문제는 미공개 정보를 투자에 이용할 경우 발생한다. 자본시장법에 따르면 미공개 정보 이용 행위는 회사의 주요주주, 임직원, 기타 회사와 일정한 관계에 있는 자가 회사의 업무 등과 관련해 공개

되지 않은 중요 정보를 이용해서 주식 등을 사고팔거나, 다른 사람에게 정보를 제공해서 주식 등을 사고팔도록 해 이익을 얻거나 손해를 회피하는 일을 말한다.

여기서 내부자는 회사 임직원과 주요 주주, 해당 회사의 인허가 및 감독 등의 권한을 가진 자, 해당 회사와 계약을 교섭한 자, 내부자의 대리인, 기타 종업원 등을 말한다. 미공개 정보 이용 행위로 처벌받을 수 있는 대상은 내부자뿐만 아니라 직접 정보를 받은 자도 포함된다. 이는 회사 내부자 또는 내부자로 인정되는 사람으로부터 정보를 직접 제공받은 사람을 말한다. 기자의 경우 바로 여기에 해당될 수 있다. 미공개 정보를 직접 제공받아 해당 기업 주식을 매수하는 것은 물론 불법이다. 게다가 본인이 취재한 내용을 바탕으로 주식을 매수하고, 기사를 내보낸 뒤에 주가가 올랐을 때 주식을 매도한다면 선행매매에 해당될 수 있다.

내부자의 경우 정보가 공개된 뒤에도 일정 시간 동안은 해당 정보를 이용한 투자를 해서는 안 된다. 공개 시점까지 미리 알 수 있는 내부자가 최단 시간에 이를 이용할 수 있기 때문이다. 자본시장법 시행령에 따르면, 내부 정보를 가진 사람이 해당 주식을 매수하려면 금융감독원이나 한국거래소 시스템을 통해 공시된 시점으로부터 3시간이 지나야 한다. 언론을 통해 공개된 정보일 경우에도 제한이 있다. 2개 이상의 신문(종합·경제지)에 게재된 경우 다음 날

0시부터 6시간이 경과해야 한다. 조간신문이 배송되는 시간을 감안한 것이다. 인터넷 신문의 경우 게재된 때부터 6시간이 지나야 한다. 전국에서 시청할 수 있는 지상파 방송을 통해 그 내용이 방송된 경우 방송 시점부터 6시간이 지나야 한다.

미공개 정보는 그 범위가 매우 넓은데, 쉽게 생각해서 공시 대상이면 이에 해당된다고 보면 된다. 재무 및 손익과 관련된 사항, 최대주주 및 경영진 변동에 관한 사항이 대표적이다. 이밖에 회사의 투자 및 출자 관계에 관한 결정, 회계처리 기준, 법규 및 감독기관 요구에 따른 경영상태 변동 등도 여기에 해당된다. 단일판매·공급계약 즉, 수주의 경우에도 의무공시 기준(코스피 상장사는 최근 사업연도 매출액 5% 이상, 코스닥 상장사는 최근 사업연도 매출액 10% 이상)에 해당된다면 미공개 정보에 해당된다.

미공개 정보 이용 행위에는 무거운 처벌이 따른다. 자본시장법에 따르면 1년 이상의 유기징역과 함께 이익 및 회피 금액의 3배 이상~5배 이하의 벌금을 부과받을 수 있다. 특히 그 위반 행위로 얻은 이익 금액 또는 회피한 손실액이 5억 원 이상 50억 원 미만일 때에는 3년 이상의 징역, 그 금액이 50억 원 이상일 경우에는 무기 또는 5년 이상의 징역에 처할 수 있다.

여론 띄워보고 발뺌하기

어느 분야나 마찬가지지만 특히 정책 당국에서는 경제부 기자들의 취재 경쟁이 매우 치열하다. 정책 하나하나가 국민의 삶과 산업, 금융시장, 기업 주가 등에 미치는 영향이 지대하기에 더욱 그렇다. 경제매체에서 정책 당국을 출입하는 기자는 해당 언론사에서 에이스로 볼 수 있다. 기획재정부, 금융위원회 등이 대표다. 기획재정부는 우리나라 예산과 세금 제도(세제)를 담당하는 부처다. 또한 경제정책 전반을 담당하면서 대외경제부터 서민경제까지 가장 중요한 경제정책을 수립한다. 그래서 기획재정부 장관이 경제부총리를 맡는 것이다. 금융위원회는 금융정책을 담당하는 부처다. 'OO부'가 아니라 'OO위원회'라는 것은 일종의 합의기구라는 의미다.

기재부처럼 기관장이 장관인 경우 최종 의사결정을 1인이 하는 단독제, 1인 지배형이라 한다. 금융위처럼 각 위원들이 있고, 기관장이 위원장인 경우 다수지배형, 합의제 기관이라 한다. 위원회 제도는 권한 남용을 방지하기 위해 만들어진 성격도 있다. 장관 한 사람에게 너무 많은 권한이 실릴 경우 권한 남용이 발생할 수 있다는 우려에서다. 위원회 조직은 토론과 타협을 통해 이해관계를 조정할 수 있거나 그렇게 해야 하는 정책 분야에서 활용된다. 규제 정책과 장려 정책을 동시에 수행하는 금융위원회, 공정거래위원회, 방송

통신위원회 등이 대표적이다. 우리나라 경제를 좌우하는 정부부처는 기획재정부와 금융위원회가 양대 축이라고 보면 된다. 가끔 대선 때마다 정부조직 개편의 일환으로 기획재정부와 금융위원회를 합치는 방안도 거론되지만, 그렇게 되면 예산과 세제, 금융정책 등이 한곳에 모이게 돼 지나치게 거대한 부처가 탄생하게 된다는 지적에 맞닥뜨린다.

다시 본론으로 돌아오면, 이처럼 중요한 정부 부처는 언론사로서는 물론, 기자 개개인에게도 매우 중요한 출입처다. 그곳에서 만들어지는 정책 하나하나의 영향력이 큰 만큼, 특종을 했을 때 파급력도 상당하기 때문이다. 매체의 영향력과 기자의 커리어를 위해서도 이같이 중요한 정책당국은 꼼꼼하게 관리해야 하는 대상이다. 특히 핵심 정책을 담당하는 라인의 주요 인사들을 밀접관리를 해야 한다. 요즘 어떤 정책을 논의하고 있는지, 지난번에 추진한다던 정책은 잘 진행되고 있는지, BHBlue House(청와대) 반응은 어떠한지, 정책 추진의 변수는 없는지 등등 일상적으로 체크해야 한다. 또한 장관과 차관, 실장과 국장급이 최근 어떤 사람들을 만났는지도 중요하다. 거기에서 기삿거리가 나올 수 있기 때문이다.

정책이 하나 만들어지기까지는 매우 복잡한 과정을 거친다. 사무관에게서 정책 아이디어가 하나 나왔다 치면, 과장–국장–실장–차관–장관–대통령실 등의 순을 거쳐야 한다. 단순히 수직적으로 올라가는 과정도 쉽지 않은데, 그사이에 수많은 이해관계자가 얽혀 있다. 중간에 여론 수렴을 하다가 반대 여론에 부딪혀 정책이 무산되는 경우도 무수히 많다. 역으로 톱다운Top-down 방식으로 정책이 만들어질 경우는 좀 빠르긴 하다. 위에서 하라는 대로 일단 추진하면 되기 때문이다. 장관이나 차관의 검토 지시는 물론이다.

경제부총리까지 지낸 한 인사의 차관 시절 뒷이야기를 들은 적이 있다. "차관님이 산책하는 것을 기재부 직원들이 엄청 싫어한다"라는 말이었다. 차관이 산책하는 동안 여러 생각을 하게 되고, 이것이 각종 정책 아이디어로 쏟아진다는 것이다. 직원들이 이를 싫어하는 것은 그것이 곧 실무 부서에 검토사항으로 내려오기 때문이란다. 당장 추진해도 좋을 법한 정책이라면 일선에서도 신나게 추진하겠지만, 복잡한 이해관계자 문제를 풀어야 한다거나, 실현 가능성이 매우 낮다거나, 아예 얼토당토않은 아이디어일 경우 부하 직원들은 머리를 쥐어뜯게 된다. 안 되면 안 되는 이유를 찾아 보고해야 하고, 그분을 기분 상하지 않게 설득해야 하기 때문이다.

정책을 추진할 때도 당국은 고민이 많다. 이것이 과연 옳은 정책일지, 효과를 잘 낼 수 있을지 고심한다. 또한 반대 여론이 있을지 없을지, 반대 여론이 있다면 얼마나 강력할지 알 수 없기에 고심이 깊을 수밖에 없다. 이때 여론을 가늠해보는 방법이 있다. 바로 언론을 이용하는 것이다. 정책이 구체화되기 전 국민들의 반응을 떠보고, 그 반응에 따라 정책 추진을 결정할 수 있다는 측면에서 언론만큼 좋은 창구가 없다.

정책 당국자와 출입기자가 함께 식사하는 일은 흔하다. 기자들이야 당국자 만나서 취잿거리 찾는 게 일이고, 당국자는 기자를 통해 세상 돌아가는 일을 파악할 수 있다. 때로는 이해관계가 맞아떨어지기도 한다. 예를 들면 이런 식이다. 식사 도중 "이 기자! 요즘 말이야, A분야에 이런저런 지원을 해달라는 요구가 많아. 우리도 예산만 확보되면 밀어붙이고 싶은데, 이게 워낙 첨예한 사업이라…."

다음 날 해당 매체에 "A분야 규제 완화, 예산 지원도 검토" 이런 기사가 등장한다. 이후 시장의 반응이 쏟아진다. 중요한 이슈일 경우 다른 언론사에서 해당 기사를 받아쓴다. 경쟁 관계에 있는 언론사들이 특정 언론사의 특종을 받아 쓴다는 것은 그만큼 중요한 이슈라는 의미다. 단순히 받아쓰는 스트레이트부터, 언론사의 논조가 엇갈리는 기사도 이어진다. 때로는 해당 정책에 대한 비판과 지적의 목소리가 커질 때도 있다. 해당 산업계, 시민사회단체, 국회 여야 반응까지 사안에 따라, 경중에 따라 찬반양론이 격해지기도 한다. 찬반이라도 갈리면 다행, 아예 부정적인 반응이 주를 이룰 수도 있다.

만약 부정적인 반응이 너무 많다면 없던 일로 하면 된다. 아직

완성된 정책도, 공개적으로 발표된 정책도 아니기 때문이다. 보도 해명자료를 통해 해당 보도가 너무 앞서간 것이라고 선을 그으면 된다. "해당 내용은 검토한 바 있으나 추진하지 않고 있습니다"라거나, "해당 내용은 검토한 바 없습니다"라거나, "해당 내용은 사실이 아닙니다" 등으로 해명 수위를 조절할 수도 있다. 마치 주식시장 조회공시 답변과 비슷하다.

아예 "해당 내용은 전혀 사실이 아닙니다"라거나, "해당 내용은 검토한 바 없습니다"라고 선을 아주 진하게 그을 수도 있다. 책임의 소지를 아예 없애는 것이다. 해당 언론사와 기자는 다소 억울할 수도 있겠지만, 워낙 추측성으로 지르는 기사가 많다 보니 사람들의 시선은 해당 정책과 당국자보다 언론사 오보에 맞춰지고 이내 여론은 가라앉는다.

2022년 8월 윤석열 정부 초반, 박순애 전 사회부총리 겸 교육부 장관이 취임 34일 만에 사퇴하는 일이 벌어졌다. 결정적인 계기가 '입학 연령을 만 5세로 낮추는 정책'이었다. 국민 여론이 굉장히 안 좋았고, 윤석열 대통령 지지율까지 곤두박질쳤다. 이 정책은 그해 7월 29일 윤 대통령 업무보고를 통해 처음 공개됐는데, 적용 시기까지 못 박힌 채 발표됐다. 여론 수렴 절차 없이 그냥 실행하겠다고 결정부터 해버린 것이다. 결과적으로 여론 악화에 따라 장관이 낙마하는 사태로 이어졌다. 이런 민감한 정책을 발표하기 전에 교육부 고위공무원들이 기자들을 만나 슬쩍 떠봤다면 어땠을까? 기자들과 밥을 먹으면서 "이 기자, 초등학교 입학 연령을 만 5세로 낮추는 건 어떨까?" 이 한마디를 했다면 그다음 날 바로 기사화가 됐을 것이다. 그리고 정부는 그 정책 변경에 따른 여론을 미리 가늠해볼 수 있었을 것이다. 반발이 거세게 일어나면 "실무자가 아이디어 차원으로 검토해본 것이 너무 성급하게 기사화됐다"라고 해명하면 됐는데 말이다.

이를 전문용어로 '띄워보기', '여론 떠보기', '정책 애드벌룬' 등이라 부른다. 말 그대로 언론을 이용해서 여론의 간을 보는 것이다. 정책은 한번 추진하면 되돌리기 매우 어렵기에, 어쩌면 신중에 신중을 기하기 위해 밟게 되는 선택지로 이해할 수 있다. 다만 이 과정에서 취재원과 기자 사이 신뢰가 깨질 수 있고, 누군가는 욕을 먹게 된다는 측면에서 부정적인 잔상도 남을 수 있다. 그래서 노련한 당국자들은 특정 매체, 특정 기자만 이용하지 않고 다양한 매체, 다양한 기자를 이용하기도 한다. 당국자에게는 활용할 수 있는 카드가 언론사, 출입기자 머릿수만큼 다양하다. 단독보도 거리를 잡았을 때 앞뒤 가리지 않고 지르는 언론의 생리, 그리고 치열한 취재 경쟁이 이와 같은 여론 떠보기를 더욱 용이하게 만들어주고 있다.

친절한 은행원이 더 친절해질 때

KPI 굴레, 은행원이 더욱 친절해질 때

"안녕하세요? 여기 OO은행 수원역 지점입니다. 3년 전에 가입하신 펀드, 만기가 돌아오고 있어서 안내해 드리려고요." "어디라고요?" "OO은행 수원역 지점이요." "저는 수원에 안 가본 지 10년도 넘었는데요?" "2004년에 여기서 통장 개설한 게 있으셔서 이후에 가입하신 펀드도 저희가 관리지점으로 되어 있어요."

은행원은 친절하다. 평소에도 일반적으로 그렇다. 그런데 친절한 은행원이 과하게 친절해질 때가 있다. 바로 성과를 올려야 할 때다. 위 대화는 몇 년 전 필자가 받은 전화 통화의 일부다. 대학교 때 수원역 인근 은행에서 통장을 개설한 적이 있는데, 훗날 은행에서 가입했던 주식형펀드가 그 지점 관리로 되어 있던 것이다. 펀드 만기가 다가오고 있다는 건 알았지만, 수원역 지점에서 연락이 오리라고는 생각지 못했다. 대학 졸업한 뒤에는 가본 적도 없는 수원역 지점이라니, 처음엔 보이스피싱 아닌지 의심하기도 했다. 어찌 됐든 은행 직원은 펀드의 만기가 도래하기 전에 고객에게 일러주기 위해서 전화한 것이었다. 그럼 그것만 알려주고 끊었을까? 그 직원은 "새로운 펀드를 가입하시려면 저희 지점을 꼭 방문해주세요"라는 말을 잊지 않았다. 여러 대화를 중략했는데, 결국 영업 활동의 일환이었다.

은행원에게는 KPIKey Performance Indicator(핵심성과지표)가 중요하다. 어느 직장이든 직원들의 성과를 측정하는 지표가 있기 마련인데, 특히 은행의 경우 KPI를 매우 중요하게 여긴다. 이를 통해 직원들의 성과를 경쟁적으로 높일 수 있기 때문이다. KPI 점수에 따라 인사고과, 성과급, 승진 속도가 달라지는 것은 물론이다. KPI를 한마디로 표현하자면 성적표, 채점표라고 말해도 무리가 없을 듯하다. 은행들은 매년 경영 목표와 방향에 따라 KPI 배점 구조를 변경하기도 한다. 보험을 많이 팔아야 할 때는 보험 판매 실적에 가중치를 높이고, 펀드를 많이 팔아야 할 때는 펀드 판매 실적에 가중치를 높이는 식이다. 이 같은 KPI 변경을 통해 은행은 항공모함처럼 거대한 은행 조직을 움직여 나간다.

은행의 영업 수익은 크게 두 가지로 나뉜다. 이자 수익과 비이자 수익이 그것이다. 가장 큰 비중을 차지하는 것은 역시 이자 수익이다. '예대 마진' 즉, 예금을 받아서 대출해주고 그사이에 생기는 이윤을 주 수입원으로 하는 것이 은행이기 때문이다. 이자 수익의 극대화를 위해서는 대출 총량이 증가하거나 예금과 대출 사이 마진 즉, NIMNet Interest Margin(순이자 수익) 폭이 커지면 된다. 더 많이 팔거나 더 많이 남기거나 하는 식이다.

비이자 수익은 대부분 수수료를 말한다. 펀드나 보험, 카드 등 금융상품을 판매할 때 붙는 판매수수료, 외화를 바꿀 때 붙는 환전수수료, 송금할 때 붙는 송금수수료 등 각종 서비스 수수료가 여기에 해당된다. 앞서 은행 직원이 필자에게 전화를 걸어온 목적도 바로 이것, 펀드 판매수수료 때문이다.

은행 이익 비중으로 따지면 비이자 부문은 전체 이익의 10%를 조금 넘는 수준이다. 즉, 90% 가까이를 이자 수익으로 올린다는 의미다. 그럼에도 은행들은 비이자 수익을 높이기 위해 은행원들을 독려한다. 금융당국이 가계부채 증가 속도를 늦추기 위해 대출 규제를 강화하면서 은행의 이자 이익 성장성도 저하될 수밖에 없기 때문이다. 또한 금리가 낮을 때는 예금 금리와 대출 금리 사이 폭이 좁아질 수밖에 없어 이윤이 박해진다. '이자 놀이'로 돈을 번다는 안팎의 시선도 따갑다. 한국금융연구원에 따르면 미국과 캐나다, 호주 등 글로벌 은행들의 비이자 이익은 총이익의 30~50%에 이르는 반면, 우리나라 은행들의 비이자 이익 비중은 10~15% 정도에 그친다. 그래서 은행이 돈을 너무 손쉽게 번다는 눈총과 수익 구조를 다변화해야 한다는 지적이 끊이지 않는다.

성장 한계 돌파와 수익 구조 다변화를 위해 은행들은 비이자 수익을 강화하고 있고, 이를 위해 적절하게 동원하는 것이 바로 KPI, 핵심성과지표다. 앞서 말했듯이 은행들은 KPI를 시시때때로 변경한다. 금융상품 판매 수익을 극대화해야 할 때면 비이자 수익 부문 KPI 가점을 높인다. 그중에서도 상품별로 세부 점수를 조절한다. ISA Individual Savings Account(개인종합자산관리계좌)가 유행일 때는 ISA 가점을 높이고, 연금저축이 유행일 때는 연금저축 가점을 높이고, 방카슈랑스 bancassurance(은행에서 판매하는 보험상품)가 유행일 때는 방카슈랑스 가점을 높이는 식이다.

여기서 말하는 '유행'은 정책적으로 만들어지는 것일 수도, 금융권이 직접 만드는 것일 수도 있다. 정책적인 유행은 대부분 세제 혜택에서 비롯된다. 정부에서 가계의 자산 형성을 지원하기 위해 ISA에 대한 세제 혜택을 높이면 금융권에서는 은행, 증권사 할 것 없이 빠르게 ISA 마케팅에 돌입한다. 연금저축에 대한 세제 지원이 강화되면 이 역시 마찬가지다. 정책 지원이라는 강력한 외부 변수로 만들어진 마케팅 기회를 금융권이 그냥 지나칠 리 없다. 일정 기간 수수료 무료, 경품 제공과 같은 애드벌룬을 띄운다. 특히 각 금융회사는 KPI에서 해당 항목의 비중을 높이며 직원들에게 해당 상품 판매를 독려한다. 이 두 가지 전략을 적절하게 드라이브 걸어야 그 시기 금융상품의 유행을 선도하고, 더 높은 수수료 수익을 올릴 수 있다.

은행 창구에 예금을 하러 갔는데 은행원이 "신용카드는 필요 없으세요?", "보험은 다 갖추셨나요?"라고 묻는 것은 진정 고객이 걱정돼서 하는 말이 아니다. 은행 다니는 지인에게 카드, 보험, 펀드 가입을 권유받아 본 사람이 흔한 것도 그런 이유에서다.

"대출해줄게, 상품 가입해줘" 꺾기

은행에서 '꺾기' 사례도 빈번하다. 수수료, 이자 수익을 극대화하려는 영업 전략에서 비롯되는 것인데, 물론 KPI와도 관련 있다. 이를 실행하는 것이 은행 직원이니까 말이다. '꺾기'의 행정적 표현은 '금융상품 구속행위'다. 주로 대출을 해주는 대가로 다른 서비스를 가입시키는 강제적인 행위를 말한다. 꺾기의 종류는 예금 가입, 퇴직

연금상품 가입, 펀드 가입, 보험 가입 등 다양하다. 부당한 담보나 보증을 요구하는 행위, 부당한 편익을 요구하거나 제공받는 행위도 여기에 해당한다. 심지어 로또 1등에 당첨된 고객에게 보험 가입을 집요하게 요구하다 적발된 은행 직원도 있었다.

꺾기는 '팔을 꺾는다'라는 뜻을 담고 있다. 은행이 '갑'의 위치에 있을 때, 고객보다 은행의 힘이 더 셀 때 자주 생기는 사례다. 흔히 "은행 문턱이 높다"라고 말한다. 신용도가 낮거나 담보가 없는 사람에게는 특히 그렇다. 절대적으로 '을'인 차주(돈을 빌리는 사람)가 은행을 찾았을 때, 그리고 그 은행 임직원이 KPI 점수를 높여야 하는 상황일 때 꺾기가 발생할 가능성이 커진다.

꺾기는 불법이다. 은행법에 의해 금지돼 있다. 꺾기를 하다 적발되면 과태료가 부과된다. 그러나 당장의 수익과 KPI 점수 앞에서 꺾기 영업은 근절되지 않고 있다. 그래서 금융당국은 지속적으로 과태료를 높이고, 미스터리 쇼핑(검사원이 고객으로 가장해 현장점검을 벌이는 행위) 등을 벌이면서 꺾기를 꺾어내려 노력하고 있다. 과거 5000만 원 이하였던 과태료 기준을 지난 2014년 '한 건당 2500만 원(직원 250만 원)'으로 강화했다.

그러나 과태료 상한액을 은행이 꺾기를 통해 수취한 금액의 $\frac{1}{12}$로 정하다 보니 제재 수준이 솜방망이였다. 실질적인 과태료가 평균적으로 건당 38만 원에 그친 것이다. 그래서 지난 2017년에는 피해의 경중, 고의성을 따져 기준금액 2500만 원의 5~100% 범위에서 과태료를 부과하기로 했다. 금융당국은 이럴 경우 과태료가 건별 125만~2500만 원까지 부과돼 평균 과태료가 440만 원으로 오를 것으로 계산했다. 종전보다 12배 높아진다고 본 것이다.

그럼에도 은행의 꺾기는 사라지지 않고 있다. 지금도 어느 은행이 몇백만 원의 과태료를, 어느 은행은 수십억 원의 과태료를 물었다는 기사가 심심치 않게 나온다. 꺾기가 사라지지 않는 것은 그만큼 꺾기를 통해 얻을 수 있는 이익이 적발 시 물게 될 수 있는 불이익보다 크기 때문 아닐까?

불완전판매 "문제 없으면 문제 안돼요"

지나친 금융상품 판매 경쟁과 실적 줄 세우기는 무수한 부작용을 낳는다. 꺾기와 함께 등장하는 대표적인 부작용이 '불완전판매'다. 불완전판매는 고객에게 금융상품에 관한 기본 내용을 잘못 전달하거나, 투자 위험성 등을 제대로 안내하지 않은 사례를 말한다.

원금 보장이 안 되는 상품을 원금 보장형이라고 소개하거나, 회사채에 투자되는 상품을 국채처럼 안전하다고 하거나, ELS처럼 손실이 생길 수 있는 옵션(경우의 수)을 제대로 안내하지 않는 사례 등 다양하다. 원금 비보장형 상품을 판매하면서 "절대 손해 볼 일 없어요"라고 안심시키는 것도 불완전판매가 될 수 있다. 대부분의 불완전판매는 결과적으로 사고가 터지고 나서야 문제가 된다. 수익이 잘 나오고 환매도 잘 되는 상황에서는 금융사에 문제 삼을 것이 없기 때문이다. 금융상품에 가입할 때 "그냥 빨리 해주세요. 됐어요. 다른 건 다 알았어요" 했던 고객들도 말이다.

가장 대표적인 불완전판매 사례는 2008년 글로벌 금융위기 이후 원·달러 환율이 급등하면서 불거진 '키코KIKO(통화옵션상품) 사태', 2019년 펀드 자금을 불법적으로 운영하면서 터진 '라임자산운용 사태', 2020년 공공기관 매출 채권 등 안전자산에 투자한다고 속였던 '옵티머스 사태' 등이 있다.

불법성과 별개로 이들 사례의 공통점이 있다. 바로 결과적으로 문제가 됐기에 문제가 됐다는 점이다. 어느 금융상품이건 문제가 불거졌을 때 "나는 제대로 못 들었다", "내가 속았다" 하는 가입자가 안 나올 수 없다. 그리고 이들 사례처럼 피해 규모가 크고 사회적으로 큰 문제가 되면 피해자의 목소리도 더욱 커진다. 여론에 압박을 느끼는 금융당국은 금융회사들의 판매 과정을 중점적으로 조사하게 된다. 수십 개 판매사에서 수백, 수천 건의 판매가 이뤄졌다면 그중에서 불완전판매 정황을 몇 개 잡아내는 것은 그리 어려운 일이 아니다. 불완전판매 가능성은 언제나 도사리고 있다. 상당수 금융상품이 판매사 직원 권유로 판매되고, 복잡한 가입 절차를 빠르게 처리하고자 하는 마음은 은행원이나 고객이나 마찬가지이기 때문이다.

불완전판매를 잡아내고, 이를 근절하기 위해 암행 감찰도 이뤄진다. 이른바 '미스터리 쇼핑' 제도다. 조사원이나 감독직원이 고객으로 가장해 금융상품 판매 절차와 서비스 수준 등을 평가하는 제도를 말한다. 미스터리 쇼핑은 은행뿐 아니라 보험, 증권사 등 업권을 망라하고 전반적, 지속적으로 진행되고 있다. 금융감독원 차원에서 실시하는 미스터리 쇼핑뿐 아니라 각 은행 등 금융회사 자체적으로 진행하는 경우도 있다. 판매 프로세스를 점검해 절차를 제대로 지키지 않는 영업점과 직원에게 인사상 불이익을 준다. 가볍게는 재교육 정도로 끝나지만 심각할 경우 인사 조치 등이 뒤따르기도 한다.

'완전한 판매'가 모범답안이기는 하지만, 여기에도 부작용이 있다. 금융상품 판매 자체가 위축되면서 금융시장의 유통구조가 악화되는 것이다. 판매 절차가 까다로워지고, 설명 의무가 강화될수록 금융상품 판매는 위축될 수밖에 없다. 공모펀드 하나 가입할 때 30분이면 충분했는데, 이것이 1시간 30분 넘게 걸린다면 산술적으로도 판매량이 줄어들 수밖에 없다. 판매사는 그 시간에 다른 영업을 하는 것이 효율적이라 판단하게 된다. 따라서 판매 절차가 까다로워지는 금융상품은 자연스럽게 판매 규모가 줄어들 수밖에 없다. 주식형 펀드 하나 판매하는 데 1시간 30분이 걸리고, 카드 하나 판매하는 데 20분이 걸린다면 은행원은 펀드보다 카드 판매를 선호할 수밖에 없다(그래서 앞서 설명한 KPI가 중요한 것이다). 결국 주식형 펀드 판매가 줄어들면 주식시장에 흘러드는 자금이 줄게 되고 증시 유동성과 수급에도 영향을 주게 된다.

은행과 같은 판매사는 일종의 유통업으로 볼 수 있는데, 상품 유통이 막혀버리면 제조 단계가 위축되는 것도 당연한 이치다. 게다가 라임 사태, 옵티머스 사태처럼 부정적인 이슈가 연달아 터지면 해당 금융상품 시장은 꽁꽁 얼어붙는다. 판매사를 통해 펀드 자금을 유치해야 하는 자산운용사, 투자자문사 등은 타격을 받을 수밖에 없다. 금융상품 제조가 위축된다는 것은 그만큼 투자처에 투자금이 흘러 들어가지 않게 된다는 것을 의미한다. 너무 거창하게 보일 수도 있지만, 금융은 산업의 피, 혈맥이라는 점에서 금융산업 위축은 제조업 등 일반 산업에도 결국 영향을 미칠 수밖에 없다. 금융상품 판매 최전선에 있는 은행부터 신뢰를 잃게 되면 줄줄이 도미노 타격을 받을 수 있다. 은행 등 판매사들이 최선을 다해서 신의성실 의무를 다해야 하는 이유다.

은행 영업에 말려든 기업의 눈물 'KIKO'

은행의 과도한 영업, 그리고 인간의 탐욕이 만들어낸 최악의 작품이 있다. 바로 '키코KIKO 사태'다. 키코 사태란 지난 2008년 글로벌 금융위기 당시 원·달러 환율이 폭등하면서 수출기업들에 엄청난 손실을 던져준 사건이다. 일반적으로 수출기업은 환율이 상승하면 수익성이 좋아지는 것이 정상이지만, 키코라는 금융상품 때문에 환율이 오르는 만큼 수출기업들은 천문학적인 손실을 봐야 했다.

키코란 '녹인Knock-In, 녹아웃Knock-Out'의 약자로, 특정 지수나 환율, 상품 등의 가격 방향에 따른 옵션을 결합한 파생상품의 일종이다. 쉽게 말하면, 가격이 약속한 범위 내라면 계약자(기업)가 이익을 보고, 그 밖으로 벗어나면 금융사(은행)가 이익을 보는 금융상품이다.

우리나라에서 문제가 되었던 키코 상품은 원·달러 환율이 그 대상이었다. 환율이 대략 900원~1000원 사이에 있으면(정확히는 계약마다 다름) 옵션 매수자인 중소기업이 이익을 얻지만, 900원 이하로 떨어지면 옵션 계약 자체가 무효가 되는 방식이었다. 즉, 환율이 900원 밑으로 내려가면 기업은 이득 볼 것이 없고, 은행도 손해 볼 것이 없는 식이다. 문제는 환율이 오르는 경우였다. 원·달러 환율이 약 960원을 넘어서기 시작하는 시점부터는 기업이 대규모 손실

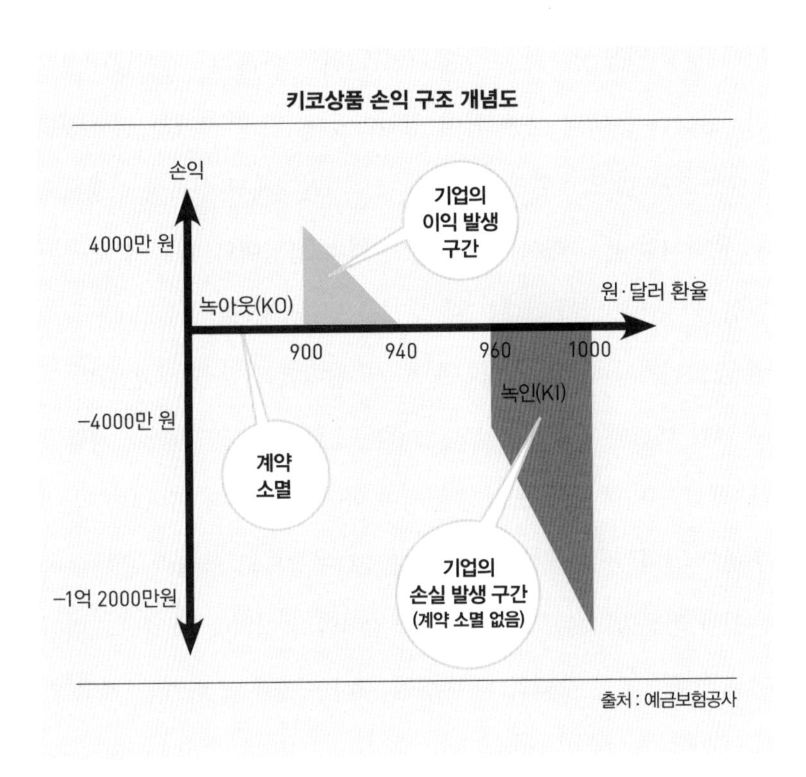

을 보는 구조였다. 기업이 달러를 해당 환율로 은행에 팔아야 하는 구조였기 때문이다.

키코상품은 2000년대 들어 판매가 시작됐는데 특히 지난 2006~2007년 시중은행들이 중소기업들을 상대로 상품 가입을 늘려갔다. 명분상으로는 '수출기업을 위한 환헤지• 컨설팅'이었지만, 실상은 은행의 상품 판매 영업이었다. 키코 판매가 집중됐던 2006~2007년도는 원·달러 환율이 900원대에서 비교적 안정적으로 유지되었다. 그래서 기업들은 은행의 설명대로 환율이 약속된 범위 내라면 이익이 난다는 데 무게를 뒀다. 그러다가 2008년 글로벌 금융위기가 터졌다. 2008년 초 930원대였던 원·달러 환율이 그해 11월 1515원까지 치솟았고, 2009년 3월에는 1597원까지 치달았다. 계약 건별로 차이가 있긴 했지만 환율 1000원을 넘어서면서 대부분 기업이 손실 구간에 진입했다. 그 이상으로 환율이 오를수록 손실이 천문학적으로 커져갔다. 영업이익 수십억 원대 중소기업이 키코 상품으로만 수백억 원 손실에 처하는 경우도 있었다. 키코 피해 기업은 700여 곳에 이르렀고, 당시 200여 개 기업이 키코 손실 때문에 부도, 파산 등 회복 불능 상태에 빠진 것으로 알려졌다.

당사자들은 억울하겠지만, 엄밀히 말하면 키코 사태는 인간의 탐욕으로 완성됐다고 해도 과언이 아니다. 은행은 은행 나름대로 상품 판매를 통한 수익 창출에 눈이 멀었고, 일부 기업은 본업이 아

• '환(換)'과 '헤지(hedge)'의 결합어로, 환율 변동에 따른 위험을 없애기 위해 현재 수준의 환율로 수출이나 수입, 투자에 따른 거래액을 고정시키는 것을 말한다. 환율이 오를 경우의 이익을 포기하는 대신 환율이 내릴 경우의 손해를 막는 것, 즉 환율변동에 대한 위험을 회피하는 것이 환헤지의 목적이다.

니라 파생상품 가입을 통해 수익을 내보겠다며 욕심을 부렸다. 환 헤지를 넘어 파생상품을 통한 수익 창출을 노린 것이다. 환 헤지 계약 금액이 실제 수출금액을 초과한 기업도 있었다. 기업 스스로 화를 자처한 것이다. 반면 이 같은 상황은 은행이 기업에 현실성을 넘어 과도한 영업 행위를 했다는 불완전판매의 근거로 활용되기도 했다.

기업들은 은행을 상대로 소송을 벌였다. 그냥 앉아서 파산하느니 사기적인 상품 구조를 문제 삼아 계약 자체를 무효화 해보자는 전략이었다. 은행들은 키코 상품의 계약 구조 자체가 기업에 너무 불리했고, 은행들이 상품의 위험성을 제대로 알리지 않았다고 항변했다. 5년간의 소송전을 벌였으나 기업들은 끝내 패소하고 말았다. 대법원 전원합의체(재판장 양승태 대법원장, 주심 이인복·박병대·양창수 대법관)는 지난 2013년 9월 26일 수산중공업·세신정밀·모나미·삼코가 "키코 상품 계약에 따른 피해액을 배상하라"며 우리·한국씨티·신한·한국스탠다드차타드·하나은행을 상대로 낸 부당이득금반환 청구소송 4건에 대한 상고심 선고에서 "키코 상품은 환 헤지에 부합한 상품으로 불공정계약에 해당하지 않는다"라고 판결했다.

다만 일부 사례에서 은행의 불완전판매가 인정됐다. 대법원은 "개별 기업 및 은행별로 키코 계약 체결 당시 적합성 원칙 및 설명의

무 준수 여부를 살펴 불완전판매 여부를 판단해야 한다"라고 밝혔다. 금융감독원은 이를 바탕으로 지난 2019년 12월 분쟁조정위원회를 열어 은행의 불완전판매 책임을 인정했다. 키코 상품을 판매한 은행 6곳에 분쟁조정을 신청한 4개 기업을 상대로 키코 피해 손실액의 15~41%를 배상하라고 권고한 것이다. 다만 이는 강제가 아닌 권고여서 은행들이 최종 배상을 하기까지 또다시 상당한 시일이 소요됐다. 또한 배상을 받을 당사자는 금융감독원에 직접 분쟁조정을 신청한 기업에 국한됐고, 이미 키코로 인해 파산해버린 기업은 시간을 되돌릴 수도 없는 일이었다.

이자 장수에게 이자 장사 지적?

"은행이 고객을 상대로 이자 장사를 해서 실적을 높이고 있다." 국정감사에서 국회의원들이, 언론에서 기자들이, 심지어 금융당국 관료들까지도 자주 쓰는 표현이다. 따지고 보면 참 맞는 말이고 당연한 말이다. '예대 마진' 즉, 예금과 대출 사이 이자 마진으로 먹고 사는 기업이 은행이니, 은행은 이자 장사를 하는 이자장수가 맞다. 앞서 은행 KPI 편에서 설명한 것처럼 우리나라 시중은행의 수익 구조를 보면 전체 이익의 90% 가까이가 이자 이익이다. 이자장수에게 이자 장사를 한다는 이유로 비난을 하면 과연 그게 논리적인 비판일까? 이는 사람들이 비를 맞고 있을 때 우산장수에게 우산 장사를 한다며 비난하는 것과 다를 게 없다.

중요한 것은 예금 이자와 대출 이자 사이 마진이다. 그게 지나치면 '과도한 이자 장사'라고 지적할 수 있다. 다만 이는 민간기업의 민간상품 가격이니 법과 제도로 제어할 수 없다. 그렇게 해서도 안 된다. 밀가루와 팜유 등 원재료 가격보다 라면 가격이 너무 높다고 지적할 수는 있지만, 그 판매가격을 통제해서는 안 되는 것과 마찬가지다. 은행에 투자한 주주들에게 은행의 NIMNet Interest Margin(순이자 수익)은 매우 중요한 지표다. 조달비용과 비교해 얼마나 이윤을 잘 만들어내는지를 보여주는 경영성과의 핵심 지표다. 투자자 입장에서는 은행이 예금 이자를 적게 주고 대출 이자를 높게 받아야 좋다. 그래야 마진이 커지고 실적이 높아지기 때문이다. 반면 은행 고객에게 이는 화가 나는 일이다.

그렇다면 사회 전반적으로 은행 주주들의 목소리가 높을까? 고객들의 목소리가 높을까? 2022년 상반기 기준으로 KB금융지주의 주주 수는 20만 6270명인데 반해 국민은행 고객 수는 3000만 명이 넘는다. 은행이 높은 마진을 올리면 '이자 장사'라는 맹목적인 비난이 높아질 수밖에 없는 구조다. 특히 은행은 경영상 위기가 발생할 때 정부가 공적자금을 투입해 도산을 막아주는 만큼, 일정 부분

공공성이 있는 것으로 인식되고 있다. 경영권을 좌우하는 최대주주 지분을 봐도 그렇다. KB금융지주, 신한금융지주, 하나금융지주 모두 최대주주가 국민연금이다.

반면, 이 같은 이자 장사 지적은 은행 주주들에게 참 억울한 프레임이다. 과도한 수익성 견제 탓에 주가가 만년 저평가를 벗어나지 못하고 있기 때문이다. KB금융과 신한금융 등 은행을 주축으로 하는 금융지주사 PER Price Earning Ratio(주가수익비율)은 4~5배 수준, PBR Price Bookvalue Ratio(주가순자산비율)은 0.3~0.5배 정도에 불과하다. 수익을 좀 낼 만하면 이자 장사 한다는 비난이 높아지고, 수익성을 훼손할 수 있는 견제구가 날아들기 때문이다. 서민·소상공인을 위한 부채 탕감 정책에 보조를 맞춰야 하고, 각종 사회적 기금 설립을 위해 은행 돈을 출연해야 한다. 정권이 바뀔 때마다 새로운 이름의 서민지원 기금이 만들어지고, 은행은 거의 1순위로 자금을 대야 한다. 지난 2016년에는 아예 서민금융법(서민의 금융생활 지원에 관한 법률)이 만들어졌다. 정부가 법까지 만들어서 민간금융회사가 서민을 위해 자본금을 출자하고 기부금을 내도록 한 것이다. 사회 전반적으로 보면 금융의 공공성, 기업의 사회적 역할로 볼 수 있다. 반면, 은행과 그 주주들 입장에서 보면 과도한 관치금융, 수익성 훼손 행위로 볼 수 있는 양면성이 있다.

에필로그

"이 기자님 잘 좀 부탁드립니다!"

"없는 번호입니다. 다시 확인하시고…."

아마 기자 생활하면서 가장 많이 들었던 한마디를 꼽으라면 바로 이 말일 듯합니다. 많은 취재원들이 기자들에게 부탁을 참 많이 합니다. 분명 이해관계 때문일 겁니다. 그런데 앞에서는 필요 이상으로 굽실거리던 취재원도 어느 순간 가차 없이 돌아섭니다. 더이상 필요하지 않을 때 그렇습니다. 따져보면 기자도 마찬가지입니다. 정보를 캐내기 위해 취재원을 구슬리고 때로는 목청을 높이다가도 출입처가 바뀌면 연락할 일이 사라집니다. 술을 3차까지 마시고 "형님 동생" 하기로 했다가 훗날엔 서먹해지는 관계도 많습니다.

지금 보니 제 스마트폰에 저장된 연락처가 6,800여 개에 달하네요. 취재하기 위해서 참 열심히도 돌아다녔습니다. 인적 네트워크 즉, 인맥은 무엇과도 바꿀 수 없는 자산이기도 합니다. 그런데 반문해보기도 합니다. '6,800여 명 중 아무 때나 전화해 안부를 물어도 어색하지 않은 사람은 과연 몇이나 될까?' 그중 성함이 떠오르고 다시 만나고 연락할 수 있는 분들에게 참 많이 고마움을 느낍니다. 반대로 '내가 이런 사람도 만났었나?' 기억조차 못 하는 경우가 태반입니다. 그럼에도 우연이라도 혹은 취재 중 누군가를 만났을 때 몰래 연락처를 검색해보고, 거기에 이름이 있으면 "아! 예전에 몇 번 보셨잖아요!" 외치며 반가운 척을 하기도 합니다. 영업사원을 했어도 잘했을 것 같습니다.

일련의 과정은 모두 더 나은 콘텐츠를 만들기 위함입니다. 취재기자로 현장을 뛸 때는 더 좋은 기사를 쓰기 위해서, 편집장으로서 〈와이스트릿〉을 꾸려갈 때는 더 좋은 콘텐츠를 만들기 위해서 열심히도 들이댑니다. 그렇게 20년 가까이 빨빨거리며 돌아다니고 열심히 들이댄 결과 중에서 일부가 이 책에 담겼습니다. '참 많은 경험을 했구나' 생각과 함께, '아직도 많이 부족하네. 더 많은 사람을 만나고 더 많은 경험을 해야겠다' 생각도 하게 됩니다.

돈이 흐르는 자본시장 주변에는 똑똑한 사람도 많고, 정직하지 못한 사람도 많고, 아주아주 나쁜 사람도 많습니다. '와! 이렇게 훌륭한 분의 말씀을 우리가 공짜로 듣다니!' 생각할 때도 있고, '아! 이런 사람한테 걸려드는 사람은 참 불쌍하겠다' 싶을 때도 있습니다. 전자의 경우를 많이 발굴하고, 후자의 경우를 많이 고발해서 조금이나마 이로운 역할을 하는 것이 언론인으로서 사명인 것 같습니다. 저의 경험과 역할을 통해서 한 명이라도 더 많은 사람이 지식과 지혜를 얻고, 한 명이라도 더 많은 사람이 잠재적 피해를 예방할 수 있다면 그것이야말로 언론인으로서 최고의 보람일 듯합니다.

저의 첫 책을 끝까지 읽어주신 독자 여러분께 깊이 감사드립니다. 함께 성장하는 행복한 부자가 되시길 바랍니다!

모르면 당하고
알면 돈 되는

여의도 선수들의 비밀

1판 1쇄 발행 | 2023년 7월 15일
1판 5쇄 발행 | 2023년 7월 30일

지은이 | 이대호
펴낸이 | 박 현

주간 | 오서현
편집 | 난낫
디자인 | 블루노머스
마케팅 | 권순민

펴낸곳 | 트러스트북스
등록번호 | 제2014 – 000225호
등록일자 | 2013년 12월 3일
주소 | 서울시 마포구 성미산로1길 5 백옥빌딩 202호
전화 | 02) 322 – 3409
팩스 | 02) 6933 – 6505
이메일 | trustbooks@naver.com

값 18,800원
ISBN 979-11-92218-72-4 03320